대학수학능력시험 국어 영역, 출제 경향 분석

대학수학능력시험 국어 영역은 화법, 작문, 문법, 독서(비문학), 문학의 5개 영역에서 전체 45문항이 출제됩니다.

영역별 문항 수는 화법 5, 작문 5, 문법 5, 독서(비문학) 15, 문학 15로 구성됩니다. 문항 수만 보았을 때 독서(비문학)와 문학의 비중이 상대적으로 높아 보이나, 독서(비문학)는 인문, 사회, 과학, 기술, 예술의 5개 영역으로 다시 세분화되고 문학은 고전 시가, 수필, 현대 시, 극(시나리오), 현대 소설, 고전 소설의 6개 갈래로 세분화되기 때문에 화법, 작문, 문법의 비중이 낮은 편이 아닙니다.

문학: 15문항 출제

> 문학의 수용과 생산, 문학과 삶에 대한 이해와 창의적 사고력 등을 평가

최신 출제 경향
- 비문학 특성을 가진 문학 이론이 문학 작품과 함께 나오는 복합 지문이 증가하였습니다.
- 다양한 갈래(시, 시나리오 등)의 내용 및 형식적 특성을 이해했는지 묻는 문제가 출제됩니다.

공부 TIP
- 문학의 다양한 갈래 특성에 맞게 공부합니다.

| 운문 | 주제, 표현법, 화자의 정서 파악 |
| 산문 | 인물 간의 관계와 갈등 구조, 시대적 배경(고전은 내용) 파악 |

KB059971

문학 33%

수
국어
출[제]

독서(비문학): 15문항 출제

> 통합적인 독서 능력과 정보의 이해, 적용, 추론 능력 등을 평가

최신 출제 경향
- 고난도 문제가 독서(비문학)에서 많이 출제되고 있으며, 융합 지문의 증가로 난이도가 점점 높아지고 있습니다.

공부 TIP
- 지문을 문단별로 정리해서 문단과 문단의 내용을 연결하여 내용을 파악하는 훈련이 필요합니다.
- 글의 주장과 관점, 관점과 견해의 차이, 새로운 개념과 어휘 이해 및 전체 글의 맥락을 파악합니다.

독서(비문학) 33%

국어 어휘
- 지문 안에 쓰인 어휘의 문맥적 의미를 묻는 문제가 많이 출제됩니다. 평소 어휘의 뜻을 유추하는 훈련을 자주 하는 것이 좋습니다.

배경 지식
- 국어뿐 아니라 전 과목을 아우르는 배경 지식이 출제됩니다. 평소 다양한 영역에 연관된 독서로 배경 지식을 쌓는 것이 좋습니다.

구분	화법	작문	문법	독서(비문학)					문학					
				인문	사회	과학	기술	예술	고전 시가	수필	현대 시	극	현대 소설	고전 소설
문항수	5	5	5	15					15					

*융합과 복합은 각각의 영역과 갈래로 계산

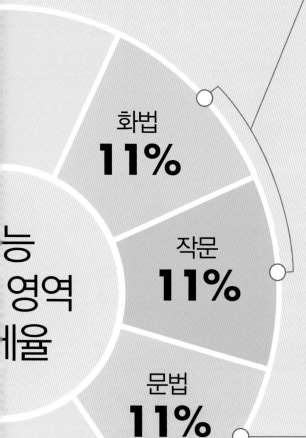

능
영역
비율

화법
11%

작문
11%

문법
11%

화법과 작문: 10문항 출제

| 화법 | 개념, 원리, 과정 등의 이해 문제 | + | 담화 상황 등에서의 실제적인 화법 능력 평가 |

| 작문 | 개념, 원리, 과정 등의 이해 문제 | + | 작문 상황에서의 실제적인 작문 능력 평가 |

최신 출제 경향
• 최근 한 개의 지문에서 화법과 작문을 통합하여 의사소통 능력을 묻는 문제가 출제됩니다.

공부 TIP
• 화법과 작문은 본래 듣기·말하기, 쓰기 능력과 관계된 영역입니다. 그러므로 이 영역과 관련된 유형과 특징을 잘 알고 학습해야 합니다.

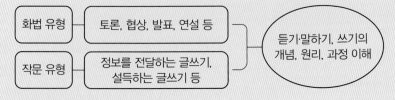

| 화법 유형 | 토론, 협상, 발표, 연설 등 | 듣기·말하기, 쓰기의 개념, 원리, 과정 이해 |
| 작문 유형 | 정보를 전달하는 글쓰기, 설득하는 글쓰기 등 | |

문법: 5문항 출제

| 국어의 구조, 변천, 국어 생활에 관한 이해와 탐구 능력, 문장 구조 등 | + | 문법+어휘 문항 |

최신 출제 경향
• 독해 지문 내에서 문법을 묻는 문제의 출제 비율이 증가하였고, 종합적인 문법 지식을 묻는 문제가 출제되고 있습니다.

공부 TIP
• 품사나 문장 성분 등 문법의 기본 개념을 확실히 익혀야 합니다.
• 문법 개념과 함께 지문형 문법 문제 해결을 위한 독해 학습도 중요합니다.

문학 독해,
동영상 강의로 실력 UP

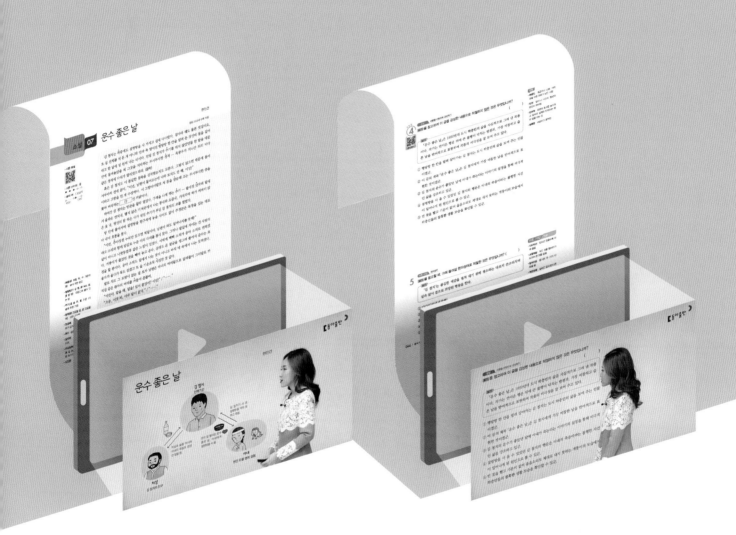

1 작품 전체 강의 제공

• 갈래별 독해 원리에 따라 작품을 정확하게
  이해할 수 있는 지문 분석 강의

• 작가와 작품이 쓰인 시대 특징 설명 등 깊
  이 있는 배경 지식 강의

2 수능 고난도 문제 풀이 강의 제공

• 수능 고난도 문제 유형인 '감상 / 적용하
  기' 문제 풀이 강의

동영상 강의와 함께 중학교를
미리 준비하는 초고필 시리즈

국어 독해 지문 분석 강의 / 수능형 문제 풀이 강의

- 지문 분석 강의를 통해 작품을 제대로 이해
- 수능형 문제 풀이를 들으며 어려운 독해 문제도 완벽하게 학습

유리수의 사칙연산 / 방정식 / 도형의 각도
수학 개념 강의

- 25일만에 끝내는 중등 수학 기초 학습
- 초등 수학과 연결하여 쉽게 중등 수학 개념 설명

국어 문법 문법 강의

 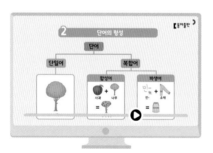

- 어려운 문법 지식도 그림으로 쉽고 재미있게 강의
- 중등 국어 문법을 위한 초등 국어 기초 완성

한국사 자료 분석 강의 / 한국사능력검정시험 대비

 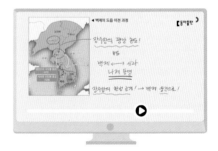

 한국사 개념을 더욱 완벽하게 학습할 수 있는 한국사 자료 분석 강의

국어 어휘 어휘 강의

- 관용 표현과 한자어의 뜻이 한 번에 이해되는 강의
- 각 어휘의 유래와 배경 지식을 들으며 재미있게 이해

- 개념 학습, 기출 문제, 모의 평가로 구성된 한국사능력검정시험 대비 특강
- 효과적인 10일 스케줄 강의 구성

초고필
문학 독해
1

초고필 독해는 이렇게 쓰였습니다.

문동열 선생님

말하려는 내용을 제대로 전달하는 일은 매우 어렵습니다. 상대방이 알아듣기 쉽게 표현해야 하기 때문입니다. 그런데 이보다 더 어려운 것이 있습니다. 그것은 상대방의 말을 정확하게 이해하는 것입니다.

독해력은 제대로 듣고 정확하게 말하는 능력의 바탕이 됩니다. 독해력을 기르려면 무엇보다 글을 끝까지 읽을 수 있어야 합니다. 그리고 글자가 아니라 문장을 읽어야 하며, 문장 간의 관계를 파악할 수 있어야 합니다. 그런데 의외로 많은 학생들이 문장이 아니라 한 글자 한 글자만을 읽습니다. 그러다 보니 글을 다 읽고도 주제를 스스로 정리하지 못하는 경우가 많습니다.

이런 문제가 나타나는 것은 스스로 읽고 정리하는 연습을 하지 않았기 때문입니다. 이 책은 다양한 분야의 글을 읽고 스스로 정리할 수 있는 문제들로 구성되어 있습니다. 특히 철학이나 과학 같은 어려운 분야의 글은 찬찬히 읽고 꼼꼼하게 정리하며 독해력을 키우기 바랍니다.

이석호 선생님

　이 책은 '징검다리'입니다. 갑자기 중학생, 고등학생이 되고, 어쩌다 어른이 될 여러분들이 너무 당황하지 않았으면 좋겠습니다. 세상에는 기쁜 일, 예쁜 사연도 있지만, 슬픈 일, 아픈 상처도 있습니다. 한 작품 한 작품이 징검다리가 되어 더 넓은 세상을 경험할 수 있도록 도울 것입니다.

　이 책은 '보물찾기'입니다. 문학 감상에는 '정해진 답'이 없습니다. 여러분이 무엇이 될지 아무도 모르는 것처럼요. 그렇지만 이 책의 문제에는 '정답'이 있습니다. 다만 그 답은, 우리들의 머릿속이 아니라 작품 안과 보기 속에 있습니다. 모두 모두 숨겨진 답을 찾아내는 즐거움을 맛보길 바랍니다.

　이 책에는 1960년대 교과서에 수록되었던 작품부터 반세기 후 교과서에 처음 등장한 것까지, 다양한 작품들이 있습니다. 문학을 통해 나와 다른 삶에 '공감'하고, 엄마, 아빠, 선생님과 '소통'할 수 있기를 기도합니다.

송인우 선생님

　이 책은 초등학생들의 수준을 고려하여 작품을 선정하고 주제별로 제시하여 학생들이 작품을 이해하는 데 큰 도움을 줍니다. 또한 작품의 핵심을 묻는 문제를 통해 어떤 부분에 주목해서 글을 읽어야 할지 알 수 있습니다. 이 책을 바탕으로 중등은 물론 수능까지 흔들리지 않을 국어 실력을 쌓으시기 바랍니다.

초고필 독해를 추천합니다.

대학 수학 능력 시험(수능) 국어 영역은 주어진 글을 잘 읽고 이해하는 능력을 묻습니다. 이 능력은 결코 선천적으로 타고나는 것이 아닙니다. 어릴 때부터 꾸준하게 논리적으로 글 읽기 훈련을 해 온 학생들이 수능 국어 영역에서도 좋은 성적을 내는 경우가 많습니다.

'초고필 비문학 독해'와 '초고필 문학 독해'는 여러 분야의 글들을 영역별, 수준별로 두루 다루고 있어 초등학교 고학년 수준의 눈높이에서 논리적 독해력을 키우기에 좋은 교재입니다. 또한 최신 수능 경향을 반영한 트렌디한 주제를 다루고 있어서 배경 지식을 쌓고 낯선 지문도 어렵지 않게 접근할 수 있도록 해 줍니다.

메가스터디 국어 김동욱

"선생님, 우리 아이는 책을 많이 읽는데 왜 독해력이 부족할까요?" 제가 종종 듣는 질문입니다. 요즘은 독서의 중요성을 알고 있는 학부모님이 많습니다. 그래서 어렸을 때부터 아이들에게 많은 책을 읽히지만, 노력에 비해 국어 독해력이 따라 주지 않아 고민하는 경우를 종종 봅니다.

물론 독서는 독해력의 기본 바탕입니다. 그러나 무조건 많이 읽는 것만이 독해력 향상의 지름길은 아닙니다. 문학/비문학을 구별하여 다양한 영역의 독해를 골고루 해야 독해 역량이 성장합니다.

수많은 국어 독해 교재가 있지만 문학과 비문학을 나누어 체계적으로 다루는 국어 독해서는 부족했습니다. 초등 고학년부터는 영역별, 갈래별 독해가 꼭 필요합니다. '초고필 비문학 독해'와 '초고필 문학 독해'가 그 갈증을 채워 줄 것입니다.

글로 크는 아이들 논술 학원 정석영

초등 고학년은 예비 중학생에 가깝습니다. 중학교 국어 시험에서 문학 지문은 한 갈래만 나오지 않고, 비문학 지문은 묻는 문제의 깊이도 다릅니다. '초고필 국어 독해'는 다양한 지문과 문제를 다루고 있어서 실전 능력을 키우는 데 도움이 되는 교재입니다.

반포 현문 국어 학원 오성민

수능 국어 영역에서는 어휘와 개념을 잘 알고 있는지 제시문을 파악할 수 있는지 등을 평가합니다. 기본적으로 어휘력이 부족하면 문제를 풀 수 없습니다. 이 교재는 기본부터 시작하여 수능 어휘까지 접할 수 있는 문제를 출제하여 어휘 확장의 기회를 제공합니다. 중학교 교과서에 쓰이는 어휘나 문장 수준의 어휘들로 구성되어 바로바로 읽고 문제를 풀 수 있게 해 주어 큰 도움이 됩니다.

오쌤 국어 논술 오은정

'초고필 국어 독해'는 문학과 비문학의 분리 구성으로 국어 영역의 전문성을 갖춘 교재입니다. 비문학은 최근 이슈화된 주제를 지문으로 선택하여 더욱 탄탄한 구성으로 이루어져 있고, 문학은 소설의 줄거리를 그림으로 구조화하여 한눈에 쉽게 볼 수 있도록 하였습니다. 본격적으로 '국어 교과'를 대비해야 할 학생들에게 큰 도움이 되는 구성입니다.

승희쌤 국어 독서 논술 학원 이승희

같은 이동 수단이라도 자동차를 운전하는 방법과 비행기를 운전하는 방법이 전혀 다르듯이 문학과 비문학은 문제를 해결하는 데 필요한 능력이 전혀 다릅니다. '초고필 국어 독해'는 문학과 비문학을 나누어 다루는 교재로, 문학과 비문학 각각에 알맞은 독해 방법을 연습하기 가장 좋은 교재입니다.

영역별/갈래별로 나뉜 제시문과 유형별 문제를 통해 학생들이 출제 의도를 이해하고 문제를 해결하는 능력을 키울 수 있습니다.

책나무 생각숲 국어 이재진

제시문을 읽을 때에는 어휘 간, 문단 간의 관계를 파악하며 글을 읽어 나가야만 그 행간의 의미를 올바르게 잡아낼 수 있습니다. 나아가 지문 전체를 스캔하여 구조화하고, 단계별 문제로 확인하는 과정 역시 뒷받침되어야 올바른 자기 주도를 했다고 말할 수 있습니다. 작은 단위에서 큰 단위, 반대로 큰 단위에서 작은 단위로, '초고필 국어 독해'는 혼자만의 힘으로 채우기 어려운 '유기적 독해'를 보완해 주는 교재입니다.

국어자신감 정지은

요즘 아이들 독해력의 큰 걸림돌이 어휘력입니다. 그런데 '초고필 국어 독해'는 어휘 문제의 비중이 높고 어휘 활용 능력까지 키울 수 있어 중·고등 국어 실력 향상을 위한 내공을 단단하게 다져 줍니다. 또한 문제가 아이들의 사고 과정에 맞게 체계적으로 구성되어 있어 좋습니다. 체계적인 문제를 통해 사고력을 심화하고 확장할 수 있어 수능 문제에도 쉽게 적응할 수 있을 것입니다.

자우비 분당 학원 진희영

구성과 특징

[초고필 문학 독해 1] 5개 갈래 37개 지문으로 구성한 문학 전문 독해서

소설 ― 시 ― 수필 ― 희곡 ― 복합

① 갈래별 수록 작품 설명

- 짧은 소개와 그림으로 작품에 대한 흥미 유발
- 내용 요약과 인물 관계도를 통해 소설 전체 흐름 파악

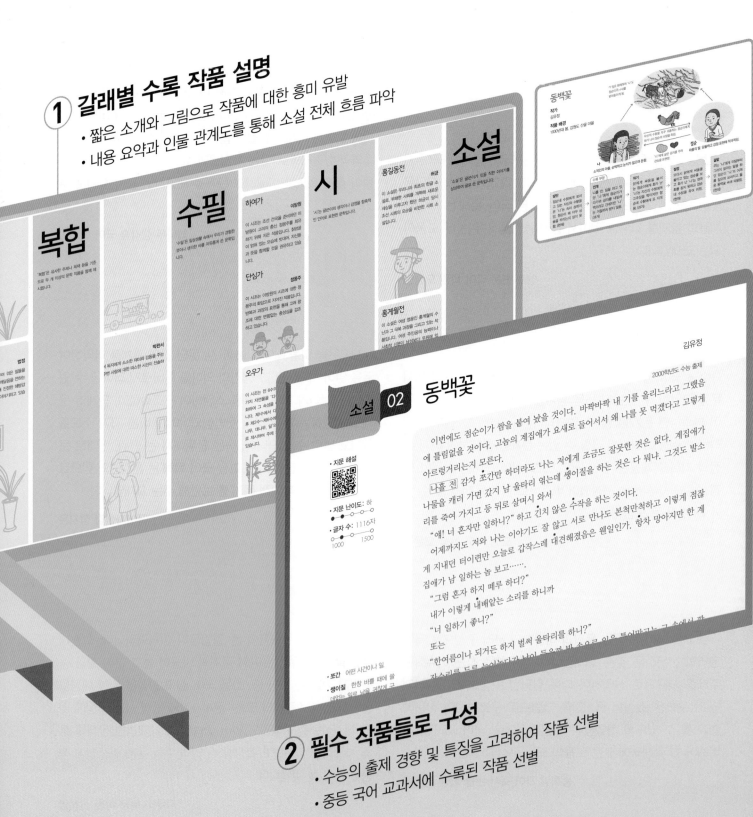

② 필수 작품들로 구성

- 수능의 출제 경향 및 특징을 고려하여 작품 선별
- 중등 국어 교과서에 수록된 작품 선별

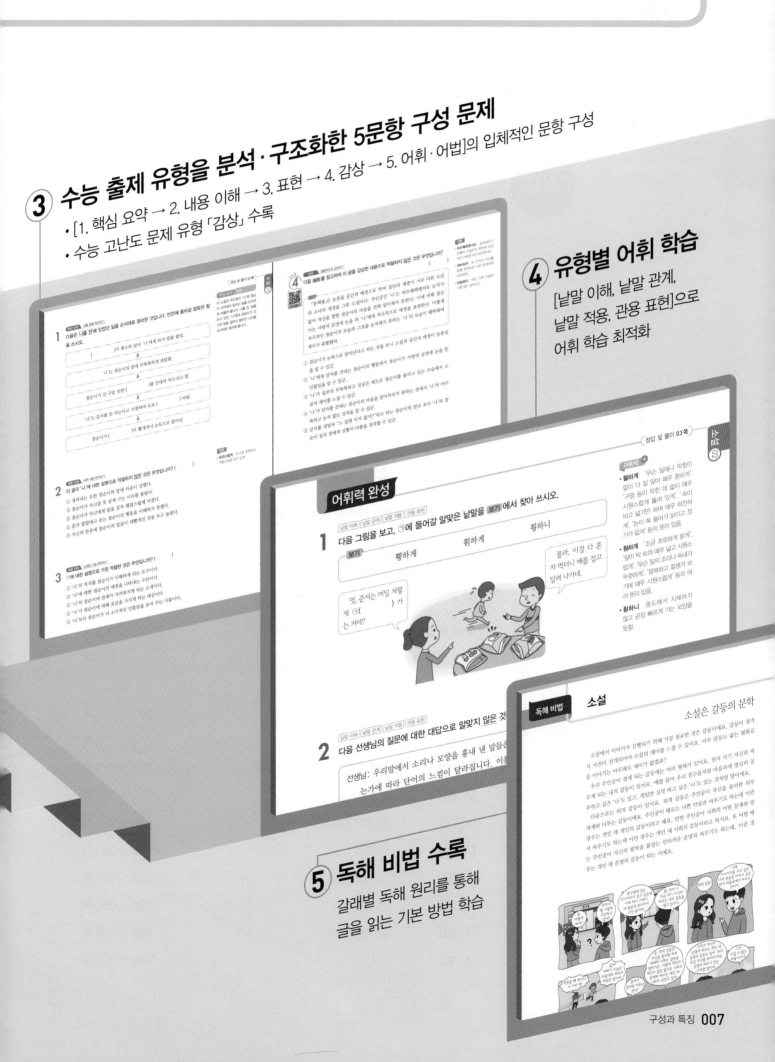

③ 수능 출제 유형을 분석·구조화한 5문항 구성 문제

· [1. 핵심 요약 → 2. 내용 이해 → 3. 표현 → 4. 감상 → 5. 어휘·어법]의 입체적인 문항 구성
· 수능 고난도 문제 유형 「감상」 수록

④ 유형별 어휘 학습

[낱말 이해, 낱말 관계, 낱말 적용, 관용 표현]으로 어휘 학습 최적화

⑤ 독해 비법 수록

갈래별 독해 원리를 통해 글을 읽는 기본 방법 학습

차례

소나기

황순원

이 소설은 순수한 시골 소년과 서울 소녀의 맑고 풋풋한 사랑을 서정적으로 그려 낸 작품입니다.

동백꽃

김유정

이 소설은 소작인의 아들인 '나'와 마름의 딸인 점순이의 풋풋한 사랑을 보여 주는 작품입니다.

사랑손님과 어머니

주요섭

이 소설은 과부인 어머니와 사랑손님인 아저씨 사이의 애틋한 감정을 어린아이인 '옥희'의 눈을 통해 보여 주고 있는 작품입니다.

소를 줍다

전성태

이 소설은 1970년대 농촌 마을의 가난한 가정을 배경으로, 강물에서 구한 소를 둘러싸고 벌어진 갈등을 다룬 작품입니다.

자전거 도둑

박완서

이 소설은 도시화·산업화의 과정에서 돈을 벌러 서울에 온 '수남'이 겪는 다양한 갈등을 그린 작품입니다. '수남'의 모습을 통해 물질적 이익만을 추구하는 도시 사람들의 이기적인 태도를 비판합니다.

보리 방구 조수택

유은실

이 소설은 '나'가 수택이와 짝이 된 후 겪게 되는 사건을 그린 작품입니다. 어린 시절 수택이에게 큰 상처를 준 후 오랫동안 이를 미안해하는 '나'를 통해 자신의 삶을 돌아보고 성장의 경험을 얻을 수 있습니다.

소음 공해

오정희

이 소설은 아파트 아래위층에 사는 이웃 주민 간에 벌어지는 갈등을 다루고 있는 작품입니다. 층간 소음을 둘러싼 갈등의 심화와 상황의 반전을 통해, 더불어 사는 삶과 이웃의 의미에 대하여 묻고 있습니다.

소설

'소설'은 글쓴이가 있음 직한 이야기를 상상하여 글로 쓴 문학입니다.

일용할 양식

양귀자

이 소설은 1980년대 부천시 원미동에서 살아가는 소시민의 일상적 삶을 다룬 연작 소설 「원미동 사람들」의 일부입니다.

할머니를 따라간 메주

오승희

이 소설은 전통적인 삶의 방식을 중요시하는 할머니와 편리한 삶의 방식에 익숙한 젊은 엄마의 갈등을 다룬 작품입니다.

단군 신화

이 글은 우리 민족 최초의 고대 국가인 고조선의 형성 과정과 왕권의 성립 과정이 담긴 건국 신화입니다. 이 작품은 당시 우리 민족의 삶과 의식, 종교관 등을 상징적으로 보여 줍니다.

홍길동전

허균

이 소설은 우리나라 최초의 한글 소설로, 부패한 사회를 개혁해 새로운 세상을 이루고자 했던 허균이 당시 조선 사회의 모순을 비판한 사회 소설입니다.

홍계월전

이 소설은 여성 영웅인 홍계월의 수난과 그 극복 과정을 그리고 있는 작품입니다. 여성 주인공의 능력이나 사회적 신분이 남성보다 우위에 있는 등 여성의 봉건적 역할을 거부하는 근대적 가치관을 드러내고 있습니다.

그 마음은 대체 뭐래요?

소나기

작가
황순원

작품 배경
가을을 맞은 농촌

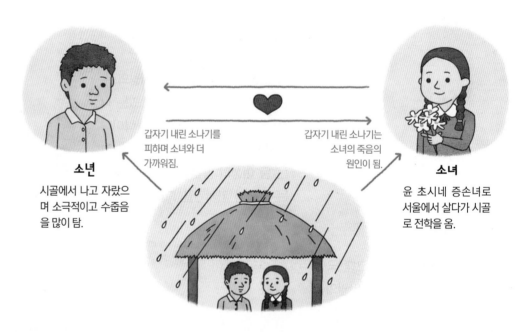

소년
시골에서 나고 자랐으
며 소극적이고 수줍음
을 많이 탐.

갑자기 내린 소나기를
피하며 소녀와 더
가까워짐.

갑자기 내린 소나기는
소녀의 죽음의
원인이 됨.

소녀
윤 초시네 증손녀로
서울에서 살다가 시골
로 전학을 옴.

수록 부분

발단
윤 초시네 증손녀인 서
울에서 온 소녀는 개울
가에서 소년과 처음 만
나게 되고 소년에게 관
심을 표현함.

→

전개
소녀가 소년에게 산에
같이 가자고 제안하여
둘은 함께 어울리며 산
으로 갔고, 소년은 소녀
에게 꽃도 줌.

→

위기
갑자기 소나기가 내리자
소년은 추워하는 소녀
에게 자신의 옷을 주고,
원두막으로 함께 들어
가 비가 그치길 기다림.

→

절정
그 뒤로 보이지 않던 소
녀를 다시 개울가에서
만나게 되고, 그간 아팠
으며 이사를 가게 되었
다는 소식을 듣게 됨.

→

결말
어느 날 소년은 아버지
에게 소녀가 죽었으며
죽기 전에 입었던 옷을
입혀 묻어 달라고 했다
는 것을 듣게 됨.

동백꽃

작가
김유정

작품 배경
1930년대 봄, 강원도 산골 마을

이 일로 화해하며 '나'도 점순이의 구애를 받아들이게 됨.

자신의 수탉을 자꾸 괴롭히는 점순이에게 화가 나서 점순의 수탉을 죽임.

나
소작인의 아들. 순박하고 눈치가 없으며 둔함.

'나'에게 삶은 감자를 주며 관심을 표현함.

점순
마름의 딸. 당돌하고 감정 표현에 적극적임.

발단	 수록 부분 전개	위기	절정	결말
점순네 수탉에게 쪼이고 있는 자신의 수탉을 본 '나'는 속이 상하지만, 점순이 왜 자꾸 심술을 부리는지 알지 못함. (현재)	나흘 전, 일을 하고 있던 '나'에게 점순이가 다가와 감자를 내밀며 먹으라고 건네지만 '나'는 거절하며 받지 않음. (과거)	닭에게 싸움을 붙이는 점순이에게 화가 난 '나'는 자신의 수탉에게 고추장을 먹이지만 점순네 수탉에게 또 지게 됨. (과거)	또다시 닭에게 싸움을 붙이고 있는 점순을 보고 화가 난 '나'는 결국 화를 참지 못하고 점순네 수탉을 죽여 버림. (현재)	우는 '나'에게 이담부터 그러지 말라는 말을 하던 점순이 '나'의 어깨를 짚으며 쓰러지고 둘은 동백꽃 속에 파묻힘. (현재)

사랑손님과 어머니

작가
주요섭

작품 배경
1930년대 시골의 작은 읍

옥희
여섯 살 여자 아이로 밝고 명랑함.

옥희를 진심으로 예뻐함.

사랑손님이 아버지였으면 함.

유치원에서 준 꽃을 아저씨가 주었다고 거짓말하며 건넴.

아무에게도 말하지 말라고 함.

사랑손님
돌아가신 옥희 아버지의 친구로, 다정함.

어머니
옥희를 키우며 홀로 사는 젊은 나이의 과부

 수록 부분 발단	전개	위기	절정	결말
과부인 어머니와 둘이 살고 있던 '나'의 집에 아버지의 옛 친구인 사랑손님이 와서 하숙을 하게 됨.	사랑손님과 친해진 '나'는 사랑손님이 자신의 아빠였음 좋겠다고 말하고, 이 말을 들은 사랑손님은 '나'를 꾸짖음.	어머니를 골려 주려고 벽장에 숨은 '나'를 나중에 발견한 어머니는 너 하나만 있으면 된다고 말하며 우심.	'나'는 꽃을 어머니에게 주며 사랑손님이 주었다고 거짓말을 하고, 어머니는 아무에게도 말하지 말라고 함.	'나'는 사랑손님과 어머니의 편지를 전달하고, 그 이후 사랑손님은 떠나고 어머니는 더 이상 달걀을 사지 않음.

소나기

황순원

중등 교과서 수록 작품

• 지문 해설

• 지문 난이도: 하
●─●─●─○─○

• 글자 수: 1030자
○─────○
1000   1500

소년은 개울가에서 소녀를 보자 곧 윤 초시네 증손녀라는 걸 알 수 있었다. 소녀는 개울에다 손을 잠그고 물장난을 하고 있는 것이다. 서울서는 이런 개울물을 보지 못하기나 한 듯이.

벌써 며칠째 소녀는, 학교에서 돌아오는 길에 물장난이었다. 그런데 어제까지는 개울 기슭에서 하더니, 오늘은 징검다리 한가운데 앉아서 하고 있다.

소년은 개울둑에 앉아 버렸다. 소녀가 비키기를 기다리자는 것이다.

요행 지나가는 사람이 있어, 소녀가 길을 비켜 주었다.

㉠다음 날은 좀 늦게 개울가로 나왔다.

이날은 소녀가 징검다리 한가운데 앉아 세수를 하고 있었다. 분홍 스웨터 소매를 걷어 올린 팔과 목덜미가 마냥 희었다.

한참 세수를 하고 나더니, 이번에는 물속을 빤히 들여다본다. 얼굴이라도 비추어 보는 것이리라. 갑자기 물을 움켜 낸다. 고기 새끼라도 지나가는 듯.

소녀는 소년이 개울둑에 앉아 있는 걸 아는지 모르는지, 그냥 날쌔게 물만 움켜 낸다. 그러나 ㉡번번이 허탕이다. 그대로 재미있는 양, 자꾸 물만 움킨다. 어제처럼 개울을 건너는 사람이 있어야 길을 비킬 모양이다.

그러다가 소녀가 물속에서 무엇을 하나 집어낸다. 하얀 조약돌이었다.

그러고는 벌떡 일어나 팔짝팔짝 징검다리를 뛰어 건너간다.

다 건너가더니만 홱 이리로 돌아서며,

"이 바보."

조약돌이 날아왔다.

소년은 저도 모르게 벌떡 일어섰다.

단발머리를 나풀거리며 소녀가 막 달린다. 갈밭 사잇길로 들어섰다. 뒤에는 청량한 가을 햇살 아래 빛나는 갈꽃뿐.

이제 저쯤 갈밭머리로 소녀가 나타나리라. 꽤 오랜 시간이 지났다고 생각됐다. 그런데도 소녀는 나타나지 않는다. ㉢발돋움을 했다. 그러고도 상당한 시간이 지났다고 생각됐다.

저쪽 갈밭머리에서 갈꽃이 한 옴큼 움직였다. 소녀가 갈꽃을 안고 있었다. 그리고 이제는 천천한 걸음이었다. 유난히 맑은 가을 햇살이 소녀의 갈꽃 머리에서 반짝거렸다. ㉣소녀 아닌 갈꽃이 들길을 걸어가는 것만 같았다.

㉤소년은 이 갈꽃이 아주 뵈지 않게 되기까지 그대로 서 있었다. 문득, 소녀가 던진 조약돌을 내려다보았다. ㉥물기가 걷혀 있었다. 소년은 조약돌을 집어 주머니에 넣었다.

• 초시(初 처음 초, 試 시험할 시) 과거의 첫 시험에 합격한 사람. 또는 예전에, 한문을 좀 아는 유식한 양반을 높여 이르던 말.

• 증손녀(曾 일찍 증, 孫 손자 손, 女 계집 녀) 손자의 딸. 또는 아들의 손녀.

• 요행(僥 요행 요, 倖 요행 행) 뜻밖에 얻은 행운.
⑩ 요행으로 이번 시험에 붙었다.

• 움켜 손가락을 우그리어 물건 등을 놓치지 않도록 힘있게 잡아.

• 양 어떤 모양을 하고 있거나 어떤 행동을 일부러 취함을 나타내는 말.
⑩ 얼이 빠진 양 구경하다.

• 청량(淸 맑을 청, 涼 서늘할 량)한 맑고 서늘한.

• 갈꽃 갈대의 꽃. 솜과 같은 흰 털이 많고 부드러움.

• 갈밭머리 갈대밭 근처. 특히 출입이 잦은 입구 쪽을 이름.

• 옴큼 한 손으로 옴켜쥘 만한 분량을 세는 단위.

1 핵심 요약 내용 흐름 정리하기

다음은 이 글에서 일어난 일을 순서대로 정리한 것입니다. 빈칸에 들어갈 알맞은 말을 쓰시오.

핵심 요약 TIP

이 소설의 주인공인 소녀와 소년이 한 일을 순서대로 떠올려 봅니다. 소녀와 소년이 만난 순간, 소녀와 소년이 만난 뒤에 서로 어떤 행동을 하였는지 등을 떠올려 정리합니다.

> 소녀가 징검다리 한가운데 앉아서 (　　　　)을 함.

⬇

> 소년은 (　　　　)에 앉아서 소녀가 비켜 주기를 기다림.

⬇

> 소녀가 징검다리를 건너가더니 소년에게 (　　　　)을 던짐.

⬇

> 소년은 소녀가 보이지 않을 때까지 그대로 서 있다가 조약돌을 집어서 (　　　　)에 넣음.

2 표현 서술 시점 파악하기

이 글의 '말하는 이'에 대한 설명으로 적절한 것은 무엇입니까? (　　　　)

① 이야기 안에 있으면서 자신이 주인공인 이야기를 들려주고 있다.
② 이야기 안에 있으면서 이야기가 진행되는 과정을 설명하고 있다.
③ 이야기 안에 있으면서 자신이 관찰한 인물의 행동을 보여 주고 있다.
④ 이야기 밖에 있으면서 이야기 안 인물의 행동과 대화만 제시하고 있다.
⑤ 이야기 밖에 있으면서 이야기 안 인물의 행동과 생각까지 전달하고 있다.

어휘

• 말하는 이(서술자) 소설에서 독자에게 이야기를 전달하는 사람. 소설 속에 '나'라는 인물이 등장할 경우, '말하는 이'가 이야기 안에 있다고 하고, 그렇지 않은 경우 이야기 밖에 있다고 함.

3 내용 이해 구절의 의미 파악하기

㉠~㉤에 대한 이해로 적절하지 <u>않은</u> 것은 무엇입니까? (　　　　)

① ㉠: 소녀와 개울가에서 마주치지 않으려는 소년의 생각을 짐작할 수 있다.
② ㉡: 소년이 대신 물고기를 잡아 주기를 바라는 마음을 짐작할 수 있다.
③ ㉢: 소녀가 보이지 않아 궁금해하는 마음을 짐작할 수 있다.
④ ㉣: 소년이 소녀에게 호감이 있음을 짐작할 수 있다.
⑤ ㉤: 소년이 소녀를 오래 지켜봤음을 짐작할 수 있다.

감상 이론을 바탕으로 감상하기

4

다음 보기를 참고하여 이 글의 인물에 대해 이해한 내용으로 적절하지 <u>않은</u> 것은 무엇입니까? (   )

보기

소설에서 '말하는 이(서술자)'는 인물의 성격이나 심리를 직접적으로 설명하기도 하고, 그들의 대화나 행동 묘사를 통해 간접적으로 드러내기도 한다. 후자의 경우에 독자는 인물의 대화나 행동에 담긴 의도를 생각하며 인물의 성격이나 심리를 파악해야 한다.

① 소녀가 던진 조약돌을 주머니에 넣는 소년의 행동으로 보아 소년은 소녀에게 관심이 있는 것 같아.

② 소년을 향해 조약돌을 던지는 소녀의 행동으로 보아 소녀는 적극적인 성격을 지닌 인물인 것 같아.

③ 소년이 기다리는 것을 알면서도 길을 비켜 주지 않는 소녀의 행동으로 보아 소녀는 배려심이 없는 인물인 것 같아.

④ 소녀가 비켜 주기를 기다리며 개울둑에 앉아 있는 소년의 행동으로 보아 소년은 소극적인 성격을 지닌 인물인 것 같아.

⑤ 소녀가 소년에게 "이 바보."라고 말한 것으로 보아 소녀는 자신에게 말을 걸어 주지 않는 소년에게 답답함을 느낀 것 같아.

어휘·어법 관용 표현

5

㉮와 같은 상황에 어울리는 관용 표현으로 가장 적절한 것은 무엇입니까? (   )

① 넋을 잃다

② 눈에 밟히다

③ 오금이 굳다

④ 뒤통수를 맞다

⑤ 손에 땀을 쥐다

어휘

- **묘사** 어떤 대상이나 사물, 현상 등을 그림 그리듯이 자세하게 언어로 표현하는 것.

- **후자** 두 가지 사물이나 사람을 들어서 말할 때, 뒤에 든 사물이나 사람.

어휘·어법 TIP

- **넋을 잃다** 어떤 사물을 보는 데 열중하여 정신이 없다.

- **눈에 밟히다** 잊히지 않고 자꾸 눈에 떠오르다. 소년은 지금 현재 소녀를 바라보는 것이기 때문에 이와 같은 표현은 적절하지 않음.

- **오금이 굳다** '오금'은 무릎의 구부러지는 오목한 안쪽 부분으로, '오금이 굳다'는 꼼짝을 못 하게 된다는 뜻임.

- **뒤통수를 맞다** 신체적이나 정신적으로 예상치 못한 공격을 받다.

- **손에 땀을 쥐다** 아슬아슬하여 마음이 조마조마하도록 몹시 애가 탄다.

어휘력 완성

어휘력 ➕

• **초시** 과거의 첫 시험. 또는 그 시험에 합격한 사람.

• **장원** 과거에서 첫째 등급에서 첫째로 합격한 사람.

• **불행** 행복하지 아니함.

• **요행** 뜻밖에 얻는 행운.

• **유행** 전염병이 널리 퍼져 돌아다님. 또는 특정한 행동이나 생각 등을 많은 사람이 따르는 현상.

낱말 이해 낱말 관계 낱말 적용 관용 표현

1 다음 그림을 보고, ㉠과 ㉡에 들어갈 알맞은 낱말을 보기 에서 찾아 각각 쓰시오.

보기

| 초시 | 장원 | 불행 | 요행 | 유행 |

자네, 이번 과거를 잘 봤다며? 첫 시험을 단번에 합격했으니, 이제 김 ㉠( )(이)라 불러야겠군.

고맙습니다. 마침 제가 공부했던 것들만 나왔더군요. ㉡( )(으)로 합격한 거지요. 운이 좋았습니다.

낱말 이해 낱말 관계 낱말 적용 관용 표현

2 다음 낱말의 뜻으로 알맞은 것을 찾아 각각 선으로 이으시오.

(1) 옴큼 •

(2) 움키다 •

(3) 청량하다 •

• ㉮ 맑고 서늘하다.

• ㉯ 한 손으로 옴켜쥘 만한 분량을 세는 단위.

• ㉰ 손가락을 우그리어 물건 등을 놓치지 않도록 힘 있게 잡다.

낱말 이해 낱말 관계 낱말 적용 관용 표현

3 다음 ㉠에 들어갈 낱말로 알맞은 것은 무엇입니까? ( )

송 영감: 여보게, 작년에 결혼한 우리 손자가 딸을 낳았다네.

박 영감: 어이구, 축하하네. 그럼 자네가 이제 고조할아버지가 되는군.

송 영감: 예끼, 이 사람. ㉠ 를 낳았다는데 고조할아버지라니?

① 손녀 ② 증손자 ③ 증손녀 ④ 고손자 ⑤ 고손녀

김유정

2000학년도 수능 출제

• 지문 해설

• 지문 난이도: 하
●─●─○
• 글자 수: 1116자
○─●─○
1000   1500

• 쪼간 어떤 사건이나 일.

• 쌩이질 한창 바쁠 때에 쓸데없는 일로 남을 귀찮게 구는 짓.

• 긴치 않은 꼭 필요하지 않은.

• 수작(酬 술 권할 수, 酌 따를 작) 서로 말을 주고받음. 또는 그 말.

• 대견(對 대답할 대, 見 볼 견) 서로 마주 봄.

• 항차 그도 그러한데 더욱이. = 황차, 하물며.

• 내배앝는 소리 '내뱉는 소리'를 강조하여 발음한 말. 마음에 내키지 아니하거나 못마땅한 어조로 불쑥 말하는 소리.

• 할금할금 곁눈으로 살그머니 계속 할겨 보는 모양.

• 행주치마 부엌일을 할 때 옷을 더럽히지 아니하려고 덧입는 작은 치마.

• 동리(洞 고을 동, 里 마을 리) 주로 시골에서, 여러 집이 모여 사는 곳. = 마을

• 휑하니 중도에서 지체하지 아니하고 곧장 빠르게 가는 모양.

이번에도 점순이가 쌈을 붙여 놨을 것이다. 바짝바짝 내 기를 올리느라고 그랬음에 틀림없을 것이다. 고놈의 계집애가 요새로 들어서서 왜 나를 못 먹겠다고 고렇게 아르렁거리는지 모른다.

나흘 전 감자 쪼간만 하더라도 나는 저에게 조금도 잘못한 것은 없다. 계집애가 나물을 캐러 가면 갔지 남 울타리 엮는데 쌩이질을 하는 것은 다 뭐냐. 그것도 발소리를 죽여 가지고 등 뒤로 살며시 와서

"얘! 너 혼자만 일하니?" 하고 긴치 않은 수작을 하는 것이다.

어제까지도 저와 나는 이야기도 잘 않고 서로 만나도 본척만척하고 이렇게 점잖게 지내던 터이련만 오늘로 갑작스레 대견해졌음은 웬일인가. 항차 망아지만 한 계집애가 남 일하는 놈 보고…….

"그럼 혼자 하지 떼루 하디?"

내가 이렇게 내배앝는 소리를 하니까

"너 일하기 좋니?"

또는

"한여름이나 되거든 하지 벌써 울타리를 하니?"

잔소리를 두루 늘어놓다가 남이 들을까 봐 손으로 입을 틀어막고는 그 속에서 깔깔댄다. 별로 우스울 것도 없는데 날씨가 풀리더니 이놈의 계집애가 미쳤나 하고 의심하였다. 게다가 조금 뒤에는 제 집께를 할금할금 돌아다보더니 행주치마의 속으로 꼈던 바른손을 뽑아서 나의 턱 밑으로 불쑥 내미는 것이다. 언제 구웠는지 아직도 더운 김이 홱 끼치는 굵은 ㉠감자 세 개가 손에 뿌듯이 쥐였다.

"느 집엔 이거 없지?" 하고 생색 있는 큰소리를 하고는 제가 준 것을 남이 알면 큰일 날 테니 여기서 얼른 먹어 버리란다. 그리고 또 하는 소리가

"너 봄 감자가 맛있단다."

㉡"난 감자 안 먹는다. 니나 먹어라."

나는 고개도 돌리려 하지 않고 일하던 손으로 그 감자를 도로 어깨 너머로 쑥 밀어 버렸다.

그랬더니 그래도 가는 기색이 없고, 그뿐만 아니라 쌔근쌔근하고 심상치 않게 숨소리가 점점 거칠어진다. 이건 또 뭐야 싶어서 그때에야 비로소 돌아다보니 나는 참으로 놀랐다. 우리가 이 동리에 들어온 것은 근 삼 년째 되어 오지만 여지껏 가무잡잡한 점순이의 얼굴이 이렇게까지 홍당무처럼 새빨개진 법이 없었다. 게다 눈에 독을 올리고 한참 나를 요렇게 쏘아보더니 나중에는 눈물까지 어리는 것이 아니냐. 그리고 바구니를 다시 집어 들더니 이를 꼭 악물고는 엎어질 듯 자빠질 듯 논둑으로 휑하니 달아나는 것이다.

핵심 요약 TIP

이 소설의 주인공인 '나'와 점순이 사이에서 일어난 일을 순서대로 떠올려 봅니다. 나흘 전, 일을 하고 있던 '나'에게 점순이가 다가와 말을 걸면서 벌어진 사건을 순서대로 정리해 봅니다.

핵심 요약 내용 흐름 정리하기

1 다음은 나흘 전에 있었던 일을 순서대로 정리한 것입니다. 빈칸에 들어갈 알맞은 말을 쓰시오.

> ( )가 평소와 달리 '나'에게 와서 말을 붙임.

⬇

> '나'는 점순이의 말에 무뚝뚝하게 대답함.

⬇

> 점순이가 갓 구운 듯한 ( )를 건네며 먹으라고 함.

⬇

> '나'는 감자를 안 먹는다고 거절하며 도로 ( ) 버림.

⬇

> 점순이가 ( )이 빨개져서 논둑으로 달아남.

내용 이해 세부 내용 파악하기

2 이 글의 '나'에 대한 설명으로 적절하지 <u>않은</u> 것은 무엇입니까? ( )

① 생색내는 듯한 점순이의 말에 마음이 상했다.
② 점순이가 자신을 못살게 구는 이유를 몰랐다.
③ 점순이가 자신에게 말을 걸자 **대견스럽게** 여겼다.
④ 혼자 깔깔대고 웃는 점순이의 행동을 이해하지 못했다.
⑤ 자신의 반응에 점순이의 얼굴이 새빨개진 것을 보고 놀랐다.

어휘

• **대견스럽게** 보기에 흐뭇하고 자랑스러운 데가 있게.

내용 이해 소재의 기능 파악하기

3 ㉠에 대한 설명으로 가장 적절한 것은 무엇입니까? ( )

① '나'의 처지를 점순이가 이해하게 되는 도구이다.
② '나'에 대한 점순이의 애정을 나타내는 수단이다.
③ '나'와 점순이의 관계가 가까워지게 되는 소재이다.
④ '나'가 점순이에 대해 호감을 가지게 하는 대상이다.
⑤ '나'보다 점순이가 더 소극적인 인물임을 보여 주는 사물이다.

감상 종합적으로 감상하기

다음 보기를 참고하여 이 글을 감상한 내용으로 적절하지 않은 것은 무엇입니까?

( )

보기

「동백꽃」은 농촌을 공간적 배경으로 하여 집안의 계층이 서로 다른 소년과 소녀의 애정을 그린 소설이다. 주인공인 '나'는 어수룩하면서도 눈치가 없어 자신을 향한 점순이의 마음을 전혀 알아채지 못한다. 이에 비해 점순이는 사랑의 감정에 눈을 떠 '나'에게 적극적으로 애정을 표현한다. 이렇게 적극적인 점순이의 모습과 그것을 눈치채지 못하는 '나'의 모습이 **대비되어** 재미가 **유발된다.**

① 점순이가 논둑으로 달아난다고 하는 것을 보니 소설의 공간적 배경이 농촌임을 알 수 있군.

② '나'에게 감자를 건네는 점순이의 행동에서 점순이가 사랑의 감정에 눈을 뜬 인물임을 알 수 있군.

③ '나'가 일부러 무뚝뚝하고 짓궂은 태도로 점순이를 울리고 있는 모습에서 소설의 재미를 느낄 수 있군.

④ '나'가 감자를 건네는 점순이의 마음을 알아차리지 못하는 것에서 '나'의 어수룩하고 눈치 없는 성격을 알 수 있군.

⑤ 감자를 내밀며 "느 집엔 이거 없지?"라고 하는 점순이의 말로 보아 '나'와 점순이 집의 경제적 상황이 다름을 짐작할 수 있군.

어휘·어법 한자성어

5
ㄴ에 나타난 '나'의 태도와 어울리는 한자성어는 무엇입니까? ( )

① 개과천선(改過遷善)

② 환골탈태(換骨奪胎)

③ 우유부단(優柔不斷)

④ 일언지하(一言之下)

⑤ 자포자기(自暴自棄)

어휘

• **어수룩하면서도** 겉모습이나 언행이 치밀하지 못하여 순진하고 어설픈 데가 있으면서도.

• **대비되어** 두 가지의 차이를 밝힐 목적으로 서로 맞대어져 비교되어.

• **유발된다** 어떤 것에 이끌려 다른 일이 일어난다.

어휘·어법 **TIP**

• **개과천선** 지난날의 잘못이나 허물을 고쳐 올바르고 착하게 됨.

• **환골탈태** 사람이 보다 나은 방향으로 변하여 전혀 딴사람처럼 됨.

• **우유부단** 어물어물 망설이기만 하고 결단성이 없음.

• **일언지하** 한 마디로 잘라 말함. 또는 두말할 나위 없음.

• **자포자기** 절망에 빠져 자신을 스스로 포기하고 돌아보지 아니함.

어휘력 ＋

- **횡하게** '무슨 일에나 막힘이 없이 다 잘 알아 매우 환하게', '구멍 등이 막힌 데 없이 매우 시원스럽게 뚫려 있게', '속이 비고 넓기만 하여 매우 허전하게', '눈이 쑥 들어가 보이고 정기가 없게' 등의 뜻이 있음.

- **훤하게** '조금 흐릿하게 밝게', '앞이 탁 트여 매우 넓고 시원스럽게', '무슨 일의 조리나 속내가 뚜렷하게', '말쑥하고 잘생겨 보기에 매우 시원스럽게' 등의 여러 뜻이 있음.

- **휭하니** 중도에서 지체하지 않고 곧장 빠르게 가는 모양을 뜻함.

---

1 [낱말 이해] [낱말 관계] [낱말 적용] [관용 표현]

다음 그림을 보고, ㉠에 들어갈 알맞은 낱말을 보기 에서 찾아 쓰시오.

보기

| 휭하게 | 훤하게 | 휭하니 |

엇, 준서는 어딜 저렇게 ㉠(   ) 가는 거야?

몰라, 이걸 다 혼자 먹더니 배를 잡고 달려 나가네.

---

2 [낱말 이해] [낱말 관계] [낱말 적용] [관용 표현]

다음 선생님의 질문에 대한 대답으로 알맞지 <u>않은</u> 것은 무엇입니까? (   )

> 선생님: 우리말에서 소리나 모양을 흉내 낸 말들은 어떤 자음과 모음을 사용하는가에 따라 단어의 느낌이 달라집니다. 이를 '음상의 차이'라고 합니다. 예를 들어 '감감하다 – 깜깜하다 – 캄캄하다 – 껌껌하다 – 컴컴하다'의 경우 의미는 거의 비슷하지만 그 느낌이 서로 다르죠. 그러면 '할금할금'과 '음상의 차이'가 있는 단어들을 국어사전에서 찾아볼까요?

① 할끔할끔　　　② 흘금흘금　　　③ 흘끔흘끔

④ 헐금헐금　　　⑤ 힐금힐금

---

3 [낱말 이해] [낱말 관계] [낱말 적용] [관용 표현]

다음 밑줄 친 점순이의 상황에 가장 어울리는 관용 표현으로 알맞은 것은 무엇입니까? (   )

> 여지껏 가무잡잡한 점순이의 얼굴이 이렇게까지 홍당무처럼 새빨개진 법이 없었다. 게다 눈에 독을 올리고 한참 나를 요렇게 쏘아보더니 나중에는 눈물까지 어리는 것이 아니냐. 그리고 바구니를 다시 집어 들더니 이를 꼭 악물고는 엎어질 듯 자빠질 듯 논둑으로 휭하니 달아나는 것이다.

① 칼을 갈다　　　② 칼자루를 잡다　　　③ 칼을 빼 들다

④ 칼을 맞다　　　⑤ 칼자루를 휘두르다

주요섭

중등 교과서 수록 작품

· 지문 해설

· 지문 난이도: 하
●—●—○—○—○

· 글자 수: 1100자
1000 —————— 1500

나는 그 아저씨가 어떠한 사람인지는 몰랐으나 첫날부터 내게는 퍽 고맙게 굴고 나도 그 아저씨가 꼭 마음에 들었어요. 어른들이 ㉠저희끼리 말하는 것을 들으니까 그 아저씨는 돌아가신 우리 아버지와 어렸을 적 친구라고요. 어디 먼 데 가서 공부를 하다가 요새 돌아왔는데, 우리 동리 학교 교사로 오게 되었대요. 또 우리 큰외삼촌과도 동무인데, 이 동리에는 하숙도 별로 깨끗한 곳이 없고 해서 우리 사랑으로 와 계시게 되었다고요. 또 우리도 그 아저씨한테서 밥값을 받으면 살림에 보탬도 좀 되고 한다고요.

그 아저씨는 그림책들이 얼마든지 있어요. 내가 사랑방으로 나가면 그 아저씨는 나를 무릎에 앉히고 그림책들을 보여 줍니다. 또 가끔 과자도 주고요.

어느 날은 점심을 먹고 이내 살그머니 사랑에 나가 보니까 아저씨는 그때에야 점심을 잡수셔요. 그래 가만히 앉아서 점심 잡숫는 걸 구경하고 있노라니까, 아저씨가,

"옥희는 어떤 반찬을 제일 좋아하누?"

하고 묻겠지요. 그래 삶은 달걀을 좋아한다고 했더니 마침 상에 놓인 삶은 달걀을 한 알 집어 주면서 나더러 먹으라고 합니다. 나는 그 달걀을 벗겨 먹으면서,

"아저씨는 무슨 반찬이 제일 맛나우?"

하고 물으니까, 그는 한참이나 빙그레 웃고 있더니,

"나두 삶은 달걀."

하겠지요. 나는 좋아서 손뼉을 짤깍짤깍 치고,

"아, 나와 같네. 그럼, 가서 어머니한테 알려야지."

하면서 일어서니까, 아저씨가 꼭 붙들면서, "그러지 말어."

그러시지요. 그래도 나는 한번 맘을 먹은 다음엔 꼭 그대로 하고야 마는 성미지요. 그래 안마당으로 뛰쳐 들어가면서,

"엄마, 엄마, 사랑 아저씨두 나처럼 삶은 달걀을 제일 좋아한대."

하고 소리를 질렀지요.

"떠들지 말어."

하고 어머니는 눈을 흘기십니다.

그러나 사랑 아저씨가 달걀을 좋아하는 것이 내게는 썩 좋게 되었어요. 그것은 그 다음부터는 어머니가 달걀을 많이씩 사게 되었으니까요. 달걀 장수 노파가 오면 한꺼번에 열 알도 사고 스무 알도 사고 그래선 두고두고 삶아서 아저씨 상에도 놓고 또 으레 나도 한 알씩 주고 그래요. 그뿐만 아니라 아저씨한테 놀러 나가면 가끔 아저씨가 책상 서랍 속에서 달걀을 한두 알 꺼내서 먹으라고 주지요. 그래 그담부터는 나는 아주 실컷 달걀을 많이 먹었어요.

· 저희 앞에서 이미 말하였거나 나온 바 있는 사람들을 도로 가리키는 삼인칭 대명사.

· 동리(洞 고을 동, 里 마을 리) 주로 시골에서, 여러 집이 모여 사는 곳. = 마을

· 동무 늘 친하게 어울리는 사람.

· 하숙(下 아래 하, 宿 잠잘 숙) 일정한 방세와 식비를 내고 남의 집에 머물면서 숙식함. 또는 그런 집.

· 사랑(舍 집 사, 廊 복도 랑) 집의 안채와 떨어져 있는, 바깥주인이 거처하며 손님을 접대하는 곳.

· 살림 살아가는 형편이나 정도.

· 성미(性 성품 성, 味 맛 미) 성질, 마음씨, 비위, 버릇 등을 통틀어 이르는 말.

· 노파(老 늙을 로, 婆 할미 파) 늙은 여자.

핵심 요약 **TIP**

이 소설의 주인공인 '나'와 아저씨가 나눈 대화와 어머니가 이 대화의 내용을 '나'로부터 전해 들은 뒤에 한 일을 순서대로 정리해 봅니다.

1 **핵심 요약** 내용 흐름 정리하기

다음은 달걀 을 중심으로 이 글에서 일어난 일을 순서대로 정리한 것입니다. 빈칸에 들어갈 알맞은 말을 쓰시오.

> 아저씨는 자신이 점심 먹는 것을 구경하는 '나'에게 좋아하는 (   ) 이 무엇이냐고 물어봄.

⬇

> '나'가 삶은 (   )을 좋아한다고 하자 아저씨가 자신도 그렇다고 함.

⬇

> '나'는 (   )에게 가서 아저씨가 삶은 달걀을 좋아한다고 말함.

⬇

> 어머니가 달걀 장수에게 달걀을 (   ) 사게 됨.

2 **내용 이해** 세부 내용 파악하기

다음 중 이 글의 내용으로 적절하지 <u>않은</u> 것은 무엇입니까? (   )

① '아저씨'는 돌아가신 '나'의 아버지의 친구이다.
② '아저씨'는 우리 동리에 있는 학교의 교사로 왔다.
③ '어머니'가 하숙을 하면 살림에 보탬이 될 수 있었다.
④ '아저씨'는 '나'에게 가끔 과자나 삶은 달걀을 주었다.
⑤ '어머니'는 '나'를 위해서 달걀을 많이 사 두고는 했다.

3 **내용 이해** 소재의 기능 파악하기

다음 보기 에서 달걀 에 대한 설명으로 적절한 것을 찾아 짝 지은 것은 무엇입니까?

(   )

어휘

• **계기** 어떤 일이 일어나거나 변화하도록 만드는 결정적인 원인이나 기회.

> **보기**
> ㉮ '나'와 아저씨가 친해지는 **계기**가 된다.
> ㉯ 아저씨에 대한 어머니의 관심을 엿볼 수 있다.
> ㉰ '나'와 어머니에 대한 아저씨의 애정을 확인하게 된다.
> ㉱ 어머니에 대한 아저씨의 속마음을 '나'가 알 수 있도록 해 준다.

① ㉮, ㉯   ② ㉮, ㉰   ③ ㉯, ㉰
④ ㉯, ㉱   ⑤ ㉰, ㉱

수능형 4 감상 이론을 바탕으로 감상하기

다음 보기를 참고하여 이 글을 감상한 내용으로 가장 적절한 것은 무엇입니까?

( )

보기

소설에서 말하는 이, 즉 서술자 중에는 부족한 지식을 가지고 있거나 상황을 잘못 이해하고 엉뚱한 **판단**을 내리는 서술자가 있다. 이런 서술자는 보통 **어리숙한** 사람이거나 어린아이일 때가 많다. 이 경우 독자는 서술자의 이야기를 믿을 수 없게 된다. 그렇기 때문에 독자는 글을 읽으며 서술자가 전달하는 상황을 참고하여 스스로 내용을 추측하고 상상하며 읽어야 한다.

① 서술자인 '나'가 자신이 하는 말이 잘못된 판단에 따른 것이라는 점을 밝히고 있다.

② 서술자인 '나'가 '어머니'가 달걀을 많이 사 두는 이유를 정확하게 파악하여 서술하고 있다.

③ 서술자인 '나'의 부족한 지식 때문에 '어머니'에 대한 '아저씨'의 마음을 추측하여 전달하고 있다.

④ 서술자인 '나'는 어린아이여서 '어머니'가 하숙을 치는 것을 힘들어하고 있다는 사실을 깨닫지 못하고 있다.

⑤ 서술자인 '나'를 어린아이로 설정하여 어른들인 '어머니'와 '아저씨'의 심리는 독자가 상상을 통해 파악하도록 하고 있다.

5 어휘·어법 대명사의 쓰임

㉠과 같은 뜻으로 쓰인 예로 적절하지 않은 것은 무엇입니까? (   )

① 동생들은 저희밖에 모른다.

② 친구들이 저희끼리 가 버렸다.

③ 선생님, 청소는 저희가 하겠습니다.

④ 아이들이 저희 욕심만 내세우고 있다.

⑤ 아들들은 용돈을 저희들이 벌어 썼다.

1 낱말 이해 낱말 관계 낱말 적용 관용 표현

다음 그림을 보고, ㉠과 ㉡에 들어갈 알맞은 낱말을 보기 에서 찾아 각각 쓰시오.

보기
성미   성의   동포   동무

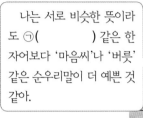

나는 서로 비슷한 뜻이라도 ㉠(   ) 같은 한 자어보다 '마음씨'나 '버릇' 같은 순우리말이 더 예쁜 것 같아.

맞아. 나도 '친구'라는 한 자어보다 ㉡(   ) 라는 순우리말이 훨씬 예쁘고 좋더라.

2 낱말 이해 낱말 관계 낱말 적용 관용 표현

다음 낱말의 뜻으로 알맞은 것을 찾아 각각 선으로 이으시오.

(1) 사랑 •
(2) 동리 •
(3) 하숙 •

• ㉮ 일정한 방세와 식비를 내고 생활하는 집.

• ㉯ 주로 시골에서, 여러 집이 모여 사는 곳.

• ㉰ 집의 안채와 떨어져 있는, 바깥주인이 거처하며 손님을 접대하는 곳.

3 낱말 이해 낱말 관계 낱말 적용 관용 표현

다음 글에서 '나(내)'의 상황에 어울리는 속담으로 알맞은 것은 무엇입니까?

(   )

그러나 사랑 아저씨가 달걀을 좋아하는 것이 내게는 썩 좋게 되었어요. 그것은 그다음부터는 어머니가 달걀을 많이씩 사게 되었으니까요.

① 금강산도 식후경
② 우는 아이 젖 준다.
③ 원님 덕에 나발 분다.
④ 떡 본 김에 제사 지낸다.
⑤ 쥐구멍에도 볕 들 날 있다.

어휘력 ➕
• **금강산도 식후경** 아무리 재미있는 일이라도 배가 불러야 흥이 나지 배가 고파서는 아무 일도 할 수 없음을 비유적으로 이르는 말.

• **우는 아이 젖 준다** 무슨 일에 있어서나 자기가 요구하여야 쉽게 구할 수 있음을 이르는 말.

• **원님 덕에 나발 분다** 남의 덕으로 당치도 아니한 행세를 하게 되거나 그런 대접을 받고 우쭐대는 모양을 비유적으로 이르는 말.

• **떡 본 김에 제사 지낸다** 우연히 운 좋은 기회에, 하려던 일을 해치운다는 말.

• **쥐구멍에도 볕 들 날 있다** 몹시 고생을 하는 삶도 좋은 운수가 터질 날이 있다는 말.

소년과 소녀, 세상에 눈을 뜨다

소를 줍다

작가
전성태

작품 배경
1970년대 후반, 농촌의 마을

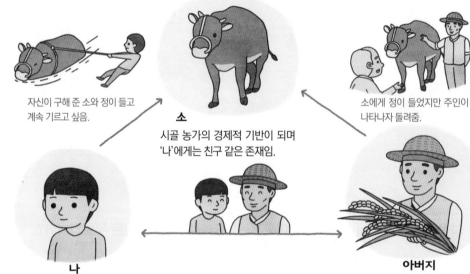

자신이 구해 준 소와 정이 들고
계속 기르고 싶음.

소
시골 농가의 경제적 기반이 되며
'나'에게는 친구 같은 존재임.

소에게 정이 들었지만 주인이
나타나자 돌려줌.

나
이름이 동맹인 소년으로, 강물에 빠진
소를 구해 집으로 데려와 키우자고 함.

아버지
가난한 농부로, 주인이 나타날 때까지만
소를 기르자고 함.

수록 부분

발단
'나'는 친구들과 강물에 떠내려오는 물건을 건져 내던 중 소를 발견하고 뛰어들어 물 밖으로 건져 냄.

→

전개
'나'의 이야기를 들은 아버지는 소의 주인을 찾아 주려 하지만 나타나지 않아 찾을 때까지만 소를 키우게 됨.

→

위기
소를 키운 지 석 달이 지난 무렵에 소 주인이 찾아와 소를 데려가게 되고, 지금까지 키운 값만 받게 됨.

→

절정
이틀 뒤 아버지는 소를 사 오기 위해 소 주인 집으로 가지만 그 집도 소가 하나라 차마 데려올 수 없었다며 우심.

→

결말
형이 서울에 올라갔다가 돌아오는 길에 송아지를 사 오게 되고 그 송아지를 시작으로 아버지는 소를 키우게 됨.

자전거 도둑

작가
박완서

작품 배경
1970년대, 서울 청계천 세운 상가

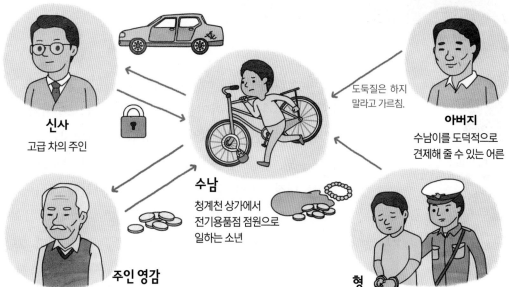

신사
고급 차의 주인

수남
청계천 상가에서 전기용품점 점원으로 일하는 소년

도둑질은 하지 말라고 가르침.

아버지
수남이를 도덕적으로 견제해 줄 수 있는 어른

주인 영감
수남이 점원으로 일하는 전기용품점 사장. 금전적 이익을 중시함.

형
도둑질을 해서 순경들에게 끌려감.

수록 부분

발단	전개	위기	절정	결말
수남이는 고향을 떠나 청계천 세운 상가 전기 용품점의 점원으로 일 하며 주인 영감에게 예 쁨을 받음.	어느 날, 물건을 배달하 고 오던 길에 바람에 쓰 러진 수남의 자전거가 한 신사의 고급 차에 흠 집을 내게 됨.	신사는 수남에게 차 수 리비를 요구하며 수남 의 자전거를 묶어 두고, 수남은 자전거를 들고 도망을 치게 됨.	수남의 행동을 전해 들 은 주인 영감은 잘했다 며 칭찬하고, 수남은 그 일에 대한 죄책감을 느 끼며 괴로워함.	수남은 형이 도둑질을 했던 일을 떠올리며 자 신을 도덕적으로 견제 해 줄 아버지가 그리워 져 시골로 갈 결심을 함.

보리 방구 조수택

작가
유은실

작품 배경
1970년대, 한 초등학교 교실

 허연 깍두기를 먹는 수택 에게 자신의 빨간 깍두기를 나누어 줌.

깍두기에 대한 보답으로 배달 하고 남은 신문을 줌.

나
수택과 짝이 되었지만 착한 어 린이 상을 받아서 싫다고 하지 못함.

수택
석간 신문을 배달하는 아이로, 냄새가 난다고 하여 별명이 '보 리 방구'임.

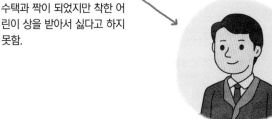

선생님
학생들의 이야기를 잘 들어주는 다정한 선생님으로 아이들이 따돌리는 수택이를 가엾게 여김.

수록 부분

발단	전개	위기	절정	결말
'나'는 지저분한 외모에 지독한 냄새의 방귀를 뀌는 수택이와 짝이 되 었지만 싫은 티를 내지 못함.	점심시간이 되자 선생 님은 자리에서 도시락 을 먹으라고 하셨고, '나'는 수택이에게 자신 의 깍두기를 줌.	수택이는 깍두기에 대 한 보답으로 '나'에게 어린이 신문을 주고, 반 친구들은 둘이 사귄다 는 소문을 냄.	반 친구들이 수택이가 자신에게 준 신문을 꺼 내 보자 화가 난 '나'는 수택이가 준 신문을 난 로에 던져 버림.	그 후로 '나'는 수택이 와 멀어지게 되고 어른 이 된 지금도 가끔 수택 이와의 일이 떠올라 미 안한 마음이 듦.

소를 줍다

전성태

중등 교과서 수록 작품

• 지문 해설

• 지문 난이도: 중
●●●○○

• 글자 수: 1373자
○───○───●
1000   1500

우리 집에 두 번째 소가 들어온 것은 내가 초등학교 3학년 때였다. 긴 장마가 조금 누그러지자 나는 아이들과 함께 옥강 둑으로 나가 불어난 강물에서 떠내려오는 물건을 건져 냈다. 그것은 할아버지의 할아버지가 아이였을 때로부터 내려오는 일이었다. 병, 깡통, 양은이나 플라스틱으로 된 가재도구, 버드나무에 걸린 비닐 조각 따위를 대작대기로 끌어내느라 우리는 며칠째 강둑에서 낚시꾼마냥 붙어 지냈다. 모두 엿하고 바꿔 먹기 위해서였다. 간혹 수박이나 참외를 건져 내는 운도 따랐다. 그 몇 해 전에 마을 청년들이 염소를 주운 것을 빼면 그만한 횡재도 없었다. 그런데 그해 나는 염소 따위는 ㉮댈 것도 아닌 큰 횡재를 하게 되었다. 소를, 그것도 숨이 붙어 있는 소를 줍게 된 것이다.

소를 가장 먼저 발견한 사람은 내가 아니었다. 정신이 좀 모자란 필구가 아랫도리를 빌빌 꼬면서 뭐라고 고래고래 소리를 질렀는데, 나는 또 무슨 지랄인가 싶어 무심코 그를 쳐다보았다. 필구는 그 모양대로 수양버들이 엉킨 강어귀에 손가락질을 해 댔다. 정확히 말하면 강 바위 너머였는데, 거기에서 음매 음매, 마치 영각하는 소 울음소리가 들려왔다. 울음소리만 아니었다면 그 시뻘건 물에서 소를 분간해 내기도 힘들었을 것이다. 바위에 부딪혀 튀는 흙탕물 속에서 소 머리가 얼핏 보였다. 동네 소 한 마리가 강으로 잘못 든 게 분명하였다.

아이들이 멍청히 보고 있는 동안에 나는 물로 뛰어들었다. 어린 마음에도 소 주인에게 보상을 좀 받겠다는 계산속이 빠르게 굴렀다. 죽을 동 살 동 바위에 닿아 바위 모서리를 잡고 돌아들자, 소는 엉덩이를 주저앉힌 꼴로 버둥거리고 있었다. 나는 소 머리 께로 돌아가 굴레를 틀어쥐었다. (중략)

소는 꿈쩍도 하지 않았다. 아이들이 도와줄 요량으로 옷을 벗는 모습이 보였다.

"야, 들어오지 마!" / 나는 아이들을 향해 소리쳤다.

㉠"한 놈이라도 오기만 해 봐. 물 송장을 맹글어 불 거여. 절대루!"

나의 엄포에 아이들은 주춤주춤 그 자리에 섰다. 더욱 다급해진 나는 아예 몽둥이 끝에 몸을 싣고 발을 구르기 시작했다. 그렇게 발을 구르는 한편으로 소한테도 힘 좀 쓰라고 엉덩이를 철썩 때려 대길 몇 번이나 했을까. 어느 순간 딛고 선 몽둥이가 맥없이 주저앉으며 소가 거꾸러지듯 물속으로 머리를 처박았다. 나 역시 균형을 잃고 물속에 잠방 빠지고 말았는데, 허우적거리며 고개를 드니 아이들의 환호성이 들려왔다. 그 겨를에도 나는 손에 그러쥔 고삐만은 놓치지 않고 있었다.

강가로 끌어내 놓고 보니 소는 암컷인 데다가 이미 코뚜레도 해 넣은 중소가 좀 넘는 놈이었다. 바위틈에 끼인 뒷발은 한 뼘쯤 가죽이 벗겨져 벌겋게 살이 드러나 있었는데 피가 약간 배어 나올 뿐 뼈가 상한 것 같지는 않았다. 고삐를 끌고 걸음을 걸리자 놈은 뒤뚱거리며 문제없이 걸었다.

• **가재도구**(家 집 가, 財 재물 재, 道 길 도, 具 갖출 구) 집 안 살림에 쓰는 여러 물건.

• **댈** 서로 견주어 비교할.

• **영각하는** 소가 길게 우는.

• **시뻘건** 매우 어둡고 짙게 붉은.

• **보상**(報 갚을 보, 償 갚을 상) 어떤 것에 대한 대가로 갚음.

• **계산**(計 꾀할 계, 算 계산 산) **속** 어떤 일이 자기에게 이해 득실이 있는지 속으로 따져 봄.

• **굴레** 말이나 소 등을 부리기 위하여 머리와 목에서 고삐에 걸쳐 얽어매는 줄.

• **요량**(料 되질할 요, 量 헤아릴 량) 앞일을 잘 헤아려 생각함. 또는 그런 생각.

• **송장** 죽은 사람의 몸을 이르는 말.

• **맹글어** '만들어'의 방언.

• **코뚜레** 소의 콧구멍을 꿰뚫어 끼는 나무 고리. 좀 자란 송아지 때부터 고삐를 매는 데 씀.

1 핵심 요약 내용 흐름 정리하기

다음은 이 글에서 '나'가 소를 줍게 된 과정을 정리한 것입니다. 빈칸에 들어갈 알맞은 말을 쓰시오.

핵심 요약 TIP

이 소설의 주인공인 '나'가 강물에 떠내려오는 소를 발견한 뒤, 강물에 뛰어들어 소를 강가로 끌어낸 과정을 정리하여 시간 순서대로 씁니다.

> 필구가 강물에 떠내려오는 (   )를 발견함.

⬇

> 아이들이 구경하는 사이 '나'가 (   )에 뛰어들어 소의 굴레를 쥠.

⬇

> 아이들이 강물에 들어오려 하자 '나'가 들어오지 못하게 함.

⬇

> '나'는 소와 함께 물속에 빠졌으나 겨우 소를 (   )로 끌어냄.

2 표현 서술상 특징 파악하기

다음 중 이 글의 서술 방식으로 가장 적절한 것은 무엇입니까? (   )

① 인물들의 의견 대립을 중심으로 이야기가 펼쳐지고 있다.
② 주변 인물과의 대화를 바탕으로 이야기가 서술되고 있다.
③ 미래에서 현재를 예측하는 방식으로 이야기가 펼쳐지고 있다.
④ 공간적 배경에 대한 **묘사**를 바탕으로 이야기가 펼쳐지고 있다.
⑤ 인물의 행동에 대한 설명을 중심으로 이야기가 펼쳐지고 있다.

어휘

• **묘사** 어떤 대상이나 사물, 현상 등을 그림 그리듯이 자세하게 언어로 표현하는 것.

3 내용 이해 발화의 의도 파악하기

㉠과 같이 말한 까닭으로 가장 적절한 것은 무엇입니까? (   )

① 다른 아이들의 도움을 받는 것이 창피해서
② 소가 자신보다 다른 아이들을 더 따를 것 같아서
③ 소에 대한 권리가 자신에게만 있음을 알리기 위해서
④ 아이들이 강물에 들어왔다가 떠내려갈까 봐 걱정돼서
⑤ 여럿이 함께 소를 끌어내다가 소가 다칠 것을 염려해서

4 다음 보기를 참고하여 이 글을 감상한 내용으로 적절한 것은 무엇입니까? (   )

> **보기**
>
> 과거에 농사짓는 집에서 소는 농사일을 도와주는 소중한 노동력을 의미했다. 또한 소를 가지고 있다는 것은 곧 그 집안의 경제적 능력을 상징하는 것이었다. 「소를 줍다」에서 '나'의 집은 직접 소를 가져 본 적이 없는 가난한 형편이었기 때문에 '나'는 소를 가져 보기를 소망하였다.

① '나'는 강물에서 건져 낸 소를 이용해서 소중한 노동력을 얻고자 했겠군.

② 농사일을 도와주다 지친 소가 도망을 쳐서 강물로 떠내려왔던 것이겠군.

③ 다른 아이들이 떠내려가는 소를 구경만 했던 것은 소의 경제적 가치를 몰랐기 때문이겠군.

④ 필구가 '나'에게 소가 강물에 떠내려간다고 일러 준 것은 '나'의 소망을 알고 있었기 때문이겠군.

⑤ 위험을 무릅쓰고 강물에 뛰어든 '나'의 행동은 소를 가져 보기를 원했던 소망에서 비롯된 것이겠군

5 어휘·어법 사전적 의미

다음 보기는 ㉮를 국어사전에서 찾아 나온 일부입니다. 이를 참고하여 ㉮와 같은 뜻으로 사용된 예로 적절한 것을 두 가지 고르시오. (   )

> **보기**
>
> 대다 • 어떤 것을 목표로 삼거나 향하다.
> • 이유나 구실을 들어 보이다.
> • 서로 견주어 비교하다.
> • 어떤 사실을 드러내어 말하다.
> ⋮

① 아이들이 나무에 대고 돌을 던지고 있다.

② 나는 굳이 친구에게 핑계를 대고 싶지 않다.

③ 나는 굳이 그와 키를 대어 보고 싶지는 않았다.

④ 아무리 고문을 해도 독립군의 명단을 댈 수는 없었다.

⑤ 동생은 자신의 성적이 친구한테 대면 좋은 편이라며 큰소리쳤다.

어휘·어법 TIP

'대다'의 또 다른 뜻
• 정해진 시간에 닿거나 맞추다.
예 기차 시간에 대도록 서두르자.
• 무엇을 어디에 닿게 하다.
예 수화기에 귀를 대다.
• 차, 배 등의 탈것을 멈추어 서게 하다.
예 집 앞에 차를 대다.
• 돈이나 물건 등을 마련하여 주다.
예 그는 그동안 남몰래 가난한 이웃에게 양식을 대 왔다.
• 무엇을 덧대거나 뒤에 받치다.
예 공책에 책받침을 대고 쓰다.

어휘력 ➕

• **요령** '가장 긴요하고 으뜸이 되는 골자나 줄거리', '일을 하는 데 꼭 필요한 묘한 이치', '적당히 해 넘기는 잔꾀' 등의 여러 뜻이 있음.

• **요량** 앞일을 잘 헤아려 생각함. 또는 그런 생각.

• **역량** 어떤 일을 해낼 수 있는 힘.

1 낱말 이해 낱말 관계 낱말 적용 관용 표현

다음 그림을 보고, ㉠에 들어갈 알맞은 낱말을 보기 에서 찾아 쓰시오.

보기

| 요령 | 요량 | 역량 |

빨리 가서 선생님을 도와드려야지. 그럼 선생님께서 나에게 상을 주실 거야!

그러면 그렇지. 네가 착한 일을 나서서 할 리가 없는데. 선생님께 상을 받을 ㉠(   )이구나.

2 낱말 이해 낱말 관계 낱말 적용 관용 표현

다음 낱말의 뜻으로 알맞은 것을 찾아 각각 선으로 이으시오.

(1) 굴레 •

(2) 코뚜레 •

(3) 가재도구 •

• ㉮ 집안 살림에 쓰는 여러 물건.

• ㉯ 소의 콧구멍을 꿰뚫어 끼는 나무 고리.

• ㉰ 말이나 소 등을 부리기 위하여 머리와 목에서 고삐에 걸쳐 얽어매는 줄.

3 낱말 이해 낱말 관계 낱말 적용 관용 표현

다음 선생님의 질문에 대한 답으로 알맞은 것은 무엇입니까? (   )

선생님: 색채를 나타내는 말 앞에 붙어 '매우 짙고 선명하게'의 뜻을 더하는 말로, '새-'와 '시-'가 있어요. 그런데 '새-'는 첫음절의 모음이 'ㅏ, ㅗ'인 경우에, '시-'는 첫음절의 모음이 'ㅓ, ㅜ'인 경우에 결합한답니다. 그러면 다음 중 잘못된 말을 찾아볼까요?

① 새까맣다
② 시커멓다
③ 새뽀얗다
④ 시푸르다
⑤ 새퍼렇다

소설 05 자전거 도둑

박완서

중등 교과서 수록 작품

· 지문 해설

· 지문 난이도: 중
●─●─●─○─○

· 글자 수: 1289자
○─○─●─○─○
1000   1500

· **연민**(憐 불쌍히 여길 련, 憫 근심할 민) 불쌍하고 가련 하게 여김.

· **깡패** 폭력을 쓰면서 행패를 부리고 못된 짓을 일삼는 무 리를 속되게 이르는 말.

· **예기**(豫 미리 예, 期 기약할 기) 앞으로 닥쳐올 일에 대 하여 미리 생각하고 기다림.

· **사태**(事 일 사, 態 모양 태) 일이 되어 가는 형편이나 상 황. 또는 벌어진 일의 상태.

· **유유히** 움직임이 한가하고 여유가 있고 느리게.

· **토껴라** '도망가라'를 속되 게 이르는 말.

· **검부러기** 가느다란 마른 나 뭇가지, 마른 풀, 낙엽 등의 부스러기

· **질풍**(疾 병 질, 風 바람 풍) 몹시 빠르고 거세게 부는 바람.

[앞부분 줄거리] 배달을 나갔던 수남의 자전거가 넘어진다. 한 신사가 자전거로 인해 자신의 차에 흠집이 났다며 수리비 오천 원을 요구한다.

수남이는 주머니 속에 든 만 원 생각을 하면 얼굴이 화끈대고 공연히 무섭기까지 하다. 그렇지만 주인 영감님을 위해 그 돈만은 죽기를 무릅쓰고 지킬 각오를 단단히 한다. / "아니, 욘석이 이제 보니 이런 큰일 저지르고 그냥 내뺄 생각 아냐? 요런 악 질 녀석 같으니라고."

신사의 표정은 은은히 감돌던 연민이 싹 가시고 점잖게 무표정해진다.

그러고는 옆에 섰던 운전사인 듯한 남자에게 말했다. / "안 되겠네. 이런 악질 깡 패 녀석하고 시비해 봤댔자 공연히 시간만 낭비니, 자네 자물쇠 하나 사 오게. 이 녀석 자전거를 ㉠잡아 놓기로 하세. 언제든지 오천 원 가져와서 찾아가라고."

그러고는 주머니에서 오백 원짜리를 한 장 꺼내서 운전사에게 주는 것이었다.

수남이로서는 전혀 예기치 못했던 사태였다. 주머니의 만 원에 대해서만 생각했 었지 자전거에 대해선 전혀 생각이 미치지 못했었다.

운전사는 금방 커다란 자물쇠를 하나 사 가지고 왔다. 신사는 다시 네놈은 쳐다보 기도 싫다는 듯이 수남이를 전혀 상대하지 않고 묵묵히 자전거 바퀴에다 자물쇠를 채우고, 눈앞에 서 있는 빌딩을 가리켰다.

"나 저기 306호실에 있으니까 돈 오천 원 갖고 와. 그러면 열쇠 내줄 테니."

그러고는 수남이를 힐끗 흘겨보고 유유히 빌딩 속으로 사라져 갔다.

수남이는 울지도 못하고 빌지도 못하고 그냥 막연히 서 있었다.

수남이와 신사의 시비를 흥미진진하게 구경하던 사람들도 헤어지지 않고 그냥 서 있었다. 아마 수남이가 앙앙 울거나, 펄펄 뛰면서 욕을 하거나 그런 일이 일어나 주 기를 기다리는 눈치였다.

수남이는 바보가 돼 버린 아이처럼 조용히 멍청히 서 있었다. 누군가가 나직이 속 삭였다. / "토껴라, 토껴. 그까짓 것 갖고 토껴라."

그것은 악마의 속삭임처럼 은밀하고 감미로웠다. 수남이의 가슴은 크게 뛰었다. 이번에는 좀 더 점잖고 어른스러운 소리가 나섰다.

"그래라, 그래. 그까짓 거 들고 도망가렴. 뒷일은 우리가 감당할게."

그러자 모든 구경꾼이 수남이의 편이 되어 와글와글 외쳐 댔다.

"도망가라. 어서 자전거를 번쩍 들고 도망가라, 도망가라."

수남이는 자기편이 되어 준 이 많은 사람을 도저히 배반할 수 없었다. 이상한 용 기가 솟았다. 수남이는 자전거를 마치 검부러기처럼 가볍게 옆구리에 끼고 질풍같 이 달렸다. 정말이지 조금도 안 무거웠다. 타고 달릴 때보다 더 신나게 달렸다. 달 리면서 마치 오래 참았던 오줌을 시원스레 내깔기는 듯한 쾌감까지 느꼈다.

핵심 요약 TIP

이 소설에 나타난 신사의 행동과 구경하던 사람들의 말, 그리고 그로 인해 달라지는 수남의 심리를 중심으로 이 글의 내용을 순서대로 정리해 봅니다.

1 핵심 요약 내용 흐름 정리하기

다음은 이 글에서 일어난 일을 순서대로 정리한 것입니다. 빈칸에 들어갈 알맞은 말을 쓰시오.

> 신사가 자전거에 (   )를 채우고 돈을 가져오라고 함.

⬇

> (   )이는 예기치 못한 상황에 막연히 서 있기만 함.

⬇

> 구경하던 사람들이 수남이에게 자전거를 들고 (   )가라고 부추김.

⬇

> 수남이는 자전거를 들고 달리며 (   )을 느낌.

2 내용 이해 세부 내용 파악하기

다음 중 이 글의 내용으로 적절한 것은 무엇입니까? (   )

① 신사는 수남이를 붙잡고 있으라고 운전사에게 지시했다.
② 신사는 직접 자물쇠를 사 와서 자전거에 자물쇠를 채웠다.
③ 구경하던 사람들은 신사의 **매정한** 태도에 분노를 느끼고 항의했다.
④ 수남이는 자전거를 들고 달리면서 신사가 따라올까 봐 불안해했다.
⑤ 수남이는 돈을 가지고 있으면서도 신사의 요구를 받아들이지 않았다.

어휘
• **매정한** 얄미울 정도로 쌀쌀맞고 인정이 없는.

3 내용 이해 소재의 기능 파악하기

다음 중 오천 원 에 대한 설명으로 가장 적절한 것은 무엇입니까? (   )

① 수남이가 신사의 자동차에 흠집을 낸 이유이다.
② 수남이와 신사가 갈등하게 되는 원인을 제공한다.
③ 수남이를 불쌍하게 여기는 신사의 마음을 나타낸다.
④ 수남이가 자전거를 팔아서 갚아야 하는 금액에 해당한다.
⑤ 수남이가 주위 사람들에게 돈을 빌리려는 행동을 유발한다.

어휘
• **유발한다** 어떤 것이 다른 일을 일어나게 한다.

수능형

4 감상 │ 이론을 바탕으로 감상하기

다음 보기 를 참고할 때, ㉮~㉱ 중 이 글에 대한 설명으로 적절한 것을 찾아 짝 지은 것은 무엇입니까? (   )

문제 풀이

> **보기**
>
> 소설의 이야기는 갈등을 중심으로 펼쳐진다. 이 갈등에는 내적 갈등과 외적 갈등이 있다. 내적 갈등은 한 인물의 마음속에서 서로 다른 생각이 맞서면서 나타나는 갈등을 의미한다. 외적 갈등은 인물과 인물을 둘러싼 외부 환경 사이에 일어나는 갈등으로 인물과 인물 사이의 갈등, 인물과 그 인물이 속한 사회와의 갈등 등이 있다.

> ㉮ 수리비를 둘러싼 신사와 수남이의 갈등은 외적 갈등에 해당한다.
> ㉯ 도망가라고 외치는 사람들과 수남이 사이의 다툼은 인물과 인물 사이의 갈등에 해당한다.
> ㉰ 바람 때문에 수남이의 자전거가 넘어진 것은 인물과 사회와의 갈등에 해당한다.
> ㉱ 수남이가 자전거를 들고 도망갈 것인지에 대해 고민하는 것은 내적 갈등에 해당한다.

① ㉮, ㉯   ② ㉮, ㉱   ③ ㉯, ㉰
④ ㉯, ㉱   ⑤ ㉰, ㉱

5 어휘·어법 │ 단어의 의미

다음 중 밑줄 친 낱말이 ㉠과 같은 뜻으로 쓰인 것은 무엇입니까? (   )

① 앞으로 2년만 더 고생하면 한밑천 잡겠다.
② 잠복 중이던 경찰이 결국 범행 현장을 잡았다.
③ 한동안 방황하던 형이 마음을 잡고 열심히 산다.
④ 우리는 공사 기간을 길게 잡아 손해를 많이 봤다.
⑤ 은행에서는 토지를 담보로 잡고 돈을 빌려주었다.

어휘·어법 **TIP**

잡다
• 손으로 움키고 놓지 않다.
• 담보로 맡다.
• 권한 따위를 차지하다.
• 돈이나 재물을 얻어 가지다.
• 어떤 순간적인 장면이나 모습을 확인하거나 찍다.
• 흥분되거나 들뜬 마음을 가라앉히다.
• 어림하거나 짐작하여 헤아리다.

어휘력 완성

낱말 이해 │ 낱말 관계 │ 낱말 적용 │ 관용 표현

1 다음 그림을 보고, ㉠과 ㉡에 들어갈 알맞은 낱말을 **보기** 에서 찾아 각각 쓰시오.

보기

미풍	질풍	화풍	연모	연민

> 눈이 내리고 ㉠(　　　　)이/가 부는데 성냥을 팔고 있다니 얼마나 힘들까?

> 그러게 말이야. ㉡(　　　　)이/가 느껴져. 성냥을 사 줘야겠어.

낱말 이해 │ 낱말 관계 │ 낱말 적용 │ 관용 표현

2 다음 낱말의 뜻으로 알맞은 것을 찾아 각각 선으로 이으시오.

(1) 사태 •

(2) 유유히 •

(3) 예기하다 •

• ㉮ 움직임이 한가하고 여유가 있고 느리게.

• ㉯ 앞으로 닥쳐올 일에 대하여 미리 생각하고 기다리다.

• ㉰ 일이 되어 가는 형편이나 상황. 또는 벌어진 일의 상태.

낱말 이해 │ 낱말 관계 │ 낱말 적용 │ 관용 표현

3 다음 문장에 나타난 수남이의 상황에 어울리는 한자성어로 알맞은 것은 무엇입니까? (　　　　)

> • 수남이는 울지도 못하고 빌지도 못하고 그냥 막연히 서 있었다.
> • 수남이는 바보가 돼 버린 아이처럼 조용히 멍청히 서 있었다.

① 망연자실(茫然自失) ② 역지사지(易地思之)

③ 식자우환(識字憂患) ④ 동문서답(東問西答)

⑤ 차일피일(此日彼日)

어휘력 ➕

• **망연자실** 멍하니 정신을 잃음을 이르는 말.

• **역지사지** 처지를 바꾸어서 생각해 봄.

• **식자우환** 학식이 있는 것이 오히려 근심을 사게 됨을 이르는 말.

• **동문서답** 물음과는 전혀 상관없는 엉뚱한 대답을 하는 것을 이르는 말.

• **차일피일** 이날 저 날 하고 자꾸 기한을 미루는 모양을 이르는 말.

보리 방구 조수택

유은실

중등 교과서 수록 작품

점심시간이 되면 아이들은 보온 도시락에서 따뜻한 밥을 꺼내 먹었어. 우리 반에서 보온 도시락이 없는 사람은 수택이 뿐이었지. 수택이는 고개를 숙이고 차갑게 식은 양은 도시락을 열었어. 그러고는 풀풀 날리는 보리밥을 꺼내 먹었지. 반찬도 고춧가루가 군데군데 묻어 있는 허연 깍두기 한 가지뿐이었어.

다른 애들은 삼삼오오 모여 앉아서 밥을 먹었어. 서로 반찬도 바꿔 먹고 말이야. 하지만 수택이는 늘 혼자였어. (중략)

㉠"자, 오늘부터 밥은 제자리에서 먹는다." / 선생님 말씀에 아이들이 웅성댔어.

"날씨가 추워서 창문을 자주 못 여니까, 먼지를 내면 안 돼서 그래."

먼지 때문이라는 선생님 말씀을 우리는 이해할 수가 없었어.

"선생님, 교실에서 말뚝박기를 하는 것도 아닌데요."

"도시락 통 들고 몇 발짝 걷는데 무슨 먼지가 그렇게 나요?"

"화장실 가는 것보다도 조금 움직이는데요?" / 아이들은 이상하니까 자꾸 얘기했어.

선생님은 우리 얘기를 잘 들어주시는 편이었거든. 우리 말이 맞으면 선생님이 생각을 바꾸실 때도 있었어. / "내가 보기엔 먼지가 난다. 오늘부터 제자리에서 먹어라."

그날따라 선생님은 우리 얘기를 통 들어주지 않으셨어. 교실은 갑자기 조용해졌지. 우리는 그렇게 딱딱한 선생님이 낯설었어. 나는 하는 수 없이 수택이 옆에서 밥을 먹게 되었지.

나도 깍두기를 자주 싸 왔어. 수택이처럼 날마다는 아니었지만.

내 깍두기는 고춧가루랑 젓갈이 넉넉히 들어가서 빨갛고 먹음직스러웠지. 나는 깍두기를 집어서 입으로 가져가다가 힐끗 수택이를 보게 되었어. 수택이는 뭔가 잘못한 아이 같았지. 몰래 훔쳐 먹는 아이처럼 허연 깍두기를 제대로 씹지도 못하고 삼키는 거야.

나는 조금 망설이다 용기를 내어 수택이 보리밥 위에 내 깍두기를 얹어 주었어. 젓가락으로 들어서 얼른 옮겨 놓고 고개를 푹 수그렸지. 수택이는 밥을 우물거리다 말고 멍하니 있었고.

한참 그렇게 보고만 있던 수택이가 젓가락으로 깍두기를 푹 찍었어. 그러고는 깍두기 하나를 조금씩 다섯 번으로 나눠서 먹는 거야. 도시락 밑으로 흘러내린 국물까지 밥으로 싹싹 닦아 먹었지. / "윤희야, 이거 어제 배달하고 남은 거야."

깍두기를 나눠 먹기 시작하고 얼마 안 되었을 때였어. 수택이는 어린이 신문을 한 부씩 갖다 주기 시작했어. 나는 ㉡차마 신문을 거절할 수가 없더라. 건네주는 손에 거무죽죽한 자줏빛이 돌았거든. 손등에는 여기저기 튼 자국이 있었고, 추운 날씨에 배달을 하느라고 동상에 걸렸던 모양이야. 나는 신문을 받아서 가방에 넣었어. 친구들이 알아챌까 봐 빨리 넣느라고 신문이 구겨져 버리곤 했지.

핵심 요약 **TIP**

점심시간에 제자리에서 밥을 먹게 된 '나'와 수택이 사이에서 일어난 일을 순서대로 떠올려 봅니다. '나'가 먼저 수택이에게 한 행동을 찾아 정리하고, 수택이가 '나'에게 한 행동을 찾아 정리합니다.

1 핵심 요약 내용 흐름 정리하기

다음은 이 글에서 일어난 일을 순서대로 정리한 것입니다. 빈칸에 들어갈 알맞은 말을 쓰시오.

> 선생님께서 반 아이들에게 밥을 (   )에서 먹으라고 함.

⬇

> '나'는 수택이 옆에서 점심을 먹으며 수택이를 힐끔 봄.

⬇

> '나'가 건네준 (   )를 수택이가 아껴서 먹음.

⬇

> 수택이가 '나'에게 (   )을 주고 '나'는 친구들이 알아챌까 봐 급하게 가방에 넣음.

2 표현 서술상 특징 파악하기

다음 중 이 글의 서술자에 대한 설명으로 적절한 것은 무엇입니까? (   )

① 자신이 겪은 상황을 들려주듯이 이야기하고 있다.
② 중심 인물들 각각의 생각을 자세히 전달하고 있다.
③ 인물의 행동에 담긴 의도를 추측하여 드러내고 있다.
④ 과거에 벌어진 사건을 현재와 비교하여 설명하고 있다.
⑤ 인물과 사회의 갈등이 발생하게 된 원인을 제시하고 있다.

3 내용 이해 구절의 의미 파악하기

㉠의 이유로 가장 적절한 것은 무엇입니까? (   )

① 청소 당번이 정해지지 않아서
② 아이들이 점심을 먹다가 말뚝박기를 해서
③ 수택이만 혼자 밥을 먹는 것이 안쓰러워서
④ 수택이를 놀리고 따돌리는 아이들을 벌주기 위해서
⑤ 아이들이 도시락 통을 들고 여기저기 왔다 갔다 해서

감상 이론을 바탕으로 감상하기

4 다음 보기를 참고하여 이 글을 감상한 내용으로 적절하지 <u>않은</u> 것은 무엇입니까?

(   )

문제 풀이

어휘

• **묘사** 어떤 대상이나 사물, 현상 등을 그림 그리듯이 자세하게 언어로 표현하는 것.

• **심리** 마음의 작용과 의식의 상태. 또는 마음속.

> **보기**
>
> 「보리 방구 조수택」은 중심 인물인 '나'가 가정 형편이 어렵고 몸에서 냄새가 나 반 아이들과 잘 어울리지 못하는 수택이와 짝이 된 후에 겪게 되는 사건을 그린 성장 소설이다. 이 소설은 1970년대의 교실 상황을 사실적으로 서술하고 있으며 인물들의 행동에 대한 **묘사**가 두드러진 작품이다.

① 양은 도시락에 점심을 싸 온 모습에서 수택이의 가정 형편이 어려움이 드러나는군.

② 점심시간에 급식이 아닌 도시락을 먹는 모습에서 1970년대의 교실 상황이 드러나는군.

③ 늘 혼자 점심을 먹는 모습에서 수택이가 반 아이들과 잘 어울리지 못하고 있음이 드러나는군.

④ 깍두기와 어린이 신문을 주고받는 모습에서 나와 수택이가 앞으로 짝이 될 것임이 드러나는군.

⑤ 몰래 훔쳐 먹는 아이처럼 도시락을 먹는 모습에서 자신의 도시락을 부끄러워하는 수택이의 **심리**가 드러나는군.

어휘·어법 단어의 쓰임

5 다음은 ⓛ에 대한 설명입니다. 이를 참고할 때, ㉠에 해당하는 예로 적절하지 <u>않은</u> 것은 무엇입니까? (   )

> '차마'는 뒤에 오는 말을 부정하는 때에 쓰이는 단어이다. '차마 거절할 수 없다.', '차마 그런 짓은 못 한다.'처럼 '~ 아니다', '~ 못하다', '~ 없다' 등 부정의 의미를 지니는 말과만 어울린다. 우리말에는 이처럼 ㉠뒤에 나오는 말을 부정할 때만 쓰이는 단어들이 있다.

① 전혀   ② 결코   ③ 별로

④ 정말로   ⑤ 도무지

어휘·어법 TIP

• **전혀** '도무지', '아주', '완전히'의 뜻을 나타냄.

• **결코** 어떤 경우에도 절대로.

• **별로** 이렇다 하게 따로. 또는 그다지 다르게.

• **정말로** 거짓이 없이 말 그대로

• **도무지** 아무리 해도. 또는 이러니저러니 할 것 없이 아주.

낱말 이해 | 낱말 관계 | 낱말 적용 | 관용 표현

1 다음 그림을 보고, ㉠과 ㉡에 들어갈 알맞은 낱말을 보기 에서 찾아 각각 쓰시오.

보기

| 웅얼거리고 | 우물거리고 | 웅성거리고 | 차마 | 설마 |

너, 아까부터 뭐 먹고 있어? 뭘 그렇게 ㉠(   ) 있어?

어제 우리 어머니께서 마른 오징어를 잔뜩 사 오셨거든. 이 쫀득한 맛을 ㉡(   ) 모른 척할 수가 없네.

낱말 이해 | 낱말 관계 | 낱말 적용 | 관용 표현

2 다음 글에 나타난 ㉠과 ㉡의 관계로 알맞은 것에 ○표 하시오.

선생님: 선생님이 어릴 때에는 학교에 급식이 없었어요. 그래서 학교에 도시락을 싸 갔지요. 집안 형편이 어려웠던 선생님은 ㉠차가운 양은 도시락을 가져왔는데, 부잣집 아이들은 ㉡따뜻한 보온 도시락을 가져왔었지요. 그 시절 보온 도시락은 부의 상징 같은 것이었어요.

| 유의 관계 | 반의 관계 | 상하 관계 |

낱말 이해 | 낱말 관계 | 낱말 적용 | 관용 표현

3 다음 빈칸에 들어갈 관용 표현으로 가장 알맞은 것은 무엇입니까? (   )

상헌: 이 글에서 '나'는 수택이가 주는 신문을 왜 구겨질 정도로 빨리 가방에 넣고 있는 걸까?

서윤: '나'는 수택이에게 친절한 행동을 하면서도 막상 그런 관계를 다른 친구들에게 들키게 되면 [   ] 생각하는 게 아닐까?

① 낯이 있다고
② 낯이 넓다고
③ 낯이 두껍다고
④ 낯이 깎인다고
⑤ 낯가죽이 얇다고

어휘력 ➕

• **낯이 있다** 안면이 있다.
• **낯이 넓다** 아는 사람이 많다.
• **낯이 두껍다** 부끄러움을 모르고 염치가 없다.
• **낯이 깎이다** 체면이 손상되다.
• **낯가죽이 얇다** 부끄러움을 잘 타다.

소설 3

우리 삶을 기록해요

소음 공해

작가
오정희

작품 배경
현대, 도심의 한 아파트

소음을 냄.
인터폰을 통해 주의를 줌.

나
평범한 가정주부로 공동생활에서 지켜야 할 점을 중요하게 생각함.

젊은 여자
'나'의 위층에 살며 휠체어를 사용하고 있음.

발단	수록 부분 전개	위기	절정	결말
'나'는 장애인 보호 시설에서 봉사 활동을 하고 온 후 클래식 음악을 들으며 휴식을 즐기고 있었음.	위층에서 나는 소음에 인터폰을 통해 경비원에게 주의를 줄 것을 요청하지만 소음은 멈춰지지 않음.	위층 여자와 직접 통화를 하게 되지만 도리어 자신에게 너무하다고 말하는 위층 여자에게 화가 나게 됨.	'나'는 선물로 받은 슬리퍼를 위층 여자에게 선물해서 발소리를 죽이라는 메시지를 전달하려고 함.	위층에 찾아가서 휠체어를 타며 나오는 젊은 여자를 보고 '나'는 자신의 행동에 부끄러움을 느낌.

일용할 양식

작가
양귀자

작품 배경
1980년대 부천시 원미동

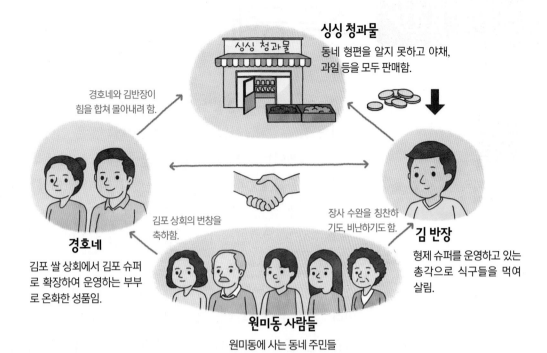

싱싱 청과물
동네 형편을 알지 못하고 야채, 과일 등을 모두 판매함.

경호네와 김반장이 힘을 합쳐 몰아내려 함.

경호네
김포 쌀 상회에서 김포 슈퍼로 확장하여 운영하는 부부로 온화한 성품임.

김포 상회의 번창을 축하함.

장사 수완을 칭찬하기도, 비난하기도 함.

김 반장
형제 슈퍼를 운영하고 있는 총각으로 식구들을 먹여 살림.

원미동 사람들
원미동에 사는 동네 주민들

발단	전개	위기	절정	결말
쌀과 연탄만 팔던 김포 쌀 상회가 김포 슈퍼로 확장을 하게 되고 쌀과 연탄만이 아니라 야채, 과일 등도 팔게 됨.	김포 슈퍼에 대항하기 위해 야채, 과일 등만 팔던 형제 슈퍼에서도 쌀과 연탄을 들여놓기 시작함.	동네 사람들은 슈퍼를 어디로 가야 할 지 망설이게 되고, 두 가게는 경쟁이 붙어 계속 가격을 할인하게 됨.	동네에 야채와 과일 등을 파는 '싱싱청과물'이 들어오게 되고, 두 슈퍼는 힘을 합쳐 싱싱청과물을 몰아내려 노력함.	결국 싱싱청과물은 두 슈퍼의 주인과 싸운 뒤 물건을 모두 처분하고 한 달 만에 다른 곳으로 떠나게 됨.

할머니를 따라간 메주

작가
오승희

작품 배경
도심의 한 아파트, 시골 할머니 댁

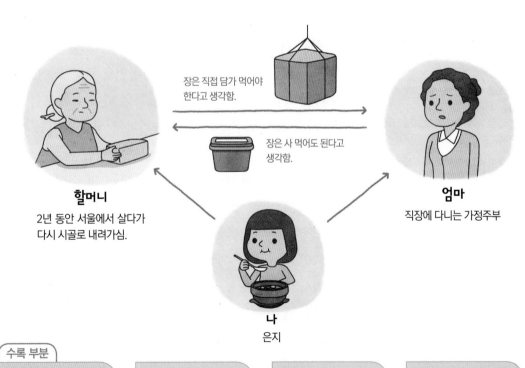

장은 직접 담가 먹어야 한다고 생각함.

장은 사 먹어도 된다고 생각함.

할머니
2년 동안 서울에서 살다가 다시 시골로 내려가심.

엄마
직장에 다니는 가정주부

나
은지

발단	전개	위기	절정	결말
할머니께서 메주콩을 삶아 함지에 넣고 방앗공이로 찧으시고, 엄마는 그것을 보고 방으로 들어가 버리심.	할머니는 메주를 달기 위해 집 창고 문틀에 못을 박고, 엄마는 그 모습을 보고 화를 내어 다투게 됨.	은지는 친구가 된장찌개를 맛있게 먹는 모습을 보고, 할머니와 엄마를 위해 된장찌개를 잘 먹기 시작함.	할머니는 메주 일 때문이 아니라 서울 땅이 답답하다며 가족의 만류에도 짐을 싸서 다시 시골로 내려가심.	은지네 가족은 할머니께서 두고 가신 항아리를 가져다드리러 시골에 가서 된장찌개를 맛있게 먹음.

소음 공해

오정희

중등 교과서 수록 작품

• 지문 해설

• 지문 난이도: 상
●●●○○

• 글자 수: 1250자
○─●─○
1000   1500

위층의 소리는 멈추지 않았다. 드르륵거리는 소리에 머리털이 진저리를 치며 곤두서는 것 같았다. 철없고 상식 없는 요즘 젊은 엄마들이 아이들에게 집 안에서 자전거나 스케이트 보드 따위를 타게도 한다는데, 아무래도 그런 것 같았다. 인터폰의 수화기를 들자, 경비원의 응답이 들렸다. 내 목소리를 알아채자마자 길게 말꼬리를 늘이며 지레 짚었다. 귀찮고 성가셔하는 표정이 눈앞에 역력히 떠올랐다.

"위층이 또 시끄럽습니까? 조용히 해 달라고 말씀드릴까요?"

잠시 후 인터폰이 울렸다. / "충분히 주의하고 있으니 염려 마시랍니다."

경비원의 전갈이었다. 염려 마시라고? 다분히 도전적인 저의가 느껴지는 전언이었다. 게다가 드르륵드르륵 소리는 여전하지 않은가? 이젠 한판 싸워 보자는 얘긴가? 나는 인터폰을 들어 다짜고짜 909호를 바꿔 달라고 말했다. 신호음이 서너 차례 울린 후에야 신경질적인 젊은 여자의 응답이 들렸다. / "아래층인데요. 댁이 그런 식으로 말할 건 없잖아요? 나도 참을 만큼 참았다고요. 공동 주택에는 지켜야 할 규칙들이 있잖아요? 난 그 소리 때문에 병이 날 지경이에요." / "여보세요, 난 날아다니는 나비나 파리가 아니에요. 내 집에서 맘대로 움직이지도 못하나요? 해도 너무 하시네요. 이틀거리로 전화를 해 대시니 저도 피가 마르는 것 같아요. 저더러 어쩌라는 거예요?" / "하여튼 아래층 사람 고통도 생각하시고 주의해 주세요."

나는 거칠게 수화기를 내려놓았다. ㉮"뻔뻔스럽긴. 이젠 순 배짱이잖아?" 소리내어 욕설을 퍼부어도 화가 가라앉지 않았다. 그렇다고 언제까지 경비원을 사이에 두고 '하랍신다', '하신다더라' 하며 신경전을 펼 수도 없는 일이었다. 화가 날수록 침착하고 부드럽게 처신해야 한다는 것은 나이가 가르친 지혜였다. 지난겨울 선물로 받은, 아직 쓰지 않은 ㉠실내용 슬리퍼에 생각이 미친 것은 스스로도 신통했다. 선물도 무기가 되는 법. 발소리를 죽이는 푹신한 슬리퍼를 선물함으로써 소리를 죽이라는 메시지와 함께 소리 때문에 고통받는 내 심정을 간접적으로 나타낼 수 있으리라. 사려 깊고 양식 있는 이웃으로서 공동 생활의 규범에 대해 조곤조곤 타이르리라.

위층으로 올라가 벨을 눌렀다. 안쪽에서 "누구세요?" 묻는 소리가 들리고도 십분 가까이 지나 문이 열렸다. '이웃사촌이라는데 아직 인사도 없이……' 등등 준비했던 인사말과 함께 포장한 슬리퍼를 내밀려던 나는 첫마디를 뗄 겨를도 없이 우두망찰했다. 좁은 현관을 꽉 채우며 ㉡휠체어에 앉은 젊은 여자가 달갑잖은 표정으로 나를 올려다보았다.

"안 그래도 바퀴를 갈아 볼 작정이었어요. 소리가 좀 덜 나는 것으로요. 어쨌든 죄송해요. 도와주는 아줌마가 지금 안 계셔서 차 대접할 형편도 안 되네요."

여자의 텅 빈, 허전한 하반신을 덮은 화사한 빛깔의 담요와 휠체어에서 황급히 시선을 떼며 나는 할 말을 잃은 채 슬리퍼 든 손을 등 뒤로 감추었다.

• **진저리** 몹시 싫증이 나거나 귀찮아 떨쳐지는 몸짓.

• **지레** 어떤 일이 일어나기 전 또는 어떤 기회나 때가 무르익기 전에 미리.

• **역력(歷 지낼 역, 歷 지낼 력)히** 자취나 기미, 기억 등이 환히 알 수 있을 정도로 또렷하게.

• **전갈(傳 전할 전, 喝 꾸짖을 갈)** 사람을 시켜 말을 전하거나 안부를 물음. 또는 전하는 말이나 안부.

• **저의(底 밑 저, 意 뜻 의)** 겉으로 드러나지 아니한, 속에 품은 생각.

• **전언(傳 전할 전, 言 말씀 언)** 말을 전함. 또는 그 말.

• **처신(處 곳 처, 身 몸 신)해야** 세상을 살아가는 데 가져야 할 몸가짐이나 행동을 취해야.

• **우두망찰했다** 정신이 얼떨떨하여 어찌할 바를 몰랐다.

• **달갑잖은** 거리낌이나 불만이 있어 마음이 흡족하지 아니한.

1 핵심 요약 내용 흐름 정리하기

다음은 '나'의 행동을 중심으로 이 글의 내용을 순서대로 정리한 것입니다. 빈칸에 들어갈 적절한 말을 쓰시오.

위층에서 나는 (   ) 때문에 경비원에게 인터폰으로 주의를 요청함.

⬇

도전적으로 느껴지는 위층의 반응에 직접 통화를 했다가 더 화가 남.

⬇

위층 여자에게 (   )를 선물하며 좋은 말로 타이르기로 함.

⬇

슬리퍼를 들고 위층을 방문했다가 위층 여자의 (   ) 탄 모습을 보고 슬리퍼를 감춤.

핵심 요약 TIP

이 소설에서 '나'가 한 행동과 '나'의 심리 변화를 중심으로 있었던 일을 정리합니다. '나'가 소음으로 경비원과 통화를 한 일, 위층 여자와 직접 통화한 일, 위층 여자와 만난 일 등을 순서대로 떠올려 봅니다. 그리고 이러한 일들을 겪는 과정에서 '나'의 마음이 어떻게 달라지는지도 함께 살펴봅니다.

2 표현 서술상 특징 파악하기

다음 중 이 글에 대한 설명으로 적절하지 <u>않은</u> 것은 무엇입니까? (   )

① 소리 때문에 인물 간의 갈등이 깊어지고 있다.

② 서술자가 자신의 심리 변화를 직접 드러내고 있다.

③ 미래의 일을 예상하며 갈등의 원인을 추측하고 있다.

④ 아래층에서 위층으로 공간이 바뀌며 상황이 전개되고 있다.

⑤ '나'의 행동을 통해 상대에 대한 태도 변화를 보여 주고 있다.

3 내용 이해 소재의 기능 파악하기

㉠과 ㉡에 대한 설명으로 적절하지 <u>않은</u> 것은 무엇입니까? (   )

① ㉠은 '나'가 겪는 고통을 간접적으로 표현하기 위한 도구이다.

② ㉠은 위층 여자의 처지를 알게 된 '나'가 미안한 마음을 전하는 수단이다.

③ ㉡은 위층에서 소음이 발생하게 된 원인에 해당한다.

④ ㉡은 위층 여자가 처해 있는 현재 상황을 나타낸다.

⑤ ㉡은 '나'가 자신의 행동을 부끄럽게 여기는 계기가 된다.

감상 이론을 바탕으로 감상하기

4 다음 보기를 참고하여 이 글을 감상한 내용으로 가장 적절한 것은 무엇입니까?

( )

> **보기**
>
> 아파트라는 공간은 살기에 편리하다는 장점이 있고, 문만 닫으면 외부와 완벽히 **차단되는** 특성을 지니고 있다. 따라서 아파트는 이웃에 대해 무관심한 채 서로 거리를 두고 살아가는 삶의 공간이 되기도 한다. 이러한 무관심은 때로는 이 소설처럼 오해와 갈등을 낳는 요인이 된다.

① 공동생활의 규범을 알려 주려는 '나'의 모습에서 서로의 정을 중시하는 태도를 볼 수 있군.

② 경비원을 통해서만 위층과 소통하는 모습에서 아파트가 살기 편리한 공간임을 알 수 있군.

③ 위층의 소리를 불쾌하게만 생각하는 것에서 이웃에 대해 무관심한 우리들의 삶이 드러나는군.

④ 아래위층 사이에 욕설을 퍼붓는 장면에서 아파트가 이웃 간의 갈등을 유발하는 곳임이 확인되는군.

⑤ 위층의 소리를 자전거나 스케이트 보드 타는 소리로 추측하는 것은 이웃을 좋아하지 않기 때문이군.

어휘·어법 한자성어

5 다음은 ㉮를 읽은 독자의 반응입니다. 빈칸에 들어갈 한자성어로 가장 적절한 것은 무엇입니까? ( )

> '나'는 [ ](으)로 나오는 젊은 여자의 태도에 분노하고 있구나.

① 감탄고토(甘呑苦吐)

② 교언영색(巧言令色)

③ 곡학아세(曲學阿世)

④ 적반하장(賊反荷杖)

⑤ 지록위마(指鹿爲馬)

어휘

· **차단되는** 다른 것과의 관계나 접촉이 막히거나 끊어지는.

어휘 · 어법 TIP

· **감탄고토** 달면 삼키고 쓰면 뱉는다는 뜻으로, 자신의 비위에 따라서 사리의 옳고 그름을 판단함을 이르는 말.

· **교언영색** 아첨하는 말과 알랑거리는 태도.

· **곡학아세** 바른길에서 벗어난 학문으로 세상 사람에게 아첨함.

· **적반하장** 도둑이 도리어 매를 든다는 뜻으로, 잘못한 사람이 아무 잘못도 없는 사람을 나무람을 이르는 말.

· **지록위마** 윗사람을 농락하여 권세를 마음대로 함을 이르는 말.

어휘력 완성

낱말 이해 낱말 관계 낱말 적용 관용 표현

1 다음 그림을 보고, ㉠과 ㉡에 들어갈 알맞은 낱말을 보기 에서 찾아 각각 쓰시오.

보기
| 성의 | 저의 | 제의 | 지레 | 되레 |

나에게 떡볶이를 사 주는 너의 ㉠( )가 무엇인지 당장 밝히지 못할까? 혹시 회장 선거에서 뽑아 달라는 것인가?

괜히 ㉡( ) 짐작하지 말고 떡볶이나 먹어. 나도 배가 고파서 사 주는 것이야.

낱말 이해 낱말 관계 낱말 적용 관용 표현

2 다음 낱말의 뜻으로 알맞은 것을 찾아 각각 선으로 이으시오.

(1) 전갈 •

(2) 처신 •

(3) 역력히 •

• ㉮ 세상을 살아가는 데 가져야 할 몸가짐이나 행동.

• ㉯ 자취나 기억 등이 환히 알 수 있을 정도로 또렷하게.

• ㉰ 사람을 시켜 말을 전하거나 안부를 물음. 또는 전하는 말이나 안부.

낱말 이해 낱말 관계 낱말 적용 관용 표현

3 다음 '나'의 상황과 어울리는 한자성어로 알맞은 것은 무엇입니까? ( )

준비했던 인사말과 함께 포장한 슬리퍼를 내밀려던 나는 첫마디를 뗄 겨를도 없이 우두망찰했다. 좁은 현관을 꽉 채우며 휠체어에 앉은 젊은 여자가 달갑잖은 표정으로 나를 올려다보았다.

① 아연실색(啞然失色)
② 풍전등화(風前燈火)
③ 반신반의(半信半疑)
④ 수수방관(袖手傍觀)
⑤ 동병상련(同病相憐)

어휘력 ➕

• **아연실색** 뜻밖의 일에 얼굴빛이 변할 정도로 놀람.

• **풍전등화** 바람 앞의 등불이라는 뜻으로, 사물이 매우 위태로운 처지에 놓여 있음을 비유적으로 이르는 말.

• **반신반의** 얼마쯤 믿으면서도 한편으로는 의심함.

• **수수방관** 팔짱을 끼고 보고만 있다는 뜻으로, 간섭하거나 거들지 아니하고 그대로 버려둠을 이르는 말.

• **동병상련** 같은 병을 앓는 사람끼리 서로 가엾게 여긴다는 뜻으로, 어려운 처지에 있는 사람끼리 서로 가엾게 여김을 이르는 말.

일용할 양식

양귀자

중등 교과서 수록 작품

• 지문 해설

• 지문 난이도: 중

●●●●●

• 글자 수: 1486자

○────○────●────○
1000   1500

• **도약**(跳 뛸 도, 躍 뛸 약) 더 높은 단계로 발전하는 것을 비유적으로 이르는 말.

• **싸전**(廛 가게 전) 쌀과 그 밖의 곡식을 파는 가게.

• **쟁여** 물건을 차곡차곡 포개어 쌓아 두어.

• **상경**(上 위 상, 京 서울 경)한 지방에서 서울로 간.

• **품팔이** 품삯을 받고 남의 일을 해 주는 일. 또는 그런 사람.

• **부리는** 사람의 등에 지거나 자동차나 배 등에 실었던 것을 내려놓는.

• **망**(網 그물 망)**태기** 물건을 담아 들거나 어깨에 메고 다닐 수 있도록 만든 그릇.

• **짐짓** 마음으로는 그렇지 않으나 일부러 그렇게.

• **부식**(副 버금 부, 食 먹을 식) 주식에 곁들여 먹는 음식. 밥에 딸린 반찬 등을 이름.

처음에는 어떤 일이나 그렇듯 대수롭지 않았다. '김포 쌀 상회'의 상호가 '김포 슈퍼'로 바뀌었을 뿐인 것이다. 원래는 쌀과 연탄만을 취급하면서 23통 일대의 쌀과 연탄을 도맡아 배달해 주던 김포 쌀 상회의 경호 아버지가 어지간히 돈을 모은 모양이었다. 비어 있는 옆 칸을 헐어 가게를 확장한 것이다. 김포 쌀 상회가 김포 슈퍼로 도약하였을 때는 응당 상호에 걸맞게스리 온갖 생활필수품들이 진열대를 메우는 것은 당연한 노릇이었다. 한쪽에는 싸전을, 또 한쪽에는 미니 슈퍼를, 그리고 가게 앞 공터에다가는 연탄을 쟁여 놓고 있는 폼이 제법 거창하기까지 했다. 충청도 산골 마을에서 야망을 품고 상경한 이들 내외는 품팔이로 번 돈을 모아 사 년 전, 원미동에 어엿하게 김포 쌀 상회를 내었다. (중략)

바로 그 무렵, 원미동 여자들은 형제 슈퍼의 김 반장이 가게 앞 공터에 수백 장씩 연탄을 부리는 현장을 목격하였다. 또, 형제 슈퍼의 간이 창고 구실을 하던 입구의 천막 속에 쌀과 잡곡들이 제각기 망태기에 담겨져 있고, 그 옆에 돌 고르는 석발기까지 덜덜거리며 돌아가는 모습도 목격하였다. 물론 형제 슈퍼는 쌀과 연탄을 취급하던 가게가 아니었다. 과일이나 야채, 생선을 비롯하여 생활필수품들을 파는 구멍가게에 불과한 규모이긴 해도 이름만은 곧잘 '슈퍼'로 불리던 그런 가게였다. 형제 슈퍼가 느닷없이 쌀과 연탄을 벌여 놓고 빨간 페인트로 '쌀, 연탄'이라고 쓴 어엿한 입간판까지 내다 놓은 것은 누가 뭐래도 ㉠김포 슈퍼의 개업과 발을 맞춘 것임이 분명하였다. / "우리도 연탄 배달합니다. 거기다 또 대리점 대우라서 한 장에 이 원씩 싸게 드립니다요. 쌀이라면 우리 고향 쌀, 아시지라우? 계화미, 호남 평야의 일등품만 취급하니까 한번 잡숴만 보세요, 틀림없당게요."

김 반장이 만나는 동네 사람들마다에게 쏟아 놓는 대사였다. 아니, 부러 가게 앞에 나와 서서 짐짓 쾌활한 얼굴과 목소리로 자신만만하게 단골들을 설득하였는데, 사람들은 그제서야 형제 슈퍼와 김포 슈퍼의 간격이 일백 미터도 채 못 된다는 사실을 깨달았다. 그리고 김포에서 쌀과 연탄만을 취급하였을 때는 모두 형제 슈퍼에서 물건을 샀다는 사실을 깨달았다. 모두들 경호네의 눈부신 발전에만 정신이 팔려서 깜박 김 반장을 잊고 있었던 것이다. / 김 반장은 이제 스물여덟의 역시 싹싹한 총각이었으며 23통 5반을 손바닥 안에 꿰뚫고 있는 반장 직책을 가지고 있었다. 때문에 동네의 잡다한 사건에 그가 끼이지 않는 법이 없었다. 그의 형제 슈퍼에는 네 명의 어린 동생과 다리 골절로 직장을 잃은 아버지와 잔소리가 많은 어머니, 또한 팔순의 할머니가 매달려 있었다. 식구가 복잡한 만큼 가게도 복잡하여 누구 말대로 없는 것 빼고는 다 있는 만물상임은 틀림없지만 기득권을 가진 가게답게 적잖이 무질서하고 부식의 신선미도 떨어지는 편이어서 사람들은 알게 모르게 깔끔하게 정돈되어 있는 김포 슈퍼 쪽으로 발길을 돌렸던 것이다.

핵심 요약 **TIP**

이 글에서 '김포 슈퍼'와 '형제 슈퍼'라는 말이 나오는 부분을 보면 각 슈퍼에 대한 설명이 있습니다. '김포 쌀 상회'가 '김포 슈퍼'로 확장하면서 '김포 슈퍼'와 '형제 슈퍼'에서 파는 물건들이 어떻게 바뀌었는지 각각 정리하여 봅니다.

1 핵심 요약 주요 내용 정리하기

다음은 '김포 슈퍼'와 '형제 슈퍼'에 대하여 정리한 것입니다. 빈칸에 들어갈 적절한 말을 쓰시오.

	김포 슈퍼	형제 슈퍼
주인	경호네	김 반장
판매 물건	쌀, 연탄 + (　　　)	생활필수품 + (　　　)

2 내용 이해 세부 내용 파악하기

다음 중 이 글의 내용으로 적절하지 <u>않은</u> 것은 무엇입니까? (　　　)

① 김 반장은 많은 식구들의 생계를 책임져야 하는 가장이었다.
② 김 반장은 동네 일에 빠지지 않고 참여하는 성실한 성격을 지녔다.
③ 형제 슈퍼를 이용했던 사람들이 김포 슈퍼에서 물건을 사기 시작했다.
④ 경호네는 품팔이로 모은 돈으로 김포 쌀 상회를 김포 슈퍼로 확장했다.
⑤ 김포 쌀 상회에서 김포 슈퍼로 확장하면서 취급하는 상품도 다양해졌다.

3 내용 이해 시대적 배경 파악하기

다음 중 이 글에서 알 수 있는 시대적 배경으로 적절한 것은 무엇입니까? (　　　)

① 사람들은 대리점에서 쌀과 연탄을 배달시켰다.
② 집집마다 난방을 위해 연탄을 주로 사용하였다.
③ 젊은 사람은 통장과 같은 직책을 가질 수 없었다.
④ 생필품 가게에서 쌀과 연탄을 파는 것을 금지하였다.
⑤ 시골에서 올라온 사람들은 장사 이외에는 할 일이 없었다.

감상 이론을 바탕으로 감상하기

4 다음 보기를 참고할 때, ㉠에 대한 설명으로 가장 적절한 것은 무엇입니까?

( )

보기

　　소설은 갈등의 진행과 **해소** 과정에 따라 발단, 전개, 위기, 절정, 결말의 구성 단계를 지닌다. 발단에서는 인물과 배경을 소개하고 갈등의 원인을 제시하며, 전개에서는 사건이 본격적으로 진행되면서 갈등이 구체화된다. 그리고 위기와 절정을 거치면서 갈등이 점점 최고조로 향하고 갈등 해결의 실마리가 제시된다. 마지막 결말에서는 갈등이 해소되며 사건이 마무리된다.

① 동네 사람들이 형제 슈퍼와 김포 슈퍼를 함께 이용하도록 하여 갈등을 해소하게 한다.
② 김포 슈퍼에서 물건을 사던 동네 사람들을 형제 슈퍼로 유도하여 갈등이 최고조에 이르게 한다.
③ 김 반장의 형제 슈퍼에서도 쌀과 연탄을 팔게 되면서 김포 슈퍼와 갈등하게 되는 원인을 제공한다.
④ 형제 슈퍼와 김포 슈퍼의 주인에 대한 정보를 제공하여 이야기의 인물과 배경을 소개하는 계기가 된다.
⑤ 김 반장과 경호네가 평소 감추고 있던 서로에 대한 불만을 표출하게 하여 갈등을 고조하는 역할을 한다.

어휘
• **해소** 어려운 일이나 문제가 되는 상태를 해결하여 없애 버림.

어휘·어법 관용 표현

5 다음은 이 글을 읽은 독자의 반응입니다. 밑줄 친 관용 표현이 적절히 사용된 것은 무엇입니까? ( )

① 동네 사람들은 김포 슈퍼에서 물건을 사면서 목에 힘을 주고 다녔겠군.
② 김 반장은 김포 쌀 상회가 김포 슈퍼로 바뀌는 것을 보며 코가 높아졌겠군.
③ 경호네는 김포 쌀 상회를 김포 슈퍼로 확장할 때 좋아서 입이 가로 터졌을 거야.
④ 김 반장은 동네 사람들이 김포 슈퍼로 가는 것을 보고 발 뻗고 잘 수 있었겠군.
⑤ 동네 사람들은 형제 슈퍼에서 쌀과 연탄을 파는 모습을 보고 피도 눈물도 없다고 여겼겠군.

어휘·어법 TIP
• **목에 힘을 주다** 거만하게 굴거나 남을 깔보는 듯한 태도를 취하다.
• **코가 높다** 잘난 체하고 뽐내는 기세가 있다.
• **입이 가로 터지다** 기쁘거나 즐거워 입이 크게 벌어지다.
• **발 뻗고 자다** 마음 놓고 편히 자다.
• **피도 눈물도 없다** 조금도 인정이 없다.

1 〈낱말 이해〉 〈낱말 관계〉 〈낱말 적용〉 〈관용 표현〉

다음 그림을 보고, ㉠과 ㉡에 들어갈 알맞은 낱말을 보기 에서 찾아 각각 쓰시오.

보기

| 벌이고 | 버리고 | 부리고 | 돌팔이 | 품팔이 |

여보게, 너무 힘들지 않나? 장사도 좋지만, 우리 저기 주막에 들러 짐을 ㉠(　　　) 잠시만 쉬었다 가세.

나는 계속 장사하러 가려 하네. 그동안 ㉡(　　　)를 하며 남의 집에서 힘들게 일 했던 것을 생각하면 이렇게 장사할 수 있는 것만으로도 감사한 일일세.

어휘력 ➕

• **벌이고** 여러 가지 물건을 늘어놓고

• **버리고** 가지고 있을 필요가 없는 물건을 내던지거나 쏟거나 하고

• **부리고** 사람의 등에 지거나 자동차나 배 등에 실었던 것을 내려놓고

• **돌팔이** 제대로 된 자격이나 실력이 없이 전문적인 일을 하는 사람을 속되게 이르는 말.

• **품팔이** 품삯을 받고 남의 일을 해 주는 일. 또는 그런 사람.

2 〈낱말 이해〉 〈낱말 관계〉 〈낱말 적용〉 〈관용 표현〉

다음 낱말의 뜻으로 알맞은 것을 찾아 각각 선으로 이으시오.

(1) 짐짓　•

(2) 도약　•

(3) 쟁이다　•

•㉮ 물건을 차곡차곡 포개어 쌓아 두다.

•㉯ 마음으로는 그렇지 않으나 일부러 그렇게.

•㉰ 더 높은 단계로 발전하는 것을 비유적으로 이르는 말.

3 〈낱말 이해〉 〈낱말 관계〉 〈낱말 적용〉 〈관용 표현〉

다음 선생님의 질문에 대한 답으로 알맞지 <u>않은</u> 것은 무엇입니까? (　　　)

선생님: 이 글에 나오는 '싸전'이라는 단어는 '쌀'과 가게를 뜻하는 '전'이 결합해서 만들어진 낱말입니다. 그런데 두 말이 결합할 때 앞말의 'ㄹ'이 탈락하는 일이 벌어져서, '쌀전'이 아니라 '싸전'이 됐어요. 그러면 우리 이런 예를 한번 찾아볼까요?

① 솔 + 나무 = 소나무

② 물 + 더위 = 무더위

③ 아들 + 님 = 아드님

④ 바늘 + 질 = 바느질

⑤ 이틀 + 날 = 이튿날

할머니를 따라간 메주

오승희

중등 교과서 수록 작품

• 지문 해설

• 지문 난이도: 중
●●●○○

• 글자 수: 1172자
○○●○○
1000   1500

며칠 후, 엄마가 몸이 좀 안 좋다고 일찍 들어온 날이었다. 내 방에서 숙제를 하고 있는데 못 박는 소리가 났다. 곧이어 엄마의 놀란 목소리가 들려 왔다.

"아니, 어머니. 뭘 하시는 거예요?"

나도 밖으로 나가 보았다. 할머니가 베란다에 의자를 내놓고 그 위에 올라가 있었다. 그러고는 또 하나 못을 박는 것이었다. 창고 문틀 위에 나란히 못이 박혀 있었다.

"메주 매달아 놓을라고 그려."

엄마는 한숨을 폭 쉬었다. / "어머니, 그런 데다 못을 박으시면 어떡해요?"

"매달아 놓을 데가 마땅치 않아 그러재. 원 메주 하나 매달아 놓을 데도 없는 집 구석이 어디 있다냐. 몹쓸 놈의 집구석이여."

할머니는 못을 또 하나 들어서 박았다. 그것을 본 엄마는 입을 앙다물고 눈을 한 번 꼭 감았다 뜨더니 떨리는 목소리로 외쳤다.

"아니, 메주만 중요하고 집 꼴은 아무렇게나 돼도 괜찮단 말씀이세요?"

할머니는 그제야 돌아서서 엄마 얼굴을 똑바로 바라보았다.

"뭐여? 집 꼴? 그럼 내가 집 꼴을 망치고 있단 말여? 못 몇 개 박은 게 집 꼴을 망치는 거란 말여?"

할머니는 ㉮눈을 부릅뜨고 노여워 어쩔 줄 몰라 했다. 나는 무서웠다. 엄마가 이렇게 할머니에게 대드는 것은 처음 보았다. 엄마는 울상을 지으며 말했다.

"그러니까 메주 만들지 마시라 그랬잖아요."

"뭣이여? 메주를 만들지 마라? 니가 지금 메주 만드는 거 돕기나 하면서 그런 말을 하냐? 손가락 하나 까딱 안 하고 만들지 말라는 소리만 하면 다여?"

"요즘 아파트에서 그런 거 만드는 사람이 몇이나 된다고 그러세요?"

"너는 안 먹고 살래? 아무리 아파트기로서니 사람이 ㉠할 일은 하고 살아야재. 그래, 아파트 살면 장을 다 사 먹어야 한단 말이여?"

"아유, 그만두세요. 어머니는 옛날 방식만 고집하시니."

엄마는 돌아서서 안방 쪽으로 갔다. 할머니는 속이 상한지 한참이나 그대로 서 있었다. 나는 조심스럽게 할머니를 불러 보았다.

"……할머니."

할머니는 그제야 내 얼굴을 보더니 혼잣말같이 중얼거렸다.

"시상이 아무리 달라졌다 혀도 달라지지 않는 것도 있는 법이여. 그렇재, 암."

그러고는 박아 놓은 못에 메주를 걸었다. 메주는 창고 문 앞에 주렁주렁 매달렸다. 못에 다 걸 수가 없어서 빨래 건조대에도 매달았다.

내 방으로 가다가 안방 문을 살짝 열어 보았다. 엄마가 쪼그려 앉아 두 팔에 머리를 묻고 있었다. 나는 엄마를 부르지도 못하고 문을 다시 닫았다.

1 핵심 요약　주요 내용 정리하기

다음은 '메주 만들기'를 둘러싼 할머니와 엄마의 갈등을 정리한 것입니다. 빈칸에 들어갈 적절한 말을 쓰시오.

핵심 요약　TIP

이 글에는 '메주 만들기'에 대한 생각의 차이로 인해 빚어진 할머니와 엄마의 갈등이 나타나 있습니다. 메주를 만들고자 하는 할머니와 이에 반대하는 엄마가 주고받는 대화를 통해 두 사람의 갈등 양상을 정리해 봅니다.

할머니		엄마
• 메주를 매달기 위해 창고 문틀에 (　　　　)을 박음. • 아파트에 살아도 사람이 할 일은 하고 살아야 함. • (　　　　)은 직접 담가 먹어야 함.	메주 만들기	• 메주를 매달다가 집 꼴이 엉망이 될까 봐 걱정됨. • 요즘 (　　　　)에서는 옛날 방식으로 메주를 만드는 사람이 거의 없음. • 장은 사 먹어도 됨.

2 내용 이해　세부 내용 파악하기

이 글의 인물들에 대한 설명으로 적절하지 <u>않은</u> 것은 무엇입니까? (　　　　)

① 할머니는 아파트에서도 메주를 만들 수 있다고 생각한다.

② 엄마는 장을 담가 먹는 것은 옛날 생활 방식이라고 생각한다.

③ 할머니는 아파트가 메주 만드는 데 불편한 집이라고 생각한다.

④ 엄마는 메주를 만들면 주위 이웃들에게 피해를 준다고 생각한다.

⑤ '나'는 엄마가 할머니에게 대드는 모습을 처음 보고 무척 놀랐다.

3 내용 이해　구절의 의미 파악하기

㉠의 구체적인 내용으로 가장 적절한 것은 무엇입니까? (　　　　)

① 메주를 만들어 파는 것

② 장을 직접 만들어 먹는 것

③ 창고 문틀 위에 못을 박는 것

④ 어른의 의견을 그대로 따르는 것

⑤ 아파트가 아닌 일반 주택에서 사는 것

어휘

• **구체적인**　실제적이고 세밀한 부분까지 담고 있는.

어휘

• **헤아리고** 짐작하여 가늠하거나 미루어 생각하고.

• **상반된** 서로 반대되거나 어긋나게 된.

감상 이론을 바탕으로 감상하기

④ 다음 보기를 참고하여 이 글을 감상한 내용으로 적절한 것은 무엇입니까? (   )

> **보기**
>
> 「할머니를 따라간 메주」는 '메주'라는 구체적 소재를 중심으로 전통적인 삶의 방식을 중요시하는 인물과 편리한 삶의 방식을 추구하는 인물의 갈등을 다룬 작품이다. 작가는 서로 다른 생각을 가지고 살아가더라도 상대방이 소중히 여기는 것을 **헤아리고** 더불어 살아가려는 자세가 필요함을 강조하고 있다.

① 메주 만드는 일을 옛날 방식이라고 생각하는 엄마는 전통적인 삶의 방식을 부정적으로 여기고 있군.

② 메주를 만드는 일에 대해 서로 **상반된** 태도를 지닌 할머니와 엄마는 상대방의 생각을 존중하고 있군.

③ '나'가 엄마가 있는 안방의 문을 닫은 것으로 보아 '나'는 엄마가 중요하게 여기는 것에 반대하고 있군.

④ 세상이 달라졌다고 해도 달라지지 않는 게 있다는 할머니의 말은 더불어 살아가는 삶의 자세가 중요하다는 뜻이겠군.

⑤ 메주를 매달 데가 없는 아파트를 '몹쓸 놈의 집구석'이라고 표현한 것에서 할머니가 편리한 삶을 추구한다는 것을 알 수 있군.

어휘 · 어법 TIP

• **눈을 틔워 주다** 진리나 현실을 깨닫도록 일깨워 주다.

• **눈에 쌍심지를 켜다** 몹시 화가 나서 눈을 부릅뜨다.

• **눈 밖에 나다** 신임을 잃고 미움을 받게 되다.

• **눈에 불을 켜다** 몹시 욕심을 내거나 관심을 기울이다.

• **눈에 밟히다** 잊히지 않고 자꾸 눈에 떠오르다.

어휘 · 어법 관용 표현

5 다음 문장에서 밑줄 친 표현 중 ㉮와 비슷한 뜻을 가진 것은 무엇입니까? (   )

① 사람들의 눈을 틔워 주는 것은 교육자의 책임이다.

② 그는 눈에 쌍심지를 켜고 상대 선수에게 대들었다.

③ 그는 약속을 잘 지키지 않아 동료들의 눈 밖에 났다.

④ 그는 돈이 생기는 일이라면 눈에 불을 켜고 달려든다.

⑤ 그는 어머니의 모습이 눈에 밟혀 차마 발걸음을 옮길 수 없었다.

낱말 이해 | 낱말 관계 | 낱말 적용 | 관용 표현

1 다음 그림을 보고, ㉠과 ㉡에 들어갈 알맞은 낱말을 보기 에서 찾아 각각 쓰시오.

> 보기
>
> 놓이는   노여운   몹쓸

언니, 무슨 일 있어? 왜 그렇게 ㉠(   ) 얼굴을 하고 있어?

신문 기사를 보니 아이들을 데려가서 나쁜 일을 시킨 어른들이 잡혔대. 정말 ㉡(   ) 사람들이 너무 많은 것 같아.

낱말 이해 | 낱말 관계 | 낱말 적용 | 관용 표현

2 다음 ㉠과 ㉡의 관계와 같은 관계를 가지는 낱말을 알맞게 짝 지은 것은 무엇입니까? (   )

> ㉠장(醬): 간장, 고추장, 된장 등을 통틀어 이르는 말.
> ㉡메주: 콩을 삶아서 찧은 다음, 덩이를 지어서 띄워 말린 것. 간장, 된장,
> 고추장 등을 담그는 원료로 씀.

① 꽃 : 무궁화
② 둘레 : 한복판
③ 종이 : 나무
④ 나이 : 연세
⑤ 음식 : 요리사

낱말 이해 | 낱말 관계 | 낱말 적용 | 관용 표현

3 다음 빈칸에 들어갈 한자성어로 가장 알맞은 것은 무엇입니까? (   )

> 선생님: 이 글에서 '할머니'와 '엄마'는 서로 추구하는 생활 방식이 달라서 갈등
> 하고 있습니다. 두 분에게 '나'가 해 드릴 수 있는 말을 한자성어로 표현한
> 다면 어떤 것이 좋을까요?
> 학생: 서로 입장을 바꿔서 생각하자는 의미의 [   ]가 좋겠습니다.

① 역지사지(易地思之)
② 어부지리(漁夫之利)
③ 막상막하(莫上莫下)
④ 반포지효(反哺之孝)
⑤ 아전인수(我田引水)

어휘력 ➕

- **역지사지** 처지를 바꾸어서 생각하여 봄.
- **어부지리** 두 사람이 서로 싸우는 사이에 엉뚱한 사람이 애쓰지 않고 가로챈 이익을 이르는 말.
- **막상막하** 더 낫고 더 못함의 차이가 거의 없음.
- **반포지효** 자식이 자란 후에 어버이의 은혜를 갚는 효성을 이르는 말.
- **아전인수** 자기에게만 이롭게 되도록 생각하거나 행동함을 이르는 말.

단군 신화

작가
작자 미상

작품 배경
고조선

환인
하늘의 신

환웅
환인의 아들이며 단군의 아버지,
인간 세상에 내려온 신적인 존재

웅녀
단군의 어머니

단군
신화의 중심 인물, 고조선 건국의 주체

수록 부분

기	승	전	결
환인이 환웅에게 천부인 세 개를 주며 내려보내 인간 세상을 다스리게 하였고, 태백산 신단수 아래로 내려온 환웅이 백성들을 다스리게 됨.	환웅은 인간이 되기를 소원하는 곰과 호랑이에게 통과 의례를 주었고, 이를 통과한 곰은 인간이 되어 환웅과 결혼하였으며 단군왕검을 낳음.	단군왕검은 왕으로 즉위한 지 50년인 경인년에 평양성에 도읍하여 고조선을 세우고, 후에 도읍을 백악산 아사달로 옮겨 1,500년 동안 나라를 다스림.	기묘년에 기자를 조선에 봉하고, 단군은 황해도 구월산 밑의 장당경으로 옮겼다가 뒤에 돌아와 아사달에 숨어서 그의 나이 1,908세에 산신이 됨.

홍길동전

작가
허균

작품 배경
조선 시대의 한양, 합천

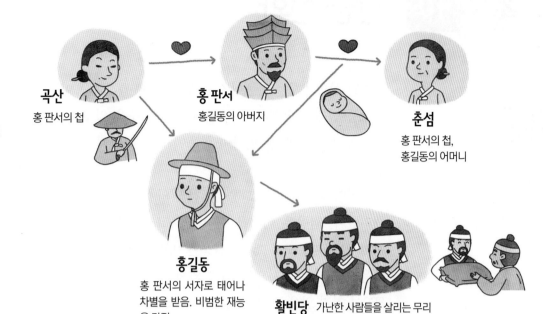

곡산
홍 판서의 첩

홍 판서
홍길동의 아버지

춘섬
홍 판서의 첩,
홍길동의 어머니

홍길동
홍 판서의 서자로 태어나
차별을 받음. 비범한 재능
을 가짐.

활빈당 가난한 사람들을 살리는 무리

수록 부분

발단	전개	위기	절정	결말
길동은 비범한 능력을 가지고 태어났으나 홍 판서의 서자였기 때문에 천대를 받다가 스스로 집을 떠남.	길동의 비범한 능력을 알아본 도적들의 청으로 활빈당의 우두머리가 되고, 빼앗은 재물로 빈민을 구제함.	반면 조정에서는 이런 길동을 잡으려 하였으나 그때마다 길동은 뛰어난 재주로 위기에서 벗어남.	길동은 활빈당 무리를 이끌고 조선을 떠나 율도국으로 건너가게 되고 그곳을 정벌하고 왕이 됨.	길동은 율도국에서 왕으로서 이상적인 정치를 펼치며 백성들과 함께 살게 되고, 후에 신선이 됨.

홍계월전

작가
작자 미상

작품 배경
중국 명나라

자신을 여자라는 이유로
무시한 보국을 꾸짖음.

계월이 여자라는 이유로
업신여김.

계월
명나라의 여장군. 지략과 능력이
뛰어남. 가정으로의 복귀를 거부
하며 영웅으로서의 능력을 지속
적으로 유지함.

보국
계월의 남편. 가부장적 사회 제도
에 길들여져 계월과 갈등을 일으
키지만, 생각을 고치고 계월을 인
정함.

수록 부분

발단	전개	위기	절정	결말
천상의 선녀였던 계월이 형주 홍 시랑과 부인 양씨 사이에서 무남독녀로 태어남.	반란으로 인해 부모와 이별하게 되었으며, 여공에 의해 목숨을 건지고 길러짐.	남장한 계월이 보국과 함께 과거에 장원 급제하고, 계월은 대원수, 보국은 부원수가 됨.	계월은 후에 보국과 결혼하지만 아내의 직위를 인정하지 않는 남편과 갈등함.	적을 물리치는 과정에서 보국은 계월의 절대적 우위를 인정하게 되고, 행복한 삶을 살게 됨.

• 지문 해설

• 지문 난이도: 중
●─●─●─○─○

• 글자 수: 1296자
○─○─●─○─○
1000   1500

옛날 환인에게는 아들이 여럿 있었는데, 특히 환웅이 자주 천하에 뜻을 두고 인간 세상을 탐내어 구했다. 아버지가 아들의 뜻을 알고는 삼위태백산을 내려다보니 인간을 널리 이롭게 할 만하여 환웅에게 천부인 세 개를 주어 즉시 내려보내 인간 세상을 다스리게 했다.

환인의 허락을 받은 환웅은 3천 명의 무리를 이끌고 태백산 꼭대기 신단수 아래로 내려왔다. 환웅은 이곳을 신시라 하고 사람들에게 자신을 환웅천왕이라고 부르게 하며 믿고 따르도록 했다. 환웅은 바람을 다스리는 풍백, 비를 다스리는 우사와 구름을 다스리는 운사도 데리고 와서 곡식, 생명, 질병, 형벌, 선악 등 인간 세상의 360여 가지 일을 맡아 백성들을 다스렸다.

그 당시 곰 한 마리와 호랑이 한 마리가 같은 굴속에 살고 있었는데, 늘 사람 사는 세상을 엿보던 이 두 짐승은 사람이 되는 것이 소원이었다. 곰과 호랑이는 곧 환웅을 찾아가 사람이 되게 해 달라고 항상 간청했다.

환웅은 이 두 짐승을 갸륵히 여겨 신령스러운 ㉠쑥 한 다발과 마늘 스무 개를 주면서 말했다.

"너희들이 사람이 되려면 100일 동안 햇볕이 들지 않는 곳에서 이 쑥과 마늘만 먹고 살아야 하느니라. 그동안 참고 견디면 틀림없이 사람이 될 것이니라."

곰과 호랑이는 매우 기뻐하며 쑥과 마늘을 받아 들고 햇볕이 들지 않는 동굴로 들어갔다. 쑥과 마늘은 몹시 쓰고 매웠지만 곰과 호랑이는 꾹 참고 견디었다. 그렇게 며칠이 지났을 즈음, 호랑이는 결국 참지 못하고 동굴 밖으로 뛰쳐나가고 말았다. 동굴 안에 혼자 남게 된 곰은 용기를 내어 끝까지 참아 냈다. 곰이 동굴에 들어온 지 삼칠일이 되는 날, 곰은 비로소 여자의 몸이 되었다.

사람이 된 곰은 환웅에게 달려갔고 환웅은 곰에게 웅녀(熊女)라는 이름을 지어 주었다. 사람이 사는 마을로 내려가 다른 사람들처럼 살던 웅녀는 아이를 낳고 싶다는 소원이 생겼다. 웅녀는 매일 신단수 아래에서 아이를 갖게 해 달라고 빌었다. 환웅은 간절히 기도하는 웅녀를 보고 갸륵한 정성에 감동하여 잠시 사람으로 변해 웅녀와 혼인하였다. 얼마 지나지 않아 웅녀는 아들을 낳았으니 이 아들이 바로 '단군왕검'이다.

훌륭하게 자란 단군은 새 나라를 열었다. 그러고는 평양성에 도읍을 정하고 나라 이름을 조선이라고 불렀다. 얼마 뒤, 단군은 다시 도읍을 아사달로 옮기고, 그곳에서 1,500년 동안 나라를 다스렸다.

그 후 단군은 1,908세까지 살다가 신선이 되었다고 한다.

• **천부인**(天 하늘 천, 符 부신 부, 印 도장 인) 신의 위력과 영험한 힘의 표상이 되는 물건. 방울, 칼, 거울로 추정하기도 함.

• **신단수**(神 귀신 신, 壇 단 단, 樹 나무 수) 단군 신화에서, 환웅이 처음 하늘에서 그 밑으로 내려왔다는 신성한 나무.

• **신시**(神 귀신 신, 市 시장 시) 환웅이 태백산 신단수 밑에 세웠다는 도시.

• **간청**(懇 정성 간, 請 청할 청) 간절히 청함. 또는 그런 청.

• **삼칠일**(三 석 삼, 七 일곱 칠, 日 날 일) 아이가 태어난 후 스무하루 동안. 또는 스무하루가 되는 날.

• **갸륵한** 착하고 장한.

• **도읍**(都 도읍 도, 邑 고을 읍) 한 나라의 중앙 정부가 있는 곳.

정답 및 풀이 11쪽

핵심 요약 내용 흐름 정리하기

1 다음은 이 글에서 일어난 일을 순서대로 정리한 것입니다. 빈칸에 들어갈 적절한 말을 쓰시오.

핵심 요약 TIP
이 이야기에는 인간 세상에 내려온 환웅과 곰에서 인간이 된 웅녀 사이에서 단군이 탄생하게 된 일, 그리고 단군이 고조선을 건국한 일이 나타나 있습니다. 일어난 각 사건들을 한 문장으로 요약하여 순서대로 쓴다면 어떻게 정리할 수 있을지 생각해 봅니다.

> (   )이 환웅을 내려보내 인간 세상을 다스리도록 함.

⬇

> 환웅이 태백산 (   ) 아래로 내려와 백성들을 다스림.

⬇

> 환웅이 인간이 되기를 소원하는 곰, 호랑이에게 (   )과 (   )을 줌.

⬇

> 환웅이 시킨 일을 따르지 못한 호랑이는 사람이 되지 못하고, 끝까지 참아 낸 (   )은 사람이 됨.

⬇

> 환웅과 웅녀 사이에서 탄생한 (   )이 고조선을 건국함.

내용 이해 세부 내용 파악하기

2 다음 중 이 글에서 확인할 수 있는 당시의 상황으로 적절한 것은 무엇입니까?

(   )

① 대부분의 사람들이 쑥과 마늘을 주로 먹고 살았다.
② 사람들이 하늘의 존재와 동등한 관계를 맺고 있었다.
③ 짐승들과 사람이 한곳에서 어우러져 집단 생활을 했다.
④ 농사를 위해 바람과 비와 구름이 필요한 **농경** 사회였다.
⑤ 사람들은 자연 현상을 자신들이 **통제할** 수 있다고 믿었다.

어휘

· **농경** 논밭을 갈아 농사를 지음.
· **통제할** 일정한 방침이나 목적에 따라 행위를 제한하거나 제약할.

내용 이해 소재의 기능 파악하기

3 ㉠에 대한 설명으로 적절하지 <u>않은</u> 것은 무엇입니까? (   )

① 호랑이와 곰의 갈등을 유발하는 도구이다.
② 호랑이와 곰이 환웅에게 간청하여 얻은 결과이다.
③ 호랑이와 곰의 인내심을 확인할 수 있는 수단이다.
④ 호랑이와 곰을 시험하려는 환웅의 의도가 담긴 사물이다.
⑤ 호랑이와 곰이 사람이 되기 위해 거쳐야 할 고난을 상징한다.

4 감상 | 이론을 바탕으로 감상하기

다음 보기 를 참고하여 이 글을 감상한 내용으로 적절하지 <u>않은</u> 것은 무엇입니까?

(   )

어휘

- **건국 신화** 나라의 기원, 시조(始祖), 건국 등을 신성화한 이야기.
- **정당성** 사리에 맞아 옳고 정의로운 성질.
- **정통성** 통치를 받는 사람에게 권력 지배를 받아들이게 만드는 논리적·심리적인 근거.
- **신이하게** 신기하고 이상하게.

> **보기**
>
> 일반적으로 '건국 신화'는 국가 건설의 **정당성**과 왕권의 **정통성**을 부각하기 위해 건국의 주체가 초월적 능력을 지닌 신성한 혈통임을 강조한다. 그래서 대개 이들의 출생 과정도 **신이하게** 제시된다. 또한 건국의 주체에게 권위를 부여하는 신성한 장소도 등장한다.

① 환웅이 내려온 태백산 신단수 아래는 하늘과 땅을 이어 주는 신성한 공간으로 볼 수 있군.

② 환웅과 곰에서 인간으로 변한 웅녀 사이에서 단군이 출생했다는 점에서 신이한 출생 과정이 드러나는군.

③ '환인-환웅-단군'으로 이어지는 3대 구조를 통해 고조선을 건국한 단군이 신성한 혈통임을 강조하고 있군.

④ 환웅이 곰을 사람으로 변하게 해 준다는 점에서 곰에게 건국의 주체로서의 권위를 부여하고 있음을 알 수 있군.

⑤ 단군의 아버지인 환웅이 바람, 비, 구름을 거느리고 인간 세상을 다스리는 것에서 환웅의 초월적 능력을 확인할 수 있군.

5 어휘·어법 | 한자성어

다음은 이 글을 읽은 독자의 반응입니다. 빈칸에 들어갈 말로 적절한 것은 무엇입니까? (   )

어휘 · 어법 TIP

- **만고불변** 아주 오랜 세월 동안 변하지 아니함.
- **물아일체** 자연과 자아가 하나가 됨.
- **호접지몽** 나비에 관한 꿈이라는 뜻으로, 인생의 덧없음을 이르는 말.
- **홍익인간** 널리 인간을 이롭게 함.
- **효제충신** 어버이에 대한 효도, 형제끼리의 우애, 임금에 대한 충성과 벗 사이의 믿음을 통틀어 이르는 말.

> 환인은 환웅을 인간 세상에 내려보내 [   ]의 이념을 실현하도록 하였군.

① 만고불변(萬古不變)

② 물아일체(物我一體)

③ 호접지몽(胡蝶之夢)

④ 홍익인간(弘益人間)

⑤ 효제충신(孝弟忠信)

정답 및 풀이 11쪽

수 설 10

1 낱말 이해 낱말 관계 낱말 적용 관용 표현

다음 그림을 보고, ㉠과 ㉡에 들어갈 알맞은 낱말을 보기 에서 찾아 각각 쓰시오.

보기

| 간청 | 조언 | 갸륵하여 | 가소로워 |

아버지, 물가 인상을 감안하여, 이번 달부터 용돈을 10% 인상해 주실 것을 ㉠(　　　　) 드립니다.

오냐, 아침마다 내 구두를 닦는 너의 정성이 ㉡(　　　　), 아버지가 특별히 15%를 인상해 주마.

2 낱말 이해 낱말 관계 낱말 적용 관용 표현

다음 낱말의 뜻으로 알맞은 것을 찾아 각각 선으로 이으시오.

(1) 도읍　·

·㉮ 한 나라의 중앙 정부가 있는 곳.

(2) 신시　·

·㉯ 환웅이 태백산 신단수 밑에 세웠다는 도시.

(3) 신단수　·

·㉰ 단군 신화에서 환웅이 처음 하늘에서 그 밑으로 내려왔다는 신성한 나무.

3 낱말 이해 낱말 관계 낱말 적용 관용 표현

다음은 「단군 신화」에서 환웅이 곰과 호랑이에게 한 말입니다. 곰과 호랑이가 겪을 과정을 뜻하는 말로 알맞은 것은 무엇입니까? (　　　　)

환웅: 너희들이 사람이 되려면 100일 동안 햇볕이 들지 않는 곳에서 이 쑥과 마늘만 먹고 살아야 하느니라. 그동안 참고 견디면 틀림없이 사람이 될 것이니라.

① 다다익선(多多益善)
② 노심초사(勞心焦思)
③ 불철주야(不撤晝夜)
④ 한단지몽(邯鄲之夢)
⑤ 통과 제의(通過祭儀)

어휘력＋

• **다다익선** 많으면 많을수록 좋음.

• **노심초사** 몹시 마음을 쓰며 애를 태움.

• **불철주야** 어떤 일에 몰두하여 조금도 쉴 사이 없이 밤낮을 가리지 아니함.

• **한단지몽** 인생과 영화의 덧없음을 이르는 말.

• **통과 제의** 변화와 발전을 위해 꼭 겪어야 하는 과정.

허균

중심 인물 – 잘못된 현실에 저항하는 비범한 인물

길동이 점차 자라 여덟 살이 되자, 총명하기가 보통이 넘어 ㉮하나를 들으면 백 가지를 알 정도였다. 그래서 공은 더욱 귀여워하면서도 출생이 천해, 길동이 늘 아버지니 형이니 하고 부르면 즉시 꾸짖어 그렇게 부르지 못하게 하였다. 길동이 열 살이 넘도록 감히 아버지와 형을 부르지 못하고 종들로부터 천대 받는 것을 괴로워하면서 마음 둘 바를 몰랐다.

홍 판서 – 길동의 아버지

어느 가을철 9월 보름께가 되자, 달빛은 처량하게 비치고 맑은 바람은 쓸쓸히 불어와 사람의 마음을 우울하게 하였다. 그때 길동은 서당에서 글을 읽다가 문득 책상을 밀치고 말하기를

"대장부가 세상에 나서 공자 맹자를 본받지 못할 바에야, 차라리 병법이라도 익혀 여러 나라를 정복하여 나라에 큰 공을 세우고 이름을 만대에 빛내는 것이 장부의 통쾌한 일이 아니겠는가. 나는 어찌하여 아버지와 형이 있는데도 아버지를 아버지라 부르지 못하고 형을 형이라 부르지 못하니 심장이 터질지라, 참으로 안타깝고 한스럽구나." 하고, 말을 마치며 뜰에 내려와 검술을 익히고 있었다.

그때 마침 공이 또한 달빛을 구경하다가, 길동이 서성거리는 것을 보고 즉시 불러 물었다.

"너는 무슨 흥이 있어서 밤이 깊도록 잠을 자지 않느냐?"

길동은 공경하는 자세로 대답했다.

"소인은 마침 달빛을 즐기는 중입니다. 그런데 만물이 생겨날 때부터 오직 사람이 귀한 존재인 줄 아옵니다만, 소인에게는 귀함이 없사오니, 어찌 사람이라 하겠습니까?"

공은 그 말의 뜻을 짐작은 했지만, 일부러 나무라는 체하며,

"네 무슨 말이냐?" 했다. 길동이 절하고 말씀드리기를,

"소인이 평생 서러워하는 바는, 소인이 대감 정기를 받아 당당한 남자로 태어났고, 또 낳아 길러 주신 부모님의 은혜를 입었음에도 불구하고, 아버지를 아버지라 못 하옵고 형을 형이라 못 하오니, 어찌 사람이라 하겠습니까?"

하고, 눈물을 흘리며 옷을 적셨다. 공이 듣고 나자 비록 불쌍하다는 생각은 들었으나, 그 마음을 위로하면 마음이 방자해질까 염려되어, 크게 꾸짖어 말했다.

㉠"재상 집안에 천한 종의 몸에서 태어난 자식이 너뿐이 아닌데, 네가 어찌 이다지 방자하냐? 앞으로 다시 이런 말을 하면 내 눈앞에 서지도 못하게 하겠다." (중략)

하루는 길동이 어미에게 가 울면서 아뢰었다.

춘섬 – 종의 신분에서 '공'의 첩이 된 길동의 어머니

"소자가 모친과 더불어 전생에서 맺은 인연이 중하여 이번 생에 어머니와 자식으로 만났으니, 그 은혜가 지극하옵니다. 그러나 소자의 팔자가 기박하여 천한 몸이 되었으니 품은 한이 깊사옵니다."

• 지문 해설

• 지문 난이도: 중
●━━●━━○━━○

• 글자 수: 1205자
○━━●━━○━━━○
1000   1500

• **총명**(聰 밝을 총, 明 밝을 명)**하기가** 썩 영리하고 재주가 있기가.

• **천대**(賤 천할 천, 待 기다릴 대) 업신여기어 천하게 대우하거나 푸대접함.

• **대장부**(大 큰 대, 丈 어른 장, 夫 남편 부) 건장하고 씩씩한 사내.

• **병법**(兵 군사 병, 法 법도 법) 군사를 지휘하여 전쟁하는 방법.

• **소인**(小 작을 소, 人 사람 인) 신분이 낮은 사람이 자기보다 신분이 높은 사람을 상대하여 자기를 낮추어 이르던 말.

• **방자**(放 놓을 방, 恣 방자할 자)**해질까** 어려워하거나 조심스러워하는 태도가 없이 무례하고 건방져질까.

• **소자**(小 작을 소, 子 아들 자) 아들이 부모를 상대하여 자기를 낮추어 이르는 말.

• **기박**(奇 기이할 기, 薄 얇을 박)**하여** 팔자, 운수 등이 사납고 복이 없어.

핵심 요약 **TIP**

이 이야기에 나타난 '길동'과 '공'의 대화에는 '길동'이 바라는 바가 무엇인지, 그에 반해 '길동'이 처한 현실은 어떠한지 등이 잘 나타나 있습니다. '길동'과 '공'의 대화를 잘 읽고 이러한 점들을 정리해 봅니다.

핵심 요약 주요 내용 정리하기

1 다음은 이 글에서 확인할 수 있는 '길동'의 바람과 현실을 정리한 것입니다. 빈칸에 들어갈 적절한 말을 쓰시오.

'길동'의 바람		'길동'의 현실
• 아버지를 (　　　　)라 부르고, 형을 (　　　　)이라 부르고 싶음. • 벼슬하여 나라에 큰 (　　　　)을 세우고 이름을 빛내고 싶음.	⟷	• 아버지를 (　　　　)라 부를 수 없고, 형을 (　　　　)이라 부를 수 없음. • 천하게 태어나 벼슬할 기회조차 없음.

내용 이해 시대적 배경 파악하기

2 다음 중 이 글을 통해 알 수 있는 당시 현실로 적절하지 <u>않은</u> 것은 무엇입니까?
(　　　)

① 아버지가 양반인 모든 사람은 귀하게 여겨졌다.
② 첩의 자식은 가정과 사회에서 차별 대우를 받았다.
③ 나라에 대한 충성과 부모에 대한 효도를 중요시했다.
④ 양반이 본부인 외에 첩을 두는 관습이 흔히 존재했다.
⑤ 양반과 종의 신분이 엄격히 구별되는 신분제 사회였다.

어휘
• **첩** 정식 아내 외에 데리고 사는 여자.
• **본부인** 본디 부인을 첩에 상대하여 이르는 말.
• **관습** 어떤 사회에서 오랫동안 지켜 내려와 그 사회 구성원들이 널리 인정하는 질서나 풍습.

내용 이해 인물의 심리 파악하기

3 ㉠과 같이 말한 이유로 가장 적절한 것은 무엇입니까? (　　　)

① 길동의 인내심을 시험하고 싶었기 때문에
② 길동이 어머니에게도 같은 말을 하였기 때문에
③ 길동이 자신의 능력을 과신하는 것을 우려했기 때문에
④ 길동이 재상 집안의 자식으로는 능력이 부족하기 때문에
⑤ 길동을 아끼면서도 사회적 관습을 무시할 수 없었기 때문에

어휘
• **과신하는** 지나치게 믿는.
• **우려했기** 근심하거나 걱정했기.

4 **감상** 이론을 바탕으로 감상하기

다음 보기를 참고하여 이 글을 감상한 내용으로 적절하지 **않은** 것은 무엇입니까?

( )

> **보기**
>
> 문학은 인간의 삶을 반영하기에 작품 속에는 항상 갈등이 존재한다. 「홍길동전」은 인물 간의 갈등, 인물과 사회 제도와의 갈등이 작품 전개의 중심축을 이루며, 이러한 갈등 상황에서의 인물의 행동과 **가치관**이 잘 드러나 있다.

① 아버지를 아버지라 부르고 싶어 하는 길동과 이를 못 하게 하는 공의 관계에서 인물 간의 갈등을 확인할 수 있다.

② 길동이 아버지를 아버지라 부르지 못하는 신세를 한탄하는 것에서 길동은 사회 제도와 갈등하고 있음을 알 수 있다.

③ 길동이 아버지를 아버지라 부르지 못하는 현실에 대해 괴로워하는 모습에서 당시 현실을 부정적으로 인식하는 길동의 가치관을 확인할 수 있다.

④ 길동이 아버지를 아버지라 부르지 못하고 검술을 익히는 데 열중하는 모습에서 이미 현실에는 관심을 두지 않는 길동의 가치관을 확인할 수 있다.

⑤ 아버지를 아버지라 부르지 못하는 길동을 불쌍히 여기면서도 이를 허락하지 않는 공의 모습에서 당시의 사회적 관습을 인정하는 공의 가치관을 확인할 수 있다.

5 **어휘·어법** 한자성어

㉮의 상황에 어울리는 한자성어로 적절한 것은 무엇입니까? ( )

① 문일지십(聞一知十)

② 수주대토(守株待兔)

③ 와신상담(臥薪嘗膽)

④ 유아독존(唯我獨尊)

⑤ 호연지기(浩然之氣)

어휘력 완성

정답 및 풀이 12쪽

수능 (二)

어휘력 ⊕
• **소신(小臣)** 신하가 임금을 상대하여 자기를 낮추어 이르던 말.
• **소인(小人)** 신분이 낮은 사람이 자기보다 신분이 높은 사람을 상대하여 자기를 낮추어 이르던 말.
• **소첩(小妾)** 옛날에 부인이 남편을 상대하여 자기를 낮추어 이르던 말.
• **소자(小子)** 아들이 부모를 상대하여 자기를 낮추어 이르는 말.

낱말 이해 | 낱말 관계 | 낱말 적용 | 관용 표현

1 다음 그림을 보고, ㉠과 ㉡에 들어갈 알맞은 낱말을 보기 에서 찾아 각각 쓰시오.

보기

| 소신 | 소인 | 소첩 | 소자 |

아버지와 나는 신분이 다르니까, 아버지 앞에서는 나를 ㉠(   )(이)라고 말할 수밖에 없구나. 슬프도다.

그렇지만, 신분이 같은 어머니 앞에서는 당당하게 나를 ㉡(   )(이)라고 말해야지.

낱말 이해 | 낱말 관계 | 낱말 적용 | 관용 표현

2 다음 낱말의 뜻으로 알맞은 것을 찾아 각각 선으로 이으시오.

(1) 천대 •

(2) 방자하다 •

(3) 총명하다 •

• ㉮ 썩 영리하고 재주가 있다.

• ㉯ 업신여기어 천하게 대우하거나 푸대접함.

• ㉰ 조심스러워하는 태도가 없이 무례하고 건방지다.

낱말 이해 | 낱말 관계 | 낱말 적용 | 관용 표현

3 다음 길동의 상황에 어울리는 관용어로 가장 알맞은 것은 무엇입니까? (   )

길동: 소자가 모친과 더불어 전생에서 맺은 인연이 중하여 이번 생에 어머니와 자식으로 만났으니, 그 은혜가 지극하옵니다. 그러나 소자의 팔자가 기박하여 천한 몸이 되었으니 품은 한이 깊사옵니다.

① 입을 씻다

② 머리를 싸매다

③ 폐부에 새기다

④ 다릿골이 빠지다

⑤ 가슴에 멍이 들다

보국이 전령을 보고 분함을 이기지 못해 부모에게 말했다.
=계월의 남편
㉠"계월이 또 소자를 중군장으로 부리려 하오니 이런 일이 어디에 있사옵니까?"

여공이 말했다. / "전날 내가 너에게 무엇이라 일렀더냐? 계월이를 괄시하다가 이런 일을 당했으니 어찌 계월이가 그르다고 하겠느냐? ㉡나랏일이 더할 수 없이 중요하니 어찌할 수 없구나."

이렇게 말하고 어서 가기를 재촉했다. 보국이 할 수 없이 갑옷과 투구를 갖추고 진중에 나아가 원수 앞에 엎드리니 원수가 분부했다.
=계월
㉢"만일 명령을 거역하는 자가 있다면 군법으로 시행할 것이다."

(중략)

이러한 호령이 추상같으므로 장수와 군졸들이 겁을 내어 어찌할 줄을 모르고 보국은 또 매우 조심했다.

이튿날 원수가 중군장에게 분부했다. / ㉣"며칠은 중군장이 나가 싸우라."

중군장이 명령을 듣고 말에 올라 삼 척 장검을 들고 적진을 가리켜 소리 질렀다.

"나는 명나라 중군 대장 보국이다. 대원수의 명령을 받아 너희 머리를 베려 하니 너희는 어서 나와 칼을 받으라."

적장 운평이 이 소리를 듣고 크게 성을 내어 말을 몰아 나와서 싸웠다. 삼 합이 못 하여 보국의 칼이 빛나며 운평의 머리가 말 아래에 떨어졌다. 적장 운경이 운평이 죽는 것을 보고 매우 화를 내어 말을 몰아 달려들었다. 보국이 기세등등하여 창을 높이 들고 서로 싸웠다. 몇 합이 못 되어 보국이 칼을 날려 운경이 칼 든 팔을 치니 운경이 미처 손을 놀리지 못하고 칼을 든 채 말 아래에 떨어졌다.

보국이 운경의 머리를 베어 들고 본진으로 돌아가려는 즈음에, 적장 구덕지가 대로해 긴 칼을 높이 들고 말을 몰아 크게 고함을 치고 달려들었다. 난데없는 적병이 또 사방에서 달려드니 ㉤보국이 겁이 나고 두려워 피하려고 했으나 순식간에 적들이 함성을 지르고 보국을 천여 겹으로 에워쌌다. 형세가 위급하므로 보국이 하늘을 우러러 탄식했다.

이때 원수가 장대에서 북을 치다가 보국의 위급함을 보고 급히 말을 몰아 긴 칼을 높이 들고 좌충우돌해 적진을 헤치고 구덕지의 머리를 베어 들고 보국을 구했다. 몸을 날려 적진에서 충돌하니 동에 번쩍 서쪽의 장수를 베고, 남으로 가는 듯하다가 북쪽의 장수를 베었다. 이처럼 좌충우돌하여 적장 오십여 명과 군사 천여 명을 한칼로 소멸하고 본진으로 돌아왔다.

보국이 원수 보기를 부끄러워하니 원수가 보국을 꾸짖어 말했다.

㉥"저러고서도 평소에 남자라고 칭하리오? 나를 업신여기더니 이제도 그렇게 할까?" / 이렇게 말하며 보국을 무수히 조롱했다.

핵심 요약 TIP
이 글에는 보국이 계월의 명을 받아 적진으로 뛰어들어 싸우고 돌아오는 전투 과정이 드러나 있습니다. 보국이 전투에서 어떻게 싸웠는지, 어떤 위기에 처했는지, 누가 보국을 위기에서 구해 주었는지 등을 정리해 봅니다.

핵심 요약 내용 흐름 정리하기

1 다음은 이 글의 전투 장면을 순서대로 정리한 것입니다. 빈칸에 들어갈 적절한 말을 쓰시오.

(   )이 계월의 명령에 따라 적진으로 뛰어듦.

↓

보국이 적장 (   )과 운경을 차례로 해치움.

↓

보국이 본진으로 돌아가려 할 때 사방에서 몰려든 (   )에 둘러싸임.

↓

(   )이/가 급히 말을 몰아 적들을 모두 해치우고 보국을 데리고 옴.

표현 서술상 특징 파악하기

2 다음 중 이 글의 서술상 특징으로 가장 적절한 것은 무엇입니까? (   )

① 주인공이 자신이 과거에 겪었던 이야기를 직접 서술한다.
② 계절의 변화를 서술하여 이야기가 흘러갈 방향을 암시한다.
③ 비속어와 사투리를 사용하여 인물의 심리를 생생하게 나타낸다.
④ 전투 장면을 구체적으로 묘사하여 이야기의 박진감을 드러낸다.
⑤ 이야기가 펼쳐지는 공간을 묘사하여 비현실적 분위기를 드러낸다.

어휘
• **암시한다** 넌지시 알린다.
• **박진감** 생동감 있고 활기차고 적극적이어서 현실적으로 느껴지는 느낌.

내용 이해 인물의 심리 파악하기

3 ㉠~㉤에 대한 이해로 적절하지 <u>않은</u> 것은 무엇입니까? (   )

① ㉠: 아내인 계월의 지시를 받는 것에 대해 불만을 드러내고 있다.
② ㉡: 가정에서의 관계보다 나라의 일을 더 중요하게 여기고 있다.
③ ㉢: 남편 앞에서도 공과 사를 엄격히 구분하는 태도를 보이고 있다.
④ ㉣: 상대하기 어려운 적과 싸우게 하여 보국을 골탕 먹이고 있다.
⑤ ㉤: 여자라는 이유로 계월을 무시했던 보국의 태도를 비판하고 있다.

어휘
- **남존여비** 사회적 지위나 권리에 있어 남자를 여자보다 우대하고 존중하는 일.
- **가부장적** 봉건 사회에서 남성이 집안의 가족에 대하여 절대적인 권력을 지니는 모습과 같은 것.
- **면모** 사람이나 사물의 겉모습. 또는 그 됨됨이.

감상 · 이론을 바탕으로 감상하기

4 다음 **보기**를 참고하여 이 글을 감상한 내용으로 적절하지 <u>않은</u> 것은 무엇입니까?
( )

보기

「홍계월전」은 여성 주인공의 영웅적 활약을 중심으로 한 여성 영웅 소설이다. 조선 후기에는 나라에 대한 충성을 중요하게 여겼고 **남존여비**(男尊女卑)와 같은 유교적 이념도 존재했다. 그러나 이 소설은 남성보다 뛰어난 여성 주인공을 내세워 기존의 **가부장적** 질서를 비판했다는 점에서 조선 후기 여성의 의식이 성장하고 있었음을 보여 주고 있다.

① 위험에 처한 보국을 단번에 구출해 내는 계월의 행동에서 영웅으로서의 **면모**를 확인할 수 있군.

② 여성인 계월이 대원수라는 점을 조롱하는 적장 구덕지의 행동에서 가부장적 사고를 확인할 수 있군.

③ 자신을 여자라는 이유로 업신여기던 보국을 꾸짖는 계월의 말에서 남존여비 사상에 대한 비판적 인식을 확인할 수 있군.

④ 보국을 꾸짖으며 전령에 따를 것을 재촉하는 여공의 말에서 나라에 대한 충성을 중요하게 여기는 가치관을 확인할 수 있군.

⑤ 계월이 보낸 전령을 보며 분하게 여기는 보국의 말에서 남성이 여성보다 우월해야 한다는 사고방식을 가졌다는 것을 확인할 수 있군.

어휘 · 어법 · 한자성어

5 ㉮의 상황에 어울리는 한자성어로 적절한 것은 무엇입니까? ( )

① 금의환향(錦衣還鄉)
② 사면초가(四面楚歌)
③ 순망치한(脣亡齒寒)
④ 전화위복(轉禍爲福)
⑤ 절치부심(切齒腐心)

어휘 · 어법 TIP
- **금의환향** 비단옷을 입고 고향에 돌아온다는 뜻으로, 출세를 하여 고향에 돌아가거나 돌아옴을 비유적으로 이르는 말.
- **사면초가** 아무에게도 도움을 받지 못하는, 외롭고 곤란한 지경에 빠진 형편을 이르는 말.
- **순망치한** 입술이 없으면 이가 시리다는 뜻으로, 서로 이해관계가 밀접한 사이에 어느 한쪽이 망하면 다른 한쪽도 그 영향을 받아 온전하기 어려움을 이르는 말.
- **전화위복** 재앙과 근심, 걱정이 바뀌어 오히려 복이 됨.
- **절치부심** 몹시 분하여 이를 갈며 속을 썩인다는 말.

1 낱말 이해 낱말 관계 낱말 적용 관용 표현

다음 그림을 보고, ㉠과 ㉡에 들어갈 알맞은 낱말을 보기 에서 찾아 각각 쓰시오.

보기

| 죄수 | 원수 | 푼수 | 합 | 홉 |

명나라의 ㉠(   )
은/는 직접 나와 이 구덕지의
칼을 받으라.

가소로운 것. 나는 남자
라고 봐 주지 않는다. 반
㉡(   )(이)면 네
놈의 목이 떨어질 것이야.

2 낱말 이해 낱말 관계 낱말 적용 관용 표현

다음 낱말의 뜻으로 알맞은 것을 찾아 각각 선으로 이으시오.

(1) 형세 •

(2) 추상같다 •

(3) 괄시하다 •

• ㉮ 일이 되어 가는 형편.

• ㉯ 업신여겨 하찮게 대하다.

• ㉰ 호령 등이 위엄이 있고 서슬이 푸르다.

3 낱말 이해 낱말 관계 낱말 적용 관용 표현

다음 상황에서 적진 군사의 상황을 빗대어 나타낸 표현으로 가장 알맞은 것은 무엇
입니까? (   )

몸을 날려 적진에서 충돌하니 동에 번쩍 서쪽의 장수를 베고, 남으로 가는 듯
하다가 북쪽의 장수를 베었다. 이처럼 좌충우돌하여 적장 오십여 명과 군사 천
여 명을 한칼로 소멸하고 본진으로 돌아왔다.

① 청산유수(靑山流水)일세.

② 녹음방초(綠陰芳草)로군.

③ 천고마비(天高馬肥)군요.

④ 추풍낙엽(秋風落葉) 같군.

⑤ 만산홍엽(滿山紅葉)이구나.

어휘

• 청산유수 푸른 산에 흐르는 맑은 물이라는 뜻으로, 막힘없이 썩 잘하는 말을 비유적으로 이르는 말.

• 녹음방초 푸르게 우거진 나무와 향기로운 풀이라는 뜻으로, 여름철의 자연 경관을 이르는 말.

• 천고마비 하늘은 높고 말이 살찐다는 뜻으로, 가을철을 이르는 말.

• 추풍낙엽 가을바람에 떨어지는 잎이라는 뜻으로, 어떤 형세나 세력이 갑자기 기울어지거나 흩어지는 모양을 이르는 말.

• 만산홍엽 단풍이 들어 온 산의 나뭇잎이 붉게 물들어 있는 모습을 이르는 말.

소설

소설은 갈등의 문학

소설에서 이야기가 진행되기 위해 가장 필요한 것은 갈등이에요. 갈등이 생겨서 사건이 전개되어야 소설의 재미를 느낄 수 있어요. 아무 갈등도 없는 평화로운 이야기는 아무래도 재미가 없겠죠?

우리 주인공이 겪게 되는 갈등에는 여러 형태가 있어요. 먼저 자기 자신과 싸우게 되는 내적 갈등이 있어요. 예를 들어 우리 친구들처럼 마음속에 열심히 공부하고 싶은 '나'도 있고, 게임만 실컷 하고 싶은 '나'도 있는 것처럼 말이에요.

다음으로는 외적 갈등이 있어요. 외적 갈등은 주인공이 자신을 둘러싼 외부 세계와 다투는 갈등이에요. 주인공이 때로는 나쁜 악당과 싸우기도 하는데 이런 경우는 개인 대 개인의 갈등이라고 해요. 반면 주인공이 사회의 어떤 문제와 맞서 싸우기도 하는데 이런 경우는 개인 대 사회의 갈등이라고 하지요. 또 어떨 때는 주인공이 자신의 발목을 붙잡는 안타까운 운명과 싸우기도 하는데, 이런 경우는 개인 대 운명의 갈등이 되는 거예요.

소설 속 서술자의 위치

　소설에서 독자들에게 사건을 전달하는 사람을 서술자라고 해요. 그리고 서술자의 위치에 따라 소설에서 이야기를 전달하는 방식이 크게 달라져요.

　서술자가 있을 곳은 딱 두 곳이에요. 하나는 '소설 안'이고 하나는 '소설 밖'이죠. 서술자가 소설 안에 있을 때는 '나'라는 이름으로 작품 속에 등장하는 등장인물이 되어요. 이런 경우를 '1인칭 시점'이라고 해요. 조금 어렵게 느껴지나요? 이때의 '나'는 그 소설의 주인공일 수도 있고, 주인공 주변에서 주인공을 관찰하는 인물일 수도 있어요. 이처럼 '나'가 소설 안에 등장하는 1인칭 시점의 특징은 독자들에게 친근감을 준다는 것이에요. '나'라는 인물이 마치 우리 독자들에게 은밀한 비밀을 이야기하는 느낌이 들거든요.

　반대로 서술자가 소설 밖에 있을 때는 자신의 모습을 드러내지 않아요. 그저 작가의 입장에서 소설 속에 등장하는 여러 인물의 행동과 대화, 때로는 심리 상태와 같은 것을 독자들에게 일일이 설명해 주지요.

고래를 위하여

정호승

이 시는 상징적 표현을 통해, 꿈과 목표가 없는 청년은 청년으로서의 의미와 가치가 없음을 노래하고 있는 작품입니다.

행복

허영자

이 시는 누구나 바라는 '행복'이 사실은 우리 주변의 사소한 곳에 숨겨져 있다고 노래하고 있는 작품입니다.

걸어다니는 바다

이상현

이 시는 생선 가게의 꽃게를 보며 바다의 푸른 파도와 갈매기 소리를 연상하고 있는 작품입니다.

민지의 꽃

정희성

이 시는 순수한 어린아이가 자연과 소통하는 모습을 통해, 주위 사물을 대하는 우리들의 태도를 돌아보게 만드는 작품입니다.

돌담에 속삭이는 햇발

김영랑

이 시는 아름다운 봄날의 정경 속에서 하늘을 우러르고 싶다는 소박한 소망을 노래하고 있는 작품입니다.

배추의 마음

나희덕

이 시는 '사람'과 '배추'의 교감을 통해 자연과 생명을 사랑하고 소중하게 여기는 마음을 노래하고 있는 작품입니다.

구부러진 길

이준관

이 시는 '구부러진 길'에 새로운 의미를 부여하면서, 그와 같은 삶이 더 의미 있음을 노래하고 있는 작품입니다.

먼 후일

김소월

이 시는 먼 훗날 '당신'과 다시 만나게 되는 상황을 가정하여 '당신'에 대한 화자의 그리움과 사랑을 노래하는 작품입니다.

사랑하는 까닭

한용운

이 시는 다른 사람과는 대조적인 '당신'의 태도를 제시함으로써 화자가 '당신'을 사랑하는 까닭을 노래하고 있는 작품입니다.

서시

윤동주

이 시는 상징적인 의미의 시어들을 통해 화자의 고뇌와 부끄러움 없는 삶에 대한 소망을 노래하고 있는 작품입니다. '과거-미래-현재'의 시간 구성에 따른 시상 전개가 두드러집니다.

첫사랑

고재종

이 시는 자연 현상을 통해 사랑의 의미를 발견하고 있는 작품입니다. '눈꽃'을 통해 첫사랑의 의미를, '봄꽃'을 통해 슬픔을 이겨 낸 성숙한 사랑의 의미를 노래하고 있습니다.

동해 바다

신경림

이 시는 '동해 바다'를 바라보면서 느낀 것을 노래한 작품입니다. 넓고 푸른 바다의 모습을 통해 옹졸하고 포용력 없는 삶을 살아온 자신의 지난 날을 반성하며 새로운 삶을 다짐하고 있습니다.

하여가

이방원

이 시조는 조선 건국을 준비하던 이방원이 고려의 충신 정몽주를 회유하기 위해 지은 작품입니다. 칡덩굴이 얽혀 있는 모습에 빗대어, 자신들과 뜻을 함께할 것을 권유하고 있습니다.

단심가

정몽주

이 시조는 이방원의 시조에 대한 정몽주의 화답으로 지어진 작품입니다. 반복과 과장의 표현을 통해 고려 왕조에 대한 변함없는 충성심을 강조하고 있습니다.

오우가

윤선도

이 시조는 전 6수의 연시조로, 다섯 가지 자연물을 '다섯 벗'으로 의인화하여 그 속성을 예찬하는 작품입니다. 제1수에서 다섯 벗을 소개한 후 제2수~제6수에서 '물, 바위, 소나무, 대나무, 달'의 속성을 차례대로 제시하며 주제 의식을 드러내고 있습니다.

시

'시'는 글쓴이의 생각이나 감정을 함축적인 언어로 표현한 문학입니다.

고래를 위하여

정호승

중등 교과서 수록 작품

- 지문 해설

- 지문 난이도: 중

푸른 바다에 고래가 없으면
푸른 바다가 아니지
마음속에 푸른 바다의
고래 한 마리 키우지 않으면
청년이 아니지

푸른 바다가 고래를 위하여
푸르다는 걸 아직 모르는 사람은
아직 사랑을 모르지

고래도 가끔 수평선 위로 치솟아올라
별을 바라본다
나도 가끔 내 마음속의 고래를 위하여
밤하늘 별들을 바라본다

- **청년**(青 푸를 청, 年 해 년)
신체적 · 정신적으로 한창 성
장하거나 무르익은 시기에 있
는 사람. '청년(青年)'은 한자
의 의미 그대로 가장 푸르른
젊음이 있는 시기라는 의미
임. 그러므로 인생의 시기 중
'푸른 바다'의 이미지와 가장
유사한 시기임.

- **수평선**(水 물 수, 平 평평할
평, 線 선 선)   물과 하늘이
맞닿아 경계를 이루는 선.

- **치솟아**   위쪽으로 힘차게 솟
아. '치–'는 '위로 향하게'라
는 의미를 지니는 접두사로,
'눈을 치뜨다'와 같은 표현에
서 사용됨.

1 핵심 요약 내용 흐름 정리하기

다음은 이 시의 '나'에 대해 정리한 것입니다. 빈칸에 들어갈 적절한 시어를 쓰시오.

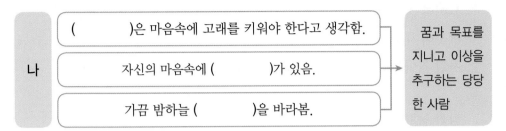

나	( )은 마음속에 고래를 키워야 한다고 생각함.	
	자신의 마음속에 ( )가 있음.	→ 꿈과 목표를 지니고 이상을 추구하는 당당한 사람
	가끔 밤하늘 ( )을 바라봄.	

핵심 요약 TIP

이 시의 화자는 꿈과 목표를 지니고 이상을 추구하는 사람입니다. 그가 이와 같은 삶의 자세를 지니게 된 바탕에는 어떤 생각들이 있는지 시에서 찾아봅니다.

2 내용 이해 내용과 표현 파악하기

이 시에 대한 학생들의 감상으로 적절하지 <u>않은</u> 것은 무엇입니까? ( )

① 상유: 1연에서는 '~으면 ~ 아니지'라는 문장 형식을 반복하고 있네.

② 서안: '푸른 바다', '고래', '청년'이 뗄 수 없는 관계라는 것을 강조하려는 것 같아.

③ 형우: 2연에서는 사랑을 알아야 푸른 바다의 의미도 이해할 수 있다고 말하고 있어.

④ 민준: 3연에는 자신이 오를 수 있는 가장 높은 곳까지 오른 고래의 모습이 나타나 있군.

⑤ 아인: 그런 고래와 '나'의 공통점을 강조하기 위해서 '나도'라는 표현을 사용한 것 같아.

어휘

• **연** 시에서, 몇 행을 한 단위로 묶어서 이르는 말.

3 감상 상징적 표현 이해하기

다음 보기 의 ㉮와 ㉯를 비교한 내용으로 적절하지 <u>않은</u> 것은 무엇입니까? ( )

보기

이 시에 사용된 시어들은 상징적 의미를 지니고 있어요. '상징'은 머릿속 생각을 보거나 듣고 만질 수 있는 대상으로 바꾸어 표현하는 것이지요. 상징적 표현은 말하고자 하는 내용을 선명한 이미지로 드러내고, 문학적인 아름다움을 느낄 수 있게 해요. 그렇지만 말하려는 내용을 분명하게 드러내지 않기 때문에 읽는 사람으로 하여금 많은 생각을 하게 하기도 해요. 또한 그 의미가 여러 가지로 **해석될** 수도 있지요. 그럼 다음 ㉮와 ㉯를 비교해 볼까요?

㉮ 푸른 바다의 고래 한 마리 키우지 않으면 청년이 아니지.

㉯ 당당한 꿈과 목표가 있지 않으면 청년이 아니지.

① ㉮는 ㉯보다 다양한 의미로 해석될 수 있다.

② ㉮는 ㉯보다 의미를 분명하게 전달할 수 있다.

③ ㉮는 ㉯보다 읽는 사람이 많은 생각을 하게 한다.

④ ㉮는 ㉯보다 문학적인 아름다움을 느낄 수 있게 된다.

⑤ ㉮는 ㉯보다 말하려는 내용이 선명한 이미지로 표현된다.

어휘

• **해석될** 문장이나 사물 등으로 표현된 내용이 이해된 상태에서 설명될.

허영자

중등 교과서 수록 작품

눈이랑 손이랑
깨끗이 씻고
자알 찾아보면 있을 거야.

깜짝 놀랄 만큼
신바람 나는 일이
어딘가 어딘가에 꼭 있을 거야.

아이들이
보물찾기 놀일 할 때
보물을 감춰 두는

바위 틈새 같은 데에
나뭇구멍 같은 데에

행복은 아기자기
숨겨져 있을 거야.

• **이랑** 둘 이상의 사물을 같은 자격으로 이어 주는 접속 조사. 예 떡이랑 과일이랑 많이 먹었다.

• **신바람** 신이 나서 우쭐우쭐 하여지는 기운.

• **보물찾기** 물건의 이름이 적힌 종이를 여러 군데 감추어 놓고, 그 종이를 찾은 사람에게 해당되는 물건을 상품으로 주는 놀이.

• **아기자기** 여러 가지가 오밀조밀 어울려 예쁜 모양.

핵심 요약 주요 내용 정리하기

1 다음은 이 시에서 말하는 '행복'에 대해 정리한 것입니다. 빈칸에 들어갈 적절한 시어를 쓰시오.

| 행복 | = | 깜짝 놀랄 만큼
(   )
나는 일 | = | 아이들이
감춰 두는
(   )
같은 것 | = | 바위 틈새나
(   )
같은 데에
숨겨져 있는 것 |

핵심 요약 TIP

이 시의 중심 소재는 '행복'입니다. 시의 화자가 행복에 대해 무엇이라고 말하고 있는지를 시에서 찾아 정리해 봅니다.

내용 이해 세부 내용 파악하기

2 이 시의 내용으로 적절하지 <u>않은</u> 것은 무엇입니까? (   )

① 행복은 깨끗한 마음가짐으로 찾아야 한다.
② 행복을 찾는 과정은 보물찾기처럼 즐겁다.
③ 행복은 찾을 수 없는 곳에 깊이 감춰져 있다.
④ 행복을 찾는 일은 정말 놀랍고 신나는 일이다.
⑤ 행복은 예쁘고 오밀조밀한 모습으로 숨어 있다.

어휘
• **오밀조밀한** 솜씨나 재간이 매우 정교하고 세밀하다.

감상 시어의 특징 이해하기

3 다음 보기 의 밑줄 친 부분에 해당하는 시어로 적절한 것은 무엇입니까? (   )

> 보기
>
> 시에서는 특별한 의미를 강조하거나 노래하는 듯한 리듬감을 만들기 위해 문법에 맞지 않는 말을 만들어 사용하기도 한다. 이를 '시적 **허용**'이라 하는데 <u>단어의 원래 형태를 늘여 쓰거나 줄여 쓰는 경우</u>가 많다. 또는 사투리를 활용하거나 옛날 말을 이용하여 현재 우리가 쓰지 않는 말을 만들어 내기도 한다.

① 눈이랑   ② 자알   ③ 어딘가
④ 놀일   ⑤ 감춰

어휘
• **허용** 허락하여 너그럽게 받아들임.

걸어다니는 바다

이상현

초등 교과서 수록 작품

• 지문 해설

• 지문 난이도: 하

꽃게가
한 덩이의 바다를
물고 왔습니다.

집게 발가락에
꼭 물려 있는
조각난 푸른 파도.

생선 가게는 이른 아침
꽃게들이 물고 온
바다로 출렁입니다.

장바구니마다
갈매기 소리로 넘쳐 납니다.

쏴아쏴아
흑산도 앞바다가
부서집니다.

꽃게는
눈이 달린 파도입니다.
걸어다니는 바다입니다.

• **덩이** 작게 뭉쳐서 이루어진 것을 세는 단위.

• **출렁입니다** 물 등이 큰 물결을 이루며 흔들립니다. '줄렁이다'보다 거센 느낌을 줌.

• **쏴** 비바람이 치거나 물결이 밀려오는 소리. '솨'보다 센 느낌을 줌.
'쏴아쏴아'는 '쏴'를 늘려 발음하고 두 번 반복함으로써, 물결이 밀려오는 소리를 더욱 생생하게 강조하는 표현임.

• **흑산도** 전라남도 신안군 흑산면에 속하는 섬.

핵심 요약 주요 내용 정리하기

1 다음은 이 시에서 말하는 꽃게에 대해 정리한 것입니다. 빈칸에 들어갈 적절한 시어를 쓰시오.

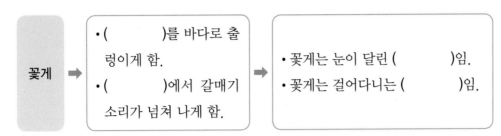

핵심 요약 TIP

이 시에서 화자가 노래하는 대상은 '꽃게'입니다. 시의 화자가 꽃게에 대해 무엇을 노래하고 있는지 그리고 꽃게를 무엇에 비유하고 있는지 등을 파악해 봅니다.

내용 이해 세부 내용 파악하기

2 다음 중 이 시를 통해 알 수 있는 내용으로 적절하지 <u>않은</u> 것은 무엇입니까?

(   )

① 꽃게가 있는 현재의 공간적 배경은 바다이다.
② 꽃게가 원래 살던 곳은 흑산도 앞바다로 짐작할 수 있다.
③ 이른 아침은 바다의 신선함이 느껴지는 시간적 배경이다.
④ 집게 발가락에 물린 조각난 푸른 파도가 곧 한 덩이의 바다이다.
⑤ 눈이 달린 파도와 걸어다니는 바다는 모두 꽃게를 빗댄 표현이다.

감상 심상의 역할 파악하기

수능형
3
문제 풀이

다음 **보기** 의 설명을 바탕으로 할 때, 이 시의 표현과 표현에 담긴 감각적 심상을 적절히 짝 지은 것은 무엇입니까? (   )

어휘

• **감각적** 감각(눈, 코, 귀, 혀, 살갗을 통하여 바깥의 어떤 자극을 알아차림.)을 자극하는 것

보기

    시는 노래하는 사람의 생각과 느낌을 언어를 통해서 표현해요. 그래서 독자에게 시의 상황을 생생하게 전달하기 위해 언어로 표현되는 '감각적 심상'(이미지)을 이용하지요. 감각적 심상에는 눈으로 보는 시각, 귀로 듣는 청각, 입으로 맛보는 미각, 코로 냄새 맡는 후각, 피부로 느끼는 촉각 등이 있어요. 이처럼 특별한 감각이 잘 느껴지는 언어적 표현을 이용함으로써 시의 상황을 선명하게 전달할 수 있게 되지요.

① 시각적 심상 – '갈매기 소리'
② 청각적 심상 – '쏴아쏴아'
③ 미각적 심상 – '출렁입니다'
④ 후각적 심상 – '흑산도 앞바다'
⑤ 촉각적 심상 – '조각난 푸른 파도'

민지의 꽃

정희성

중등 교과서 수록 작품

• 지문 해설

• 지문 난이도: 중
●━━●━━●━━○━━○

강원도 평창군 미탄면 청옥산 기슭.
덜렁 집 한 채 짓고 살러 들어간 제자를 찾아갔다.
거기서 만들고 거기서 키웠다는
다섯 살배기 딸 민지.
민지가 아침 일찍 눈 비비고 일어나
저보다 큰 물뿌리개를 나한테 들리고
질경이 나싱개 토끼풀 억새 ……
이런 풀들에게 물을 주며
㉠잘 잤니, 인사를 하는 것이었다.
㉡그게 뭔데 거기다 물을 주니?
㉢꽃이야, 하고 민지가 대답했다.
㉣그건 잡초야, 라고 말하려던 내 입이 다물어졌다.
내 말은 때가 묻어
천지와 귀신을 감동시키지 못하는데
㉤꽃이야, 하는 그 애의 말 한마디가
풀잎의 풋풋한 잠을 흔들어 깨우는 것이었다.

• **배기** '그 나이를 먹은 아이' 의 뜻을 더하는 말.

• **물뿌리개** 화초 등에 물을 주거나 뿌리는 데에 쓰는 기구.

• **잡초**(雜 섞일 잡, 草 풀 초) 가꾸지 않아도 저절로 나서 자라는 여러 가지 풀. 농작물 등의 다른 식물이 자라는 데 해가 되기도 함.

• **천지**(天 하늘 천, 地 땅 지) 하늘과 땅을 아울러 이르는 말. '세상', '우주', '세계'의 뜻 으로도 쓰임.

• **풋풋한** 풀 냄새와 같이 싱 그러운.

핵심 요약 주요 내용 정리하기

1 다음은 이 시에 나오는 인물들의 태도를 정리한 것입니다. 빈칸에 들어갈 적절한 시어를 쓰시오.

핵심 요약 TIP

이 시에는 '풀'이라는 대상에 대한 '나'와 민지의 대조적인 태도가 드러나 있습니다. '나'와 민지가 풀에 대해 가지는 각기 다른 마음과 태도를 찾아 정리해 봅니다.

> 질경이, 나싱개, 토끼풀, 억새

( )	나
• 예쁜 ( )이라고 생각하면서 물을 주고 말을 걺. • 순수한 마음을 지니고 있어 풀들과 소통할 수 있음.	• 쓸모없는 ( )로 여겼기 때문에 민지의 행동에 놀람. • ( )가 묻어 천지와 귀신을 감동시킬 수 없음.

내용 이해 세부 내용 파악하기

2 ㉠~㉤에 대한 설명으로 가장 적절한 것은 무엇입니까? ( )

① ㉠: 민지가 이른 아침에 '나'에게 한 인사이다.

② ㉡: 풀에게 물을 주는 것을 못 보고 한 질문이다.

③ ㉢: 풀을 아름다운 존재로 생각하는 민지의 대답이다.

④ ㉣: 민지의 잘못된 생각을 바로잡아 준 '나'의 지적이다.

⑤ ㉤: 풀에게 해 준 대답이었지만 결국 '나'를 깨우쳐 준 대답이다.

감상 화자의 태도 이해하기

3 다음 보기를 참고하여 이 시를 감상한 내용으로 적절하지 <u>않은</u> 것은 무엇입니까?

( )

> **보기**
>
> 이 시에서 노래하는 사람 '나'는 시인으로, 세상 사람들에게 **감동**을 주는 시를 쓰고 싶어 한다. 그러나 세상과 떨어진 **순수한** 곳에서 만난 민지가 자연과 **소통하는** 모습을 보고, 자신이 그동안 **편견**을 지니고 세상의 모든 것들을 바라보고 있었음을 깨달으며 부끄러움을 느끼게 된다.

① '나'가 감동을 주고 싶은 대상을 '천지와 귀신'으로 표현하였다.

② 민지와 자연의 소통을 풀잎의 잠을 깨우는 것으로 표현하였다.

③ '나'가 편견을 지니고 있었음을 '잡초'라는 시어를 통해 표현하였다.

④ 세상과 떨어진 순수한 자연의 공간을 '청옥산 기슭'으로 표현하였다.

⑤ '나'가 느끼게 된 상황에 대한 혼란스러움을 '때가 묻어'로 표현하였다.

어휘

• **감동** 크게 느끼어 마음이 움직임.

• **순수한** 사사로운 욕심이나 못된 생각이 없는.

• **소통하는** 오해가 없도록 뜻을 서로 통하는.

• **편견** 공정하지 못하고 한쪽으로 치우친 생각.

돌담에 속삭이는 햇발

김영랑

중등 교과서 수록 작품

• 지문 해설

• 지문 난이도: 상
● ● ● ● ●

돌담에 속삭이는 햇발같이
풀 아래 웃음 짓는 샘물같이
내 마음 고요히 고운 봄 길 위에
오늘 하루 ㉠하늘을 우러르고 싶다.

새악시 볼에 떠오는 부끄럼같이
시의 가슴에 살포시 젖는 물결같이
보드레한 에메랄드 얇게 흐르는
실비단 하늘을 바라보고 싶다.

• **햇발** 사방으로 뻗친 햇살.

• **우러르고** 위를 향하여 고개를 정중히 쳐들고. 또는 마음속으로 공경하여 떠받들고.

• **새악시** '새색시'의 사투리.

• **살포시** 포근하게 살며시.

• **보드레한** 꽤 보드라운 느낌이 있는.

• **에메랄드**(emerald) 비취색을 띤, 투명하고 아름다운 녹색 보석.

• **실비단** 가는 실로 짠 비단.

1 내용 흐름 정리하기

다음은 이 시의 흐름을 정리한 것입니다. 빈칸에 들어갈 적절한 시어를 찾아 쓰시오.

이 시의 화자가 자신의 마음을 무엇에 빗대어 표현하였는지 찾아봅니다. 또한 그러한 마음이 동경하는 대상인지 무엇인지도 찾아 함께 정리해 봅니다.

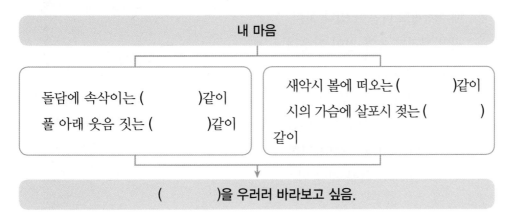

내 마음

돌담에 속삭이는 (   )같이
풀 아래 웃음 짓는 (   )같이

새악시 볼에 떠오르는 (   )같이
시의 가슴에 살포시 젖는 (   ) 같이

(   )을 우러러 바라보고 싶음.

2 내용 이해 세부 내용 파악하기

㉠에 대한 설명으로 가장 적절한 것은 무엇입니까? (   )

① '나'가 살고 있는 현실적 공간이다.
② 자꾸 미련이 남는 과거의 공간이다.
③ 결코 꿈꿀 수 없는 이상적 세계이다.
④ 순수하고 아름다운 동경의 세계이다.
⑤ 그동안 잊고 지냈던 추억의 공간이다.

어휘

• **현실적** 현재 실제로 존재하거나 실현될 수 있는.

• **미련** 깨끗이 잊지 못하고 끌리는 데가 남아 있는 마음.

• **이상적** 생각할 수 있는 범위 안에서 가장 완전하다고 여겨지는.

• **동경** 어떤 것을 간절히 그리워하여 그것만을 생각함.

• **추억** 지나간 일을 돌이켜 생각함. 또는 그런 생각이나 일.

수능형
3 감상 시의 운율 이해하기

문제 풀이

다음 보기 의 ㉮~㉲ 중, 이 시에서 확인할 수 없는 것은 무엇입니까? (   )

어휘

• **시행** 운율적으로 배열되어 있는 시의 행.

보기

　시를 읽을 때 느껴지는 말의 가락을 '운율'이라고 해요. 마치 노래를 듣는 것 같은 느낌을 말하는데, 이 '운율'을 이루는 요소로 가장 중요한 것은 규칙적인 반복이에요. ㉮시행마다 같은 자리에 같은 글자가 두 번 이상 반복되거나, ㉯1연과 2연이 비슷한 문장 구조로 이루어져 있으면 운율이 느껴져요. 또한 ㉰받침에 'ㄴ, ㄹ, ㅁ, ㅇ'이 들어간 시어들을 많이 사용하거나, ㉱'방긋방긋', '소곤소곤'처럼 모양이나 소리를 흉내 낸 말을 반복적으로 사용해도 운율이 느껴지고요. 또 ㉲'아리랑∨아리랑∨아라리요'처럼 세 도막으로 나눠 읽게 된 부분이 있어도 운율을 느낄 수 있죠.

① ㉮　　　② ㉯　　　③ ㉰　　　④ ㉱　　　⑤ ㉲

배추의 마음

나희덕

중등 교과서 수록 작품

배추에게도 마음이 있나 보다
씨앗 뿌리고 농약 없이 키우려니
하도 자라지 않아
가을이 되어도 헛일일 것 같더니
여름내 밭둑 지나며 잊지 않았던 말
㉮ ┌ ― 니는 너희로 하여 기쁠 것 같아
　 └ ― 잘 자라 기쁠 것 같아

늦가을 배추 포기 묶어 주며 보니
그래도 튼실하게 자라 속이 꽤 찼다
㉯ ┌ ― 혹시 배추벌레 한 마리
　 └ 이 속에 갇혀 나오지 못하면 어떡하지?
꼭 동여매지도 못하는 ㉠사람 마음이나
배추벌레에게 반 넘어 먹히고도
속은 점점 순결한 잎으로 차오르는
㉡배추의 마음이 뭐가 다를까
배추 풀물이 사람 소매에도 들었나 보다

• **농약**(農 농사 농, 藥 약 약)
　농작물에 해로운 벌레, 병균,
　잡초 등을 없애거나 농작물이
　잘 자라게 하는 약품.

• **밭둑** 밭과 밭 사이의 경계
　를 이루고 있거나 밭가에 둘
　려 있는 둑.

• **튼실하게** 튼튼하고 실하게.

• **동여매지도** 끈이나 새끼, 실
　등으로 두르거나 감거나 하여
　묶지도.

• **순결**(純 순수할 순, 潔 깨끗할
　결)**한** 잡된 것이 섞이지 아
　니하고 깨끗한.

핵심 요약 내용 흐름 정리하기

1 **다음은 이 시의 흐름을 정리한 것입니다. 빈칸에 들어갈 적절한 시어를 쓰시오.**

여름내	늦가을
(　　　)가 잘 자라기를 바라며 말을 건넴.	• '나'는 (　　　) 자란 배추에 (　　　)가 갇혀 있을까 봐 걱정되어 꼭 동여매지 못함. • 배추는 다른 생명에게 자신을 내 주면서도 (　　　) 잎으로 차오름.

핵심 요약 TIP

이 시의 중심 소재는 배추입니다. 계절의 흐름에 따라 시의 화자가 배추와 배추벌레를 대하는 태도 그리고 화자의 정성에 보답하며 잘 자란 배추의 변화 등을 파악해 정리해 봅니다.

내용 이해 세부 내용 파악하기

2 **㉠과 ㉡의 공통점으로 가장 적절한 것은 무엇입니까? (　　　)**

① 상대를 잘 믿지 않고 조심함.

② 순수하고 아름답게 자라려 노력함.

③ 고마웠던 것에 대해 **보답하려** 애씀.

④ 다른 생명을 배려하고 소중히 여김.

⑤ 자신보다 강한 존재를 인정할 줄 앎.

어휘
• **보답하려** 남의 호의나 은혜를 갚으려.

수능형

감상 화자의 어조 파악하기

③ **다음 보기 를 참고하여 ㉮와 ㉯를 비교한 설명으로 적절한 것은 무엇입니까?**

(　　　)

[QR 코드] 문제 풀이

보기

시는 기본적으로 **화자**(노래하는 사람)가 독자에게 들려주는 말로 이루어져 있다. 그러나 때로는 시에 등장하는 다른 대상과 주고받는 **대화**를 인용하거나 누군가에게 말을 건네는 듯한 **대화체**의 말투를 사용하여 생생한 느낌이나 친근감을 표현하기도 한다. 또 화자 자신의 혼잣말 즉 **독백**을 직접 인용하여 자신의 생각을 강조하기도 한다.

① ㉮는 대화를 인용한 것이며 ㉯는 대화체의 표현이다.

② ㉮는 대화체의 표현이며 ㉯는 독백을 인용한 것이다.

③ ㉮와 ㉯는 모두 말을 건네는 듯한 대화체의 표현이다.

④ ㉮와 ㉯는 모두 상대와 주고받는 대화를 인용한 것이다.

⑤ ㉮는 대화를 인용한 것이며 ㉯는 독백을 인용한 것이다.

어휘
• **화자** 시에서 독자에게 이야기를 하는 사람으로, 작품 안에 나타날 때는 '나'라는 이름으로 등장함.
• **대화** 마주 대하여 이야기를 주고받는 것으로, 주고받는 말이 모두 제시되어야 대화라고 할 수 있다.
• **대화체** 대화하는 형식으로 서술하는 문체로, 상대의 대답이 없는 상황에서 상대에게 이야기를 건네듯이 말하는 것
• **독백** 대화를 나누는 상대 없이 혼자서 말하는 것.

구부러진 길

이준관

중등 교과서 수록 작품

- 지문 해설

- 지문 난이도: 상

나는 ㉮구부러진 길이 좋다.
구부러진 길을 가면
나비의 밥그릇 같은 민들레를 만날 수 있고
감자를 심는 사람을 만날 수 있다.
날이 저물면 울타리 너머로 밥 먹으라고 부르는
어머니의 목소리도 들을 수 있다.
구부러진 하천에 물고기가 많이 모여 살 듯이
들꽃도 많이 피고 별도 많이 드는 구부러진 길.
구부러진 길은 산을 품고 마을을 품고
구불구불 간다.
그 ㉠구부러진 길처럼 살아온 사람이 나는 또한 좋다.
㉡반듯한 길 쉽게 살아온 사람보다
흙투성이 감자처럼 울퉁불퉁 살아온 사람의
구불구불 구부러진 삶이 좋다.
구부러진 주름살에 가족을 품고 이웃을 품고 가는
구부러진 길 같은 사람이 좋다.

- **하천**(河 강물 하, 川 내 천)
강과 시내를 아울러 이르는
말.

- **드는**　빛, 볕, 물 등이 안으로
들어오는.
　㉲ 꽃은 해가 잘 드는 데 심
어야 한다.

- **구불구불**　이리로 저리로 구
부러지는 모양.

- **울퉁불퉁**　물체의 거죽이나
면이 고르지 않게 여기저기
몹시 나오고 들어간 모양.

핵심 요약 주요 내용 정리하기

1

다음은 이 시의 '나'가 좋아하는 것을 정리한 것입니다. 빈칸에 들어갈 적절한 시어를 쓰시오.

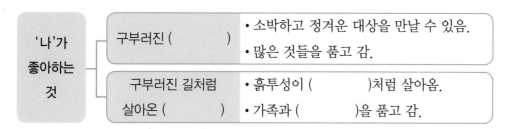

| '나'가 좋아하는 것 | 구부러진 ( ) | • 소박하고 정겨운 대상을 만날 수 있음.
• 많은 것들을 품고 감. |
| | 구부러진 길처럼 살아온 ( ) | • 흙투성이 ( )처럼 살아옴.
• 가족과 ( )을 품고 감. |

핵심 요약 TIP

이 시의 화자는 자신이 좋아하는 대상에 대해 설명하고 있습니다. 어떤 대상을 노래하고 있는지 찾고, 그 대상의 특징이 무엇인지 정리해 봅니다.

내용 이해 세부 내용 파악하기

2

㉮에 대한 설명으로 적절하지 <u>않은</u> 것은 무엇입니까? ( )

① 민들레와 감자 심는 사람을 만날 수 있다.
② 들꽃이 많이 피고 별이 많이 드는 곳이다.
③ 물고기가 많이 모여 사는 모습을 볼 수 있다.
④ 산을 품고 마을을 품고 구불구불 가는 길이다.
⑤ 밥 먹으라고 부르는 어머니의 목소리를 들을 수 있다.

수능형

3

감상 시구의 의미 이해하기

문제 풀이

다음 **보기**를 참고할 때, ㉠과 ㉡에 대한 설명으로 적절하지 <u>않은</u> 것은 무엇입니까?

( )

> **보기**
>
> 시에서는 우리가 일상적으로 사용하는 말에 새로운 의미를 부여하기도 한다. 사람들은 대체로 가기 힘든 구부러진 길보다 편하고 빠른 길인 반듯한 길을 좋아한다. 그러나 이 시에서 화자가 좋아하는 구부러진 길은 느리지만 많은 것들을 품고 있고, 때로는 상처와 아픔을 겪으며 살아가는 삶을 의미한다. 결국, 이 시에서 이야기하는 '구부러진 길처럼 살아온 사람'은 때로는 상처 입고 시련을 겪으면서도 다른 이를 품고 살아온 사람을 의미한다.

① ㉠은 느리기 때문에 오히려 다른 이를 품고 살아가는 사람이다.
② ㉠은 주변의 대상들과 대립하면서 울퉁불퉁 살아온 사람이다.
③ ㉠은 구부러진 주름살 같은 상처와 아픔을 겪은 사람이다.
④ ㉡은 주변과 다른 이들을 돌아볼 여유가 없는 사람이다.
⑤ ㉡은 쉽고 편하게 살아온 사람이다.

먼 후일

김소월

중등 교과서 수록 작품

• 지문 해설

• 지문 난이도: 중

먼 훗날 당신이 찾으시면
그때에 내 말이 "잊었노라."

당신이 속으로 나무라면
"무척 그리다가 잊었노라."

그래도 당신이 나무라면
"믿기지 않아서 잊었노라."

오늘도 어제도 아니 잊고
㉠먼 훗날 그때에 "잊었노라."

• **훗날** 시간이 지나 뒤에 올
날. = 뒷날. 후일.
㉠ 우리는 먼 훗날에 다시 만
나자고 약속했다.

핵심 요약 내용 흐름 정리하기

1 다음은 이 시의 흐름을 정리한 것입니다. 빈칸에 들어갈 적절한 시어를 쓰시오.

핵심 요약 TIP

이 시에서는 화자가 반복하고 있는 말이 있습니다. 이러한 반복을 통해 화자가 드러내고 싶은 정서가 무엇인지를 파악하여 정리해 봅시다.

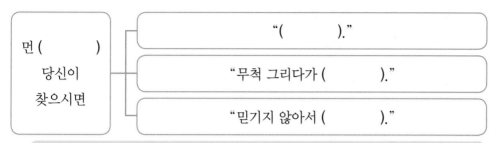

먼 (   )
당신이
찾으시면

"(   )."

"무척 그리다가 (   )."

"믿기지 않아서 (   )."

➡ 속마음과는 다른 말을 반복하며 결코 잊지 못하겠다는 속마음을 강조함.

표현 표현 의도 파악하기

2 다음 **보기**의 설명을 참고하여, ㉠을 화자의 속마음이 드러나도록 적절히 바꾸어 쓴 것은 무엇입니까? (   )

보기

선생님: 이 시에서 노래하는 사람은 "잊었노라"라는 말을 반복하고 있어요. 그런데 '당신'이 누군지 잊었으면 "누구세요?"라고 해야지, 왜 잊었다는 말만 반복하고 있을까요? 여전히 사랑하고 있으면서도, 어제도 오늘도 오지 않고 먼 훗날에야 돌아온 그 사람이 원망스럽기 때문이에요.

① 먼 훗날 그때에는 당신을 사랑하겠노라.
② 먼 훗날 그때에는 이미 당신을 잊었노라.
③ 먼 훗날 그때까지도 당신을 잊지 못했노라.
④ 먼 훗날 그때서야 당신을 잊을 수 있었노라.
⑤ 먼 훗날 그때까지 당신을 기억할 수 없었노라.

감상 구체적 사례에 적용하기

수능형

3 다음 **보기**에 나타난 ㉮의 예로 적절하지 <u>않은</u> 것은 무엇입니까? (   )

보기

이 시에서 노래하는 사람의 말은 **반어법**으로 이해할 수 있다. 반어법은 슬픔을 강조하거나 ㉮상대를 조롱하기 위해 사용될 때가 많다.

① (약속 시간에 늦은 친구에게) "참 빨리도 오는구나!"
② (친구의 농담이 재미없을 때) "아주 배꼽 빠지겠는데?"
③ (성적이 나쁜 아들에게) "너는 이걸 성적이라고 받았니?"
④ (책상을 어질러 놓은 딸에게) "정말 깨끗하게도 해 놨구나."
⑤ (친구가 지나친 자기 자랑을 할 때) "역시 대단하십니다요."

어휘

• **반어법** 속마음과는 반대로 말함으로써 슬픔을 강조하거나 상대를 조롱하기 위한 표현.
예 (실수로 접시를 깨뜨린 아들에게) 참 잘 했다. 잘 했어.

• **조롱하기** 비웃거나 깔보면서 놀리기.

사랑하는 까닭

한용운

중등 교과서 수록 작품

내가 당신을 사랑하는 것은
까닭이 없는 것이 아닙니다.
다른 사람들은 나의 홍안만을 사랑하지마는
당신은 나의 백발도 사랑하는 까닭입니다.

내기 당신을 그리워하는 깃은
까닭이 없는 것이 아닙니다.
다른 사람들은 나의 미소만을 사랑하지마는
당신은 나의 눈물까지도 사랑하는 까닭입니다.

내가 당신을 기다리는 것은
까닭이 없는 것이 아닙니다.
다른 사람들은 나의 건강만을 사랑하지마는
당신은 나의 죽음도 사랑하는 까닭입니다.

· **까닭** 일이 생기게 된 원인
이나 조건.

· **홍안**(紅 붉을 홍, 顔 얼굴
안) 붉은 얼굴이라는 뜻으
로, 젊어서 혈색이 좋은 얼굴
을 이르는 말. **예** 그에게는
20대 홍안을 자랑하던 젊음
은 온데간데없고 중년의 지친
모습만이 보였다.

· **백발**(白 흰 백, 髮 터럭 발)
하얗게 센 머리털.

1 핵심 요약 | 주요 내용 정리하기

다음은 '나'를 대하는 '다른 사람들'과 '당신'의 태도를 중심으로, 이 시의 내용을 정리한 것입니다. 빈칸에 들어갈 적절한 시어를 쓰시오.

핵심 요약 TIP

이 시에서는 화자를 대하는 '다른 사람들'과 '당신'의 태도가 대조적으로 드러나 있습니다. '다른 사람들'과 '당신'이 화자를 대하는 태도가 드러나 있는 시어를 각각 찾아 정리해 봅니다.

다른 사람들		당신
'나'의 (　　　), (　　　), 건강만을 사랑함.	⟷	'나'의 (　　　), (　　　), 죽음도 사랑함.

2 내용 이해 | 세부 내용 파악하기

다음 중 이 시에서 알 수 있는 내용으로 적절하지 <u>않은</u> 것은 무엇입니까? (　　　)

① '당신'은 내 곁에 존재하지 않는 대상이다.

② '당신'은 내가 사랑하고 그리워하는 대상이다.

③ '당신'은 나의 부정적인 모습만 사랑하는 존재이다.

④ '다른 사람들'은 나의 긍정적인 모습만 사랑하는 존재이다.

⑤ '다른 사람들'은 '당신'과는 다른 방식으로 '나'를 사랑하는 존재이다.

수능형 3 감상 | 감상 관점 이해하기

다음은 이 시에 대한 감상입니다. 보기 의 ㉮~㉰의 방법을 사용한 것으로 적절한 것은 무엇입니까? (　　　)

> 보기
>
> 　문학 작품을 감상하는 방법에는 여러 가지가 있다. 우선 ㉮작품 자체의 특징 즉 시어의 의미와 표현 방법 및 구조 등을 중심으로 감상하는 방법이 있다. 그리고 ㉯작품을 쓴 작가의 특징을 중심으로 감상하는 방법, ㉰작품이 창작된 시대 상황을 중심으로 작품을 감상하는 방법, ㉱작품이 독자에게 미친 영향을 중심으로 감상하는 방법이 있다.

① ㉮: 이 시는 일제 강점기라는 현실에서 빼앗긴 조국에 대한 그리움을 노래하는 작품이야.

② ㉮: 이 시는 승려이자 독립운동가였던 작가가 절대자에 대한 믿음을 노래하는 작품이야.

③ ㉯: 이 시는 상반된 의미의 시어를 사용하여 진정한 사랑의 의미를 노래하는 작품이야.

④ ㉯: 이 시는 동일한 문장을 반복함으로써 의미와 주제를 강조하고 있는 작품이야.

⑤ ㉱: 이 시는 나를 향한 부모님의 무조건적인 사랑을 생각하게 만드는 작품이야.

어휘

• 창작된　예술 작품이 독창적으로 지어내어진.

• 일제 강점기　1910년의 국권 강탈 이후 1945년 해방되기까지 35년간의 시대.

• 승려　불교의 출가 수행자.

• 절대자　스스로 존재하면서. 그 자신만으로 완전한 존재로, 종교적 믿음의 대상인 '신'을 의미함.

• 상반된　서로 반대되거나 어긋나게 된.

시 10 서시

윤동주

95학년도, 01학년도 수능 출제

• 지문 난이도: 상
● ● ● ● ●

죽는 날까지 ㉠하늘을 우러러
한 점 부끄럼이 없기를,
잎새에 이는 ㉡바람에도
나는 괴로워했다.
㉢별을 노래하는 마음으로
모든 죽어가는 것을 사랑해야지
그리고 나한테 주어진 ㉣길을
걸어가야겠다.

오늘 ㉤밤에도 별이 바람에 스치운다.

• **잎새** 나무의 잎사귀. 주로 문학적 표현에 쓰임.

• **이는** 희미하거나 약하던 것이 왕성하여지는.
이 시에서는 연약한 '잎새'를 흔드는 '바람'의 움직임과 변화를 표현하고 있음.

• **스치운다** 서로 살짝 닿으면서 지나간다. 이 시에서는 맑고 순수한 '별'이 거센 '바람'에 흔들리는 상황을 표현하고 있음.

핵심 요약 내용 흐름 정리하기

1 다음은 이 시의 내용을 시간 구성에 따라 정리한 것입니다. 빈칸에 들어갈 적절한 시어를 찾아 쓰시오.

과거
잎새를 흔드는 ( )에도 괴로워했음.

↓

미래
( )을 노래하는 마음으로 살아갈 것을 다짐함.

↓

현재
오늘 ( )에도 별이 바람에 흔들림.

핵심 요약 TIP

이 시는 '과거-미래-현재'의 시간 구성을 바탕으로 시상이 전개되고 있습니다. 화자가 무엇을 노래하고 있는지 파악하고, 각 시간 구성마다 중심 소재가 무엇인지 찾아 정리해 봅니다.

내용 이해 시구의 의미 파악하기

2 다음 중 이 시의 화자가 추구하는 삶의 태도를 알 수 있는 시구로 적절하지 <u>않은</u> 것은 무엇입니까? ( )

① 하늘을 우러러 한 점 부끄럼이 없기를

② 잎새에 이는 바람에도 나는 괴로워했다

③ 모든 죽어 가는 것을 사랑해야지

④ 나한테 주어진 길을 걸어가야겠다

⑤ 바람에 스치운다

어휘

• **추구하는** 목적을 이룰 때까지 뒤쫓아 구하는.

감상 감상 관점 이해하기

3 다음 보기 를 참고할 때, ㉠~㉤에 대한 감상으로 적절하지 <u>않은</u> 것은 무엇입니까?

( )

어휘

• **암담한** 희망이 없고 절망적인

> **보기**
>
> 이 시의 작가 윤동주는 일제 강점기의 **암담한** 현실 속에서도 어떠한 갈등과 유혹에도 흔들리지 않는 삶을 살고자 했던 시인이다. 양심에 비추어 보아도 부끄럽지 않을 삶을 소원했으며 언제나 희망과 이상을 추구하는 의지적 인물이었다. 그러나 고통받는 민족과 조국을 위해 살고자 했던 그는, 스물여덟의 젊은 나이에 일제에 의해 체포되어 후쿠오카 감옥에서 죽임을 당했다.

① ㉠은 '나'의 행동을 비춰 보는 양심을 의미한다고 볼 수 있어.

② ㉡은 부끄럽지 않은 삶을 소원하는 '나'의 순수함으로 볼 수 있어.

③ ㉢은 '나'가 추구하고자 하는 희망과 이상을 뜻한다고 볼 수 있어.

④ ㉣은 민족과 조국을 위해 살아갈 '나'의 의지적 삶으로 볼 수 있어.

⑤ ㉤은 '나'가 죽임을 당하게 되는 암담한 현실을 뜻한다고 볼 수 있어.

고재종

중등 교과서 수록 작품

• 지문 해설

• 지문 난이도: 상
● ● ● ● ●

흔들리는 나뭇가지에 꽃 한번 피우려고
눈은 얼마나 많은 도전을 멈추지 않았으랴

㉮ ┌ 싸그락 싸그락 두드려 보았겠지
   │ 난분분 난분분 춤추었겠지
   └ 미끄러지고 미끄러지길 수백 번

㉠바람 한 자락 불면 휙 날아갈 사랑을 위하여
㉡햇솜 같은 마음을 다 퍼부어 준 다음에야
㉢마침내 피워 낸 저 황홀 보아라

봄이면 가지는 그 ㉣한 번 덴 자리에
㉤세상에서 가장 아름다운 상처를 터뜨린다
슬픔을 딛고 피어난 봄꽃(성숙한 사랑)의 의미 – 역설법

• **도전** 정면으로 맞서 싸움
을 걺.

• **싸그락 싸그락** '사그락사그
락(눈이 내리거나 눈 등을 밟
을 때 잇따라 나는 소리.)'의
센 말.

• **난분분** '난분분하다(눈이나
꽃잎 등이 흩날리어 어지럽
다.)'의 어근.

• **햇솜** 그해에 새로 뽑은 솜.
매우 하얀색으로 순수한 이미
지를 지님.

• **황홀**(恍 황홀할 황, 惚 황홀
할 홀) 눈이 부시어 어릿어
릿할 정도로 찬란하거나 화
려함.

핵심 요약 TIP

이 시에서는 눈꽃을 통해 첫사랑
의 의미를 발견하고 있습니다.
첫사랑과 비슷한 눈꽃의 여러 가
지 특성을 이 시에서 찾아 정리
해 봅니다.

핵심 요약　주요 내용 정리하기

1 다음은 이 시의 제목인 '첫사랑'과 중심 소재인 '꽃' 사이의 비슷한 점을 정리한 것입니다. 빈칸에 들어갈 적절한 시어를 쓰시오.

꽃(눈꽃)	첫사랑
(　　　　)의 많은 도전이 있어야 함.	서로의 헌신적인 노력이 필요함.
(　　　　) 한 자락에도 휙 날아감.	쉽게 끝나 버림.
가지에 (　　　　) 자리를 남김.	사랑이 끝난 후 아픔을 남김.

표현　표현 방식 파악하기

2 ㉮에 대한 설명으로 적절하지 <u>않은</u> 것은 무엇입니까? (　　　　)

① 의태어를 반복하여 '가지'가 흔들리는 모양을 표현하였다.
② '눈'의 도전을 청각적 심상과 시각적 심상으로 묘사하였다.
③ 같은 시어를 반복하여 '눈'의 계속되는 도전을 강조하였다.
④ '-겠지'의 반복으로 비슷한 구조의 문장이 짝을 이루게 하였다.
⑤ 의성어를 반복하여 '눈'이 '가지'에 부딪히는 상황을 표현하였다.

어휘

• **의태어**　사람이나 사물의 모양
이나 움직임을 흉내 낸 말.
⑩ 아장아장, 엉금엉금, 번쩍
번쩍

• **심상**　시각, 청각, 후각, 미각,
촉각 등 감각에 의해 얻어진 현
상이 마음속에서 떠오른 것

• **의성어**　사람이나 사물의 소리
를 흉내 낸 말.
⑩ 쌕쌕, 땡땡, 우당탕, 퍼덕퍼덕

감상　시구의 의미 파악하기

수능형
3
문제 풀이

다음 **보기** 를 참고할 때, ㉠~㉤에 대한 감상으로 적절하지 <u>않은</u> 것은 무엇입니까?
(　　　　)

> **보기**
>
> 　이 시는 자연 현상을 통해 사랑의 의미를 노래하고 있는 작품이다. 화자
> (노래하는 사람)는 어느 겨울날 만들어진 아름다운 눈꽃에서 첫사랑의 의미
> 와 특징을 발견하며 첫사랑의 황홀함을 예찬한다. 그러나 결국 봄이 되면 눈
> 꽃이 사라지듯 첫사랑도 끝나고, 그 상처 입은 자리에 피어난 봄꽃을 보며
> 슬픔을 딛고 이루어지는 성숙한 사랑의 의미를 생각하고 있다.

① ㉠은 금방 끝나 버리는 첫사랑의 특징을 의미한다.
② ㉡은 순수하고 헌신적인 첫사랑의 특징을 의미한다.
③ ㉢은 첫사랑이 끝나고 찾아온 황홀한 사랑을 가리킨다.
④ ㉣은 첫사랑이 실패한 후 겪게 되는 아픔과 상처를 뜻한다.
⑤ ㉤은 슬픔을 딛고 이루어진 성숙한 사랑의 의미를 표현한 것이다.

어휘

• **예찬한다**　무엇이 훌륭하거나
좋거나 아름답다고 찬양한다.

동해 바다

신경림

중등 교과서 수록 작품

• **지문 해설**

• **지문 난이도:** 중
● ─ ● ─ ● ─ ○ ─ ○

친구가 원수보다 더 미워지는 날이 많다
㉠티끌만 한 잘못이 맷방석만 하게
동산만 하게 커 보이는 때가 많다
그래서 세상이 어지러울수록
남에게는 엄격해지고 내게는 너그러워지나 보다
㉡돌처럼 잘아지고 굳어지나 보다

멀리 동해 바다를 내려다보며 생각한다
널따란 ㉢바다처럼 너그러워질 수는 없을까
깊고 짙푸른 바다처럼
감싸고 끌어안고 받아들일 수는 없을까
스스로는 억센 ㉣파도로 다스리면서
제 몸은 맵고 모진 ㉤매로 채찍질하면서

• **티끌** 티(먼지처럼 아주 잔
부스러기)와 먼지를 통틀어
이르는 말.

• **맷방석** 맷돌을 쓸 때 밑에
끼는, 짚으로 만든 방석.

• **동산** 마을 부근에 있는 작
은 산이나 언덕.

• **엄격(嚴** 엄할 엄, **格** 격식 격)
해지고 말, 태도, 규칙 등이
매우 엄하고 철저해지고.

• **잘아지고** 둥근 물건이나 글
씨 등의 크기가 작아지고, 또
는 생각이나 성질이 대담하지
못하고 좀스러워지고.

• **모진** 기세가 몹시 매섭고
사나운.

핵심 요약 주요 내용 정리하기

1 다음은 이 시에 사용된 중심 소재의 의미를 비교하여 정리한 것입니다. 빈칸에 들어갈 적절한 시어를 쓰시오.

핵심 요약 TIP

이 시에는 두 가지 중심 소재가 나타나 있습니다. 그 중심 소재들은 서로 대조적인 의미를 지니고 있습니다. 각 중심 소재가 어떤 의미를 지니고 있는지 찾아서 정리해 봅니다.

( )	⟷	바다
• 잘고 굳음. • ( )에게는 엄격하고 내게는 너그러운 태도를 의미함.		• 넓고 깊음. • 남에게는 너그럽고 제 몸은 엄격하게 매로 ( )함.

내용 이해 시어의 의미 이해하기

2 ㉠~㉤이 의미하는 내용으로 적절하지 <u>않은</u> 것은 무엇입니까? (   )

① ㉠: 친구의 아주 작고 사소한 잘못

② ㉡: 자신의 너그럽지 못하고 옹졸한 태도

③ ㉢: 다른 사람을 너그럽게 감싸고 받아들이는 존재

④ ㉣: 자기 자신을 스스로 나무라는 엄격한 태도

⑤ ㉤: 자신의 잘못을 일깨워 주는 스승의 가르침

감상 시구의 기능 파악하기

3 다음 보기의 ㉮에 들어갈 내용으로 적절한 것은 무엇입니까? (   )

어휘
• **포용력** 남을 너그럽게 감싸 주거나 받아들이는 힘.
• **계기** 어떤 일이 일어나거나 변화하도록 만드는 결정적인 원인이나 기회.

> **보기**
>
> 이 시에서 노래하는 사람은 자신의 모습을 부끄러워하면서 지금까지와는 다른 삶을 소망하게 된다. 이러한 태도 변화의 과정은 아래와 같이 정리할 수 있다.

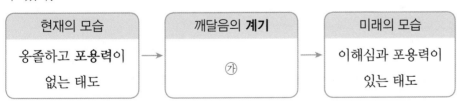

현재의 모습	→	깨달음의 **계기**	→	미래의 모습
옹졸하고 포용력이 없는 태도		㉮		이해심과 포용력이 있는 태도

① 미워했던 친구를 용서하게 됨.

② 동해 바다를 내려다보며 생각함.

③ 세상이 어지럽다는 것을 알게 됨.

④ 파도처럼 채찍질하는 삶을 다짐함.

⑤ 널따란 바다처럼 너그러워지게 됨.

가 **하여가** 이방원   나 **단심가** 정몽주

중등 교과서 수록 작품

• 지문 해설

• 지문 난이도: 상
● ● ● ● ●

가 이런들 어떠하며 저런들 어떠하리.
　만수산(萬壽山) 칡덩굴이 얽혀진들 ㉠그 어떠하리.
　우리도 이같이 얽혀져 ㉡백 년까지 누리리라.

나 이 몸이 죽어 죽어 일백 번 고쳐 죽어,
　백골(白骨)이 진토(塵土)되어 ㉢넋이라도 있고 없고,
　임 향한 일편단심(一片丹心)이야 ㉣가실 줄이 있으랴.

• **만수산(萬** 일만 만, **壽** 목숨
수, **山** 뫼 산) 고려의 수도
개성에 있는 '송악산'의 다른
이름.

• **백골(白** 흰 백, **骨** 뼈 골) 죽
은 사람의 몸이 썩고 남은 뼈.

• **진토(塵** 티끌 진, **土** 흙
토) 티끌(먼지)과 흙을 통틀
어 이르는 말.

• **일편단심(一** 하나 일, **片** 조각
편, **丹** 붉을 단, **心** 마음
심) 한 조각의 붉은 마음이
라는 뜻으로, 진심에서 우러나
오는 변치 아니하는 마음. 이
시조에서는 충성심을 이름.

• **가실** 어떤 상태가 없어지거
나 달라질.

핵심 요약 TIP

시조 **가**와 **나**는 고시조로 초장, 중장, 종장으로 구성되어 있습니다. 각 장에서 확인할 수 있는 화자의 태도와 중심 소재를 파악하여 정리해 봅니다.

핵심 요약 내용 흐름 정리하기

1 다음은 시조 **가**와 **나**의 흐름을 정리한 것입니다. 빈칸에 들어갈 적절한 시어를 쓰시오.

시조 가

어떻게 살아도 상관없음.

↓

(   )처럼 얽혀 살아도 상관없음.

↓

우리도 이처럼 얽혀 (   ) 년까지 누리길 바람.

시조 나

이 몸이 백 번을 다시 죽더라도,

↓

백골이 진토가 되어 (   )이 사라지더라도,

↓

(   )을 향한 충성심은 변하지 않을 것임.

표현 표현 방법 이해하기

2 ㉠~㉣ 중 **보기** 에서 설명하는 표현 방법이 사용된 예를 적절히 짝 지은 것은 무엇입니까? (   )

보기

쉽게 판단할 수 있는 사실을 질문 형식으로 표현하여 상대방이 스스로 판단하게 만드는 표현 방법을 설의법이라 한다. 예를 들어, "매일 지각하면 되겠니?"라는 말은 상대의 대답을 원하는 질문이 아니라 지각을 해서는 안 된다는 분명한 뜻을 물어보듯이 바꿔 표현한 것이다.

① ㉠, ㉡   ② ㉠, ㉢   ③ ㉠, ㉣   ④ ㉡, ㉣   ⑤ ㉢, ㉣

어휘

• **충신** 나라와 임금을 위하여 충성을 다하는 신하를 이름.
• **충성심** 임금이나 국가에 대하여 진정으로 우러나오는 정성스러운 마음.

수능형

감상 화자의 태도 파악하기

3 다음 **보기** 를 참고할 때, 시조 **가**와 **나**에서 드러나는 태도로 가장 적절한 것은 무엇입니까? (   )

문제 풀이

보기

시조 **가**는 조선 건국을 준비하던 이방원이 고려의 **충신** 정몽주를 자신들의 편으로 끌어들이기 위해 지은 것이다. 이에 대한 대답으로 지어진 작품이 시조 **나**이며, 정몽주는 자신이 죽어 영혼조차 사라진다 할지라도 고려 왕조를 향한 **충성심**은 변하지 않을 것임을 전하고 있다.

① 비난과 답변   ② 강요와 수용   ③ 위협과 저항
④ 유혹과 거절   ⑤ 추천과 동의

오우가

윤선도

중등 교과서 수록 작품

• 지문 해설

• 지문 난이도: 상
● ● ● ● ●

구름 빛이 좋다 하나 검기를 자주 한다.
바람 소리 맑다 하나 그칠 때가 많구나.
좋고도 그칠 적 없기는 물뿐인가 하노라.　　〈제2수〉

꽃은 무슨 일로 피면서 쉬이 지고
풀은 어찌하여 푸르는 듯 누르나니
　　　　　　　　　　　누렇게 변하는 것이냐
아마도 변치 않는 건 바위뿐인가 하노라.　　〈제3수〉

더우면 꽃 피고 추우면 잎 지거늘
솔아 너는 어찌 눈서리를 모르느냐.
　　　　　　눈서리 내리는 가을·겨울에도 변함없이 푸른 솔
구천에 뿌리 곧은 줄을 그로 하여 아노라.　　〈제4수〉

나무도 아닌 것이 풀도 아닌 것이
곧기는 누가 시켰으며 속은 어찌 비었느냐.
저렇게 사철에 푸르니 그를 좋아하노라.　　〈제5수〉
　　　　　　　강직함과 겸허함을 지닌 벗 = 대나무

• 좋다　'깨끗하다'의 옛날 말.

• 수(首 머리 수)　시나 노래를
　세는 단위. 여러 작품을 하나
　의 주제로 묶은 연시조의
　경우, 그중 한 작품을 '수'라
　고 함.
　예 시조 한 수를 짓다.

• 쉬이　멀지 아니한 가까운 장
　래에.

• 눈서리　눈과 서리를 아울러
　이르는 말. 이 시조에서는 고
　통과 시련을 의미함.

• 구천(九 아홉 구, 泉 샘 천)
　땅속 깊은 밑바닥.

• 사(四 넉 사)철　봄·여름·가
　을·겨울의 네 철.

1 핵심 요약 내용 흐름 정리하기

다음은 이 시조의 내용을 정리한 것입니다. 빈칸에 들어갈 적절한 시어를 쓰시오.

오우가 (다섯 벗에 대한 노래)			
제2수	제3수	제4수	제5수
깨끗하고 그칠 때가 없는 것은 ( )뿐임.	언제나 변하지 않는 것은 ( )뿐임.	( )를 모르는 모습으로, 솔의 뿌리가 곧음을 앎.	곧고 속이 빈 모습으로 ( ) 푸른 그를 좋아함.

핵심 요약 TIP

이 시조는 오우가의 일부입니다. 화자는 각 수에서 자신이 좋아하는 벗에 대해 노래하고 있습니다. 각 수에서 어떤 벗에 대해 노래하고 있는지 그 벗의 특징은 무엇인지 파악해 봅니다.

2 내용 이해 소재의 의미 파악하기

다음 중 각 수의 소재에 대한 설명으로 가장 적절한 것은 무엇입니까? (   )

① 〈제2수〉의 '구름'과 '바람'은 반대되는 특성을 지닌 소재이다.
② 〈제3수〉의 '풀'과 '꽃'은 서로 비슷한 특성을 지닌 소재이다.
③ 〈제4수〉의 '꽃'과 '잎'은 계절의 변화에도 변함없는 소재이다.
④ 〈제4수〉의 '눈서리'는 '솔'의 약한 모습을 드러내는 소재이다.
⑤ 〈제5수〉의 '나무'와 '풀'은 '그'의 특성과 일치하는 소재이다.

수능형
3 감상 시적 대상 파악하기

문제 풀이

다음 보기 는 이 시조의 〈제6수〉입니다. 〈제6수〉에서 노래하고 있는 다섯 번째 벗은 무엇이겠습니까? (   )

보기

> 작은 것이 높이 떠서 만물을 다 비추니
> 밤중의 **광명**이 너만 한 이 또 있느냐.
> 보고도 말 아니하니 내 벗인가 하노라. 〈제6수〉

① 해   ② 달   ③ 횃불
④ 등불   ⑤ 촛불

어휘

• **만물** 세상에 있는 모든 것.
• **광명** 밝고 환함.

시에서 노래하는 화자

시에는 운율이 있어서 때로는 짧은 노래 같기도 하지요? 시에서 노래하는 사람, 그러니까 독자들에게 말하는 사람을 '화자'라고 한답니다.

그런데 중요한 것은, 시를 쓴 시인과 시의 화자가 늘 똑같은 것은 아니라는 점이에요. 시인이 자신의 마음을 직접 표현할 때는 시인과 화자가 같을 수도 있지만 그렇지 않을 때에는 다른 사람의 목소리를 빌려서 노래하기도 하니까요.

예를 들어 시인은 남자여도 시의 화자는 여자일 수 있어요. 혹은 순수한 어린이일 수도 있지요. 그러니까 시의 화자는 시인 자신일 수도 있고, 시인이 설정한 인물일 수도 있어요. 대부분은 인물을 설정한 경우가 많아요.

그리고 하나 더, 시에는 화자가 직접 등장하기도 하고 등장하지 않기도 해요. 시를 읽다 보면, '나'라는 인물이 등장할 때가 있는데, 바로 그때 화자가 시에 등장한다고 하죠. 그런 경우에는 화자인 '나'가 자신의 감정을 노래할 때도 있고, 화자가 바라보는 다른 대상의 모습을 전달하기만 할 때도 있어요.

시에 사용되는 언어

시에 사용되는 언어를 '시어'라고 해요. '시어'는 우리가 평소에 쓰는 말과는 의미가 다를 때도 있어요. 시는 짧고 간결하게 노래하는 문학이에요. 그렇기 때문에 한 단어에 다양한 상징적 의미를 담아서 노래하지요. 예를 들어 '별'이라는 시어에 꿈과 이상이라는 상징적 의미를 담아서 나타내는 것처럼 말이에요.

또한 시는 보이지 않는 우리 마음을 노래하는 문학이에요. 그래서 시에서는 화자의 마음을 독자들에게 생생하게 전달하기 위해서 감각적 이미지를 이용하지요. 눈으로 보는 시각, 귀로 듣는 청각, 코로 냄새를 맡는 후각, 입으로 맛보는 미각, 피부로 느끼는 촉각 등의 감각을 이용해서 보이지 않는 것을 생생하게 전달해요. 예를 들어서 '푸른 바다'라는 표현을 통해 젊음, 싱그러움, 자유, 희망 등의 느낌을 전달할 수 있어요. 그리고 보이지 않는 우리 마음을 표현할 때 '내 마음은 호수요.'와 같은 시구를 사용하기도 해요. 내 마음이 얼마나 평화롭고 고요한가를 '호수'에 비유해서 표현한 것이지요.

그림엽서

곽재구

이 수필은 글쓴이와 시각 장애인인 '그'의 몇 차례에 걸친 만남에 대한 에피소드를 서술한 글입니다. 글쓴이는 '그'와의 만남을 반복하면서 차츰 '그'를 앞을 못 보는 장애인이 아니라 진정으로 삶을 살아가는 정직하고 따뜻한 능력이 있는 사람으로 생각하며 삶의 진정한 의미에 대해 깨닫게 됩니다.

선물

성석제

이 수필은 글쓴이가 아버지에게 강아지를 선물로 받으면서 겪은 일과 그것을 통해 느낀 바를 쓴 글입니다. 글쓴이는 아버지에게 '선물'로 받은 강아지를 쓰다듬다가 아침을 맞게 되고, 난생처음으로 애틋한 연민의 감정을 느끼게 되었음을 담담하게 표현하고 있습니다.

수필

'수필'은 일상생활 속에서 우리가 경험한 것이나 생각한 바를 자유롭게 쓴 문학입니다.

트럭 아저씨

박완서

이 수필은 평범한 일상에 의미를 부여하여 독자에게 소소한 재미와 감동을 주는 글입니다. 자연에 대한 글쓴이의 애정과 주변 사람에 대한 따스한 시선이 진솔하게 드러나 있습니다.

그림엽서

곽재구

중등 교과서 수록 작품

• 지문 해설

• 지문 난이도: 중

• 글자 수: 1385자
800   1500

내가 그를 처음 만난 곳은 동네 목욕탕에서였다. 탈의장에서 옷을 벗다 말고 나는 한동안 그를 지켜보았다.

그는 한쪽 손으로 벽을 더듬어 가고 있었다. 탈의장 안에 다른 사람은 없었다. 얼마 되지 않아 그는 욕탕 문의 손잡이를 찾아내고는 곧장 안으로 들어갔다.

욕탕 안은 ㉠한산했다. 나와 그 외에 두 사람이 더 있었다. 그는 다시 손끝으로 벽을 더듬더니 샤워기 아래에 섰다. 손끝으로 물 온도를 ㉡가늠하던 그는 곧장 샤워를 했다. 비누칠을 하고 두 번 거푸 머리를 감는 모습도 보였다.

샤워가 끝난 뒤에는 양치질이 있었다. 들고 온 작은 손가방에서 그가 칫솔을 꺼냈다. 그는 다시 한쪽 손으로 벽을 더듬어 가기 시작했다. 그의 손에 치약이 잡혔다. 그러나 그는 치약을 스쳐 지나갔다. 그가 찾는 것은 치약이 아니었다. 나는 얼른 소금 통을 그의 앞에 옮겨다 놓았다. 그의 손끝이 소금 통에 닿았다. 그 순간이었다.

"여기가 아닌데……." 그가 혼자 중얼거리더니 금세 내 쪽을 향하고서는 고맙습니다, 라고 인사를 했다. 인사를 하면서 그는 환하게 웃었다.

그가 인사를 하는 데도 나는 아무 말도 하지 못했다. '천만에요. 괜찮습니다. 무슨…….' 욕탕 안에서 혼자 생각해 보았지만 정말 ㉢적당한 대꾸를 찾을 수 없었다.

[중간 줄거리] 불로동 다리 위에서 꽃다발을 안고 가는 '그'를 만나고, 아내가 꽃을 좋아한다는 그의 말에 '그'가 결혼을 했다는 사실에 놀란다.

며칠 뒤, 작업실 창문으로 불로동 다리 쪽을 바라보던 나는 또 한 장의 그림엽서를 보았다.

두 사람이 다리를 건너 동네 쪽으로 오고 있었다. 지팡이로 길 옆을 더듬고 오는 친구는 분명히 그였다. 한 사람은 그의 팔짱을 끼고 있었는데, 여자였다. 검은 안경을 낀 여자는 완전히 그에게 몸을 ㉣의지하고 있었다.

그가 "아내가 좋아해요." 라고 말했을 때 나는 조금 ㉤움찔했지만 이번에는 가슴이 먹먹했다. 그에게 아내가 있으리라고 생각하지 못했지만 그 아내가 또한 앞을 보지 못하리라는 생각은 전혀 하지 못했다. 둘은 길을 더듬어 목욕탕 앞길에서 왼쪽 길로 사라졌다. 사글셋방들이 늘어서 있는 골목길. 그가 가슴에 안고 오던 프리지어 꽃다발이 골목길 입구에 싱싱하게 걸려 있는 모습을 나는 보았다.

그 뒤로도 가끔 그를 보았다. 동네 슈퍼에서 과일을 사는 모습도 보았고, 중국집에서 그와 프리지어를 닮은 그의 아내가 함께 우동을 먹는 모습도 보았다.

그가 목욕을 하러 오는 날이 화요일이라는 것도 곧 알게 되었다. 화요일 오후 두 시쯤 나는 그를 만나러 동네 목욕탕에 가곤 한다. 그가 능숙한 솜씨로 목욕을 끝내는 것을 조심스레 지켜보면서 나는 삶이란 그것을 가꿔 갈 정직하고 따뜻한 능력이 있는 이에게만 주어지는 어떤 꽃다발 같은 것이라는 생각을 한다.

• 그림엽서 한쪽 면에는 사진이나 그림이 있고 다른 면에는 전하는 내용과 보내는 이·받는 이의 주소를 적을 수 있도록 만든 한 장으로 된 우편물.

• 한산(閑 한가할 한, 散 흩을 산)했다 인적이 드물어 한적하고 쓸쓸했다.

• 가늠하던 사물을 어림잡아 헤아리던.

• 거푸 잇따라 거듭.

• 금세 지금 바로. '금시에'가 줄어든 말로 구어체에서 많이 사용됨.

• 먹먹했다 어떤 감정으로 꽉 차거나 막힌 느낌이 있었다.

• 사글셋방(貰 세낼 세, 房 방 방) 월세를 받고 빌려주는 방. 또는 월세를 주고 빌려 쓰는 방.

핵심 요약 TIP

이 글에서 '나'와 '그'는 세 번의 만남을 갖습니다. 각 만남에서 '나'가 그의 어떤 행동을 보았는지, 그리고 그 행동을 보고 어떤 감정을 가졌는지를 정리해 봅니다.

1 핵심 요약   내용 흐름 정리하기

다음은 '나'와 '그'의 만남을 중심으로 이 글의 내용을 순서대로 정리한 것입니다. 빈 칸에 들어갈 적절한 말을 쓰시오.

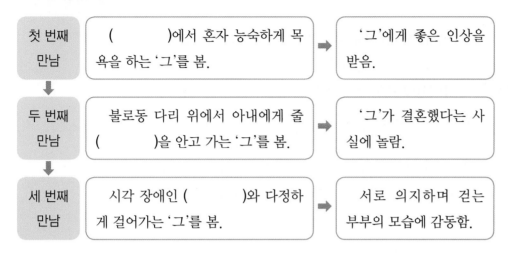

첫 번째 만남	( )에서 혼자 능숙하게 목욕을 하는 '그'를 봄.	➡	'그'에게 좋은 인상을 받음.
두 번째 만남	불로동 다리 위에서 아내에게 줄 ( )을 안고 가는 '그'를 봄.	➡	'그'가 결혼했다는 사실에 놀람.
세 번째 만남	시각 장애인 ( )와 다정하게 걸어가는 '그'를 봄.	➡	서로 의지하며 걷는 부부의 모습에 감동함.

2 내용 이해   세부 내용 파악하기

이 글의 글쓴이에 대한 설명으로 적절하지 <u>않은</u> 것은 무엇입니까 ? (   )

① '그'가 능숙하게 목욕을 하는 모습을 지켜보았다.

② '그'의 아내가 시각 장애인일 거라고 생각하지 못했다.

③ 시각 장애인인 '그'가 결혼을 했다는 사실을 알고 놀랐다.

④ 소금 통을 찾는 '그'를 위해 소금 통을 '그'의 앞에 옮겨 주었다.

⑤ 아내와 함께 팔짱을 끼고 걷는 '그'를 불로동 다리 위에서 만났다.

3 내용 이해   비유적 표현 이해하기

<u>그림엽서</u>에 대한 설명으로 적절한 것은 무엇입니까? (   )

① '그'가 아내에게 꽃다발을 건네는 장면을 나타낸다.

② '나'가 작업실에서 불로동 다리를 그린 작품을 의미한다.

③ 불로동 다리 주변의 아름다운 풍경을 상징하는 소재이다.

④ '그'가 아내에게 자신의 사랑을 담아서 전달하는 우편물이다.

⑤ '그'와 '그'의 아내가 걷고 있는 따뜻한 모습을 비유한 표현이다.

감상 외부 정보를 바탕으로 감상하기

4 다음 보기를 참고하여 이 글을 감상한 내용으로 적절하지 않은 것은 무엇입니까?

(   )

어휘
- **진솔하게** 진실하고 솔직하게.
- **선입견** 어떤 대상에 대하여 이미 마음속에 가지고 있는 고정적인 관념이나 관점.

> **보기**
>
> 수필은 글쓴이가 일상에서 체험한 내용과 그것을 통해 깨달은 바를 진솔하게 표현하는 글이다. 「그림엽서」는 글쓴이가 시각 장애인인 '그'와의 세 번에 걸친 만남을 통해 장애인에 대한 선입견에서 벗어나 삶의 진정한 의미를 깨닫게 되었음을 보여 주고 있다.

① 목욕탕과 다리 위에서 '그'를 만난 일은 글쓴이가 실제로 체험한 일이겠군.

② '그'와 여러 번 만나면서 글쓴이는 장애인에 대한 자신의 생각이 잘못되었음을 깨달았겠군.

③ '그'에게 아내가 있으리라 생각하지 못했던 것은 장애인에 대한 글쓴이의 선입견으로 볼 수 있군.

④ '꽃다발'은 자신의 삶을 따뜻하게 가꿔 나가는 '그'에 대한 글쓴이의 긍정적인 인식을 표현한 것이겠군.

⑤ '그'와 '그'의 아내를 보고 가슴이 먹먹했던 것은 장애인이 살기 힘든 현실에 대한 안타까움을 드러낸 것이겠군.

어휘·어법 반대말

5 ㉠~㉤의 반대말로 적절한 것은 무엇입니까? (   )

① ㉠: 북적이다
② ㉡: 헤아리다
③ ㉢: 걸맞다
④ ㉣: 기대다
⑤ ㉤: 놀라다

어휘·어법 TIP
- **북적이다** 많은 사람이 한곳에 모여 매우 수선스럽게 들끓다.
- **헤아리다** 짐작하여 가늠하거나 미루어 생각하다.
- **걸맞다** 두 편을 견주어 볼 때 서로 어울릴 만큼 비슷하다.
- **기대다** 남의 힘에 의지하다.
- **놀라다** 뜻밖의 일이나 무서움에 가슴이 두근거리다.

정답 및 풀이 24쪽

1 낱말 이해 낱말 관계 낱말 적용 관용 표현

다음 그림을 보고, ㉠과 ㉡에 들어갈 알맞은 낱말을 보기 에서 찾아 각각 쓰시오.

보기

| 거푸 | 걸핏 | 먹먹하게 | 뻑뻑하게 |

너 왜 그렇게 아까부터 콧물만 ㉠(   ) 닦고 있어?

콧물이 아니라 눈물이야. 감동적인 심청이의 이야기가 가슴이 ㉡(   ) 하잖아.

어휘력 ➕

• **거푸** 잇따라 거듭.

• **걸핏** 어떤 일이 진행되는 김에 빨리.

• **먹먹하게** 어떤 감정으로 꽉 차거나 막힌 느낌이 있게.

• **뻑뻑하게** '물기가 적어서 부드러운 맛이 없게', '여유가 없어서 빠듯하게' 등의 뜻이 있음.

2 낱말 이해 낱말 관계 낱말 적용 관용 표현

다음 설명을 참고할 때, ㉠과 ㉡에 들어갈 말로 알맞은 것은 무엇입니까? (   )

선생님: 글자로 쓸 때 조심해야 하는 단어로 '요새'와 '금세'가 있어요. '요새'는 ㉠ 의 준말이고, '금세'는 ㉡ 의 준말이에요. '요새'는 'ㅏ'와 'ㅣ'가 하나의 모음 'ㅐ'로 줄어들었고, '금세'는 'ㅣ'가 사라지면서 'ㅔ'가 결합한 거죠.

① ㉠: 요새이   ② ㉠: 요시에   ③ ㉡: 금서이

④ ㉡: 금시에   ⑤ ㉡: 금사이

3 낱말 이해 낱말 관계 낱말 적용 관용 표현

다음 빈칸에 들어갈 표현으로 가장 알맞은 것은 무엇입니까? (   )

상헌: 이 글에서 '나'는 시각 장애인이 비장애인과 다를 것이라는 생각을 가지고 있었던 것 같아. 그렇게 어떤 대상에 대하여 이미 마음속에 가지고 있는 생각을 '선입견'이라고 한다며?

서윤: 맞아. 그런 걸 관용어로 표현하면, [   ](이)라고 하지.

① 제 눈에 안경   ② 눈 가리고 아웅

③ 등잔 밑이 어둡다   ④ 색안경을 끼고 보다

⑤ 짚신도 제짝이 있다

선물

성석제

중등 교과서 수록 작품

아버지는 어느 날 점퍼 속에 강아지 한 마리를 넣어 왔다. 난 지 며칠이나 지났을까. 호떡을 싸는 종이 봉지에 들어갈 수 있을 정도로 작았다. 어린 시절 내게 개는 닭처럼 잡아먹지는 않는다고 하더라도 닭 이상으로 좋아할 것도 없는 동물이었다. 중학교 2학년 때 서울이라는 유목적이고 도시적인 환경으로 전학 온 내게 아버지가 선물이라며 준 강아지는 내가 그때까지 보아 온 가축이 아니라 처치 곤란하고 '낯선 것'이었다. 그 이전에는 물론 그 뒤로 아버지는 한 번도 내게 선물을 준 적이 없다.

겨울밤이었고 아버지가 일평생 처음으로 선물이라며 종이 봉지 속에 든 강아지를 내게 줄 때 술 냄새가 났다. 나는 종이 봉지 속 강아지의 목덜미를 붙들어 현관 바깥 종이 상자 속에 내려놓았다. 가축은 집 안에 들일 수 없는 게 원칙이었다. 그때까지만 해도 나는 강아지를 선물로 생각하지 않았다. 아버지가 많은 식구 중 내게 주는 선물이라고 했지만 아버지가 그날 밤 집에 들어오면서 부딪친 첫 번째 식구가 내가 아니라 다른 사람이었다면 그의 선물이 되었을 가능성이 크다고 여겼다. 하지만 기분은 묘했다. 어쨌든 아버지에게서 처음 받은 선물이었으니까.

한밤중에 나는 선물이 우는 소리에 잠을 깼다. 내 옆, 옆과 그 옆, 그 옆에 자고 있는 그 누구도 잠을 깨거나 일어나지 않았다. 방을 나가서 바깥에 있는 화장실로 가기 위해 문을 열었을 때 ㉠선물이 우는 소리가 더욱 크게 들렸다. 사실 오줌이 마려웠던 것도 아니었다. 선물이 어떤 상태인지 알고 싶었던 것이었다. 그건 다리를 덜덜 떨며 낑낑거렸다. 나는 배가 고파서 우는 걸로 알았다. 부엌에 뭐가 있는지 몰라서 뭘 가져다줄 수 없었다. 나는 그날 저녁 내 몫으로 받고 아껴 먹다 남겨 둔 백설기를 가지고 나왔다. 접시에 물을 담아 백설기와 함께 큰맘 먹고 내밀었다. ㉡선물은 내 선물에 관심이 전혀 없었다. 그저 낑낑거리며 다리를 떨며 울 뿐이었다. 나는 무시당한 데 대해 화가 났다. 선물을 철회했다. 백설기를 집어 들면서도 물은 그냥 두었다. 울다 보면 목이 멜지도 모르고 물은 그럴 때 먹으면 되니까.

방으로 돌아와 누웠을 때에도 ㉢선물의 울음소리는 계속해서 들려왔다. 천둥 치듯 아버지는 코를 골았지만 선물의 가느다란, 여린 낑낑거림은 정확하게 나의 청각을 자극하고 잠 못 들게 했다. 결국 다시 밖으로 나갔다. 철회했던 ㉣선물을 다시 주고 그 옆에 쭈그리고 앉았다. ㉤선물의 머리를 쓰다듬기 시작하자 울음이 그쳤다. 선물은 너무 어려서 백설기를 먹을 수 없었다. 물을 마시지도 않았다. 다만 ㉮ 과 연민에 반응할 수 있을 뿐이었다.

㉮ 과 연민의 공급이 중단되면 즉시 울음이 시작됐다. 결국 나는 내복 바람으로 날이 밝아 오는 것을 보았다.

아버지는 강아지를 선물했다. 나는 강아지에게 백설기를 선물했다. 밤이 아침을 선물하듯 강아지는 내게 난생처음 경험하는 연민의 감정을 선물했다.

핵심 요약   내용 흐름 정리하기

1 다음은 이 글에 드러난 글쓴이의 경험과 느낌을 정리한 것입니다. 빈칸에 들어갈 적절한 말을 쓰시오.

핵심 요약 TIP

글쓴이가 아버지에게 강아지를 선물 받고 나서 겪은 일을 순서대로 생각해 봅니다. 그리고 그 경험을 통해 글쓴이는 무엇을 느꼈는지 글쓴이의 감정도 함께 정리해 봅니다.

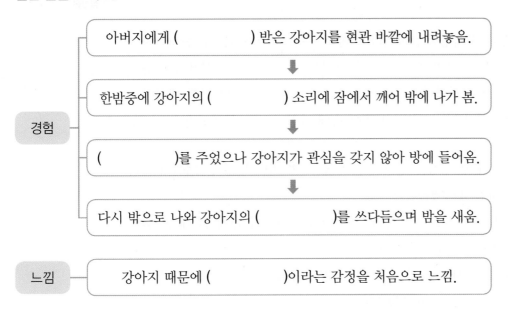

경험

아버지에게 (　　　　　) 받은 강아지를 현관 바깥에 내려놓음.

↓

한밤중에 강아지의 (　　　　　) 소리에 잠에서 깨어 밖에 나가 봄.

↓

(　　　　　)를 주었으나 강아지가 관심을 갖지 않아 방에 들어옴.

↓

다시 밖으로 나와 강아지의 (　　　　　)를 쓰다듬으며 밤을 새움.

느낌

강아지 때문에 (　　　　　)이라는 감정을 처음으로 느낌.

내용 이해   세부 내용 파악하기

2 다음 중 이 글의 내용으로 적절하지 <u>않은</u> 것은 무엇입니까? (　　　　)

① 강아지는 내가 건넨 백설기에는 아무런 반응을 보이지 않았다.

② '나'는 오줌을 누기 위해 일어났다가 강아지의 울음소리를 들었다.

③ '나'는 강아지가 불쌍해서 밤새 강아지의 머리를 쓰다듬어 주었다.

④ 아버지는 강아지를 데려오기 이전에 '나'에게 선물을 준 적이 없다.

⑤ '나'는 아버지께서 특별히 나를 위해 강아지를 데려온 것은 아니라고 생각했다.

내용 이해   비유적 표현 이해하기

3 ㉠~㉤ 중 가리키는 대상이 <u>다른</u> 것은 무엇입니까? (　　　　)

① ㉠　　　　　② ㉡　　　　　③ ㉢

④ ㉣　　　　　⑤ ㉤

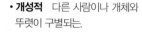

감상 이론을 바탕으로 감상하기

4 다음 보기 에 나타난 선생님의 물음에 대한 답으로 가장 알맞은 것은 무엇입니까?

( )

어휘
• **개성적** 다른 사람이나 개체와 뚜렷이 구별되는.
• **참신한** 새롭고 산뜻한

보기

> 선생님: 수필은 흔히 **개성적** 문학이라고 해요. 수필은 글쓴이만의 독특한 시각으로 바라본 일상의 경험에 대한 느낌을 개성적이고 **참신한** 표현을 통해 효과적으로 전달하기 때문이죠. 「선물」에는 글쓴이의 어떤 개성적인 표현이 있었나요? 그리고 그 표현 속에 담긴 의미는 무엇인가요?

① 강아지에 대한 '나'의 애정을 강조하기 위해 '아껴 먹다 남겨 둔 백설기'라며 백설기를 사람처럼 표현했습니다.

② 아버지가 무뚝뚝한 성격을 지녔음을 '아버지가 강아지를 내게 줄 때 술 냄새가 났다'고 직접적으로 표현했습니다.

③ 강아지를 선물로 준 사실을 잊은 아버지의 무심함을 강조하기 위해 아버지가 '천둥 치듯 코를 골았다'고 표현했습니다.

④ 강아지를 선물로 받은 나의 기쁜 심정에 대하여 '강아지를 선물로 생각하지 않았다'고 속마음과 반대로 표현했습니다.

⑤ 강아지를 만나고 나서 자신의 마음에 생긴 연민이라는 감정을 '강아지가 자신에게 준 선물'이라고 빗대어 표현했습니다.

어휘·어법 문맥에 맞는 단어

5 다음 보기 를 참고할 때, ㉮에 공통적으로 들어갈 말로 적절한 것은 무엇입니까?

( )

어휘·어법 TIP
• **관심** 어떤 것에 마음이 끌려 주의를 기울임. 또는 그런 마음이나 주의.
• **무심** 감정이나 생각하는 마음이 없음.
• **변심** 마음이 변함.
• **선심** 선량한 마음.
• **야심** 무엇을 이루어 보겠다고 마음속에 품고 있는 욕망이나 소망.

보기

> 강아지는 '나'가 자기의 머리를 쓰다듬어 주자 울음을 그쳤고, 쓰다듬어 주는 행위를 멈추자 즉시 울기 시작했다.

① 관심(觀心)　　② 무심(無心)　　③ 변심(變心)

④ 선심(善心)　　⑤ 야심(野心)

어휘력 완성

정답 및 풀이 25쪽

1 낱말 이해 낱말 관계 낱말 적용 관용 표현

다음 그림을 보고 ㉠과 ㉡에 들어갈 알맞은 낱말을 보기 에서 찾아 각각 쓰시오.

> **보기**
>
> 가족   가축   묘한   교묘한

우리 농장에서 기르는 ㉠(   )인 닭이 알을 낳았어. 내가 요리를 해 보았지. 맛이 어떤가?

음, 이건 맛이 있는 것도 아니고 없는 것도 아니야. 굉장히 ㉡(   ) 맛이 나는구나.

2 낱말 이해 낱말 관계 낱말 적용 관용 표현

다음 선생님의 설명을 참고할 때, '준말'이 사용된 문장으로 알맞지 <u>않은</u> 것은 무엇입니까? (   )

> 선생님: '그건'은 '그것은'의 준말이에요. 우리말에는 이처럼 줄어든 말이 많이 있는데, '그게'는 '그것이'에서 받침 'ㅅ'이 사라지면서 만들어진 말이죠.

① 지금 무얼 하니?   ② 이건 어디에 두지?

③ 아니, 저게 누구야?   ④ 어서 가게 해 주세요.

⑤ 요게 무엇인지 모르겠어.

3 낱말 이해 낱말 관계 낱말 적용 관용 표현

다음 빈칸에 들어갈 낱말로 가장 알맞은 것은 무엇입니까? (   )

> 이 글에서 '나'는 그동안 어른들의 관심과 애정 속에서 자라 온 어린아이이다. 그런 '나'가 자신보다 연약하고 보호가 필요한 강아지를 만나고, 다른 대상을 연민할 줄 알게 된다. 결국 이 글에서 '강아지'는 어린 '나'를 조금은 어른스럽게 □□□ 할 수 있도록 만들어 준 중요한 '선물'인 것이다.

① 발육(發育)   ② 번성(蕃盛)   ③ 생장(生長)

④ 성장(成長)   ⑤ 방생(放生)

어휘력 +

- **발육** 생물체가 자라남을 의미하는 말로, 주로 육체적인 성장을 가리킴.
- **번성** 한창 성하게 일어나 퍼짐을 의미하는 말로, 일이 잘 풀리는 상황에 주로 쓰임.
- **생장** 나서 자라는 과정을 의미하는 말이지만, 정신적·정서적 발전에는 쓰이지 않음.
- **성장** 사람이나 동식물 등이 자라서 점점 커짐.
- **방생** 사람에게 잡힌 생물을 놓아주는 일.

트럭 아저씨

박완서

• 지문 해설

• 지문 난이도: 중
●━━●━━━●
• 글자 수: 1312자
━━━━━━●━━━
800   1500

마당이 있는 집에 산다고 하면 다들 채소를 심어 먹을 수 있어서 좋겠다고 부러워한다. 나도 첫해에는 열무하고 고추를 심었다. 그러나 매일 하루 두 번씩 오는 채소 장수 아저씨가 단골이 되면서 채소 농사가 시들해졌고 작년부터는 아예 안 하게 되었다. 트럭에다 각종 야채와 과일을 싣고 다니는 순박하고 건강한 아저씨는 싱싱한 채소를 아주 싸게 판다. 멀리서 그 아저씨가 트럭에 싣고 온 온갖 채소 이름을 외치는 소리가 들리면 뭐라도 좀 팔아 주어야 할 것 같아서 마음보다 먼저 엉덩이가 들썩들썩한다. 그를 기다렸다가 뭐라도 팔아 주고 싶어 하는 내 마음을 아는지 아저씨도 ⟨ ㉮ ⟩. 너무 많이 줘서, "왜 이렇게 싸요?" 소리가 절로 나올 때도 있다. 그러면 아저씨는 물건을 사면서 싸다고 하는 사람은 처음 봤다고 웃는다. 내가 싸다는 건 딴 물가에 비해 그렇단 소리지 얼마가 적당한 값인지 알고 하는 소리는 물론 아니다.

(중략)

일요일은 꼬박꼬박 쉬지만 평일에는 하루도 장사를 거른 적이 없는 아저씨가 지난여름엔 일주일 넘어 안 나타난 적이 있는데, 소문에 의하면 해외여행을 갔다는 것이었다. 그것도 여비가 많이 드는 남미 어디라나? 그런 말을 퍼뜨린 이는 조금은 아니꼽다는 투로 말했지만, ㉠그 아저씨야말로 마땅히 휴가를 즐길 자격이 있는 적격자가 아니었을까?

트럭 아저씨는 나를 쭉 할머니라 불렀는데, 어느 날 새삼스럽게 존경스러운 눈으로 바라보면서 선생님이라고 부르기 시작했다. 나는 내가 작가라는 걸 알아보는 사람을 만나면 무조건 피하고 싶은 괴상한 버릇이 있는데, 그에게 직업이 탄로 난 건 싫지가 않았다. 순박한 표정에 곧이곧대로 나타난 존경과 애정을 뉘라서 거부할 수 있겠는가. 내 책을 읽은 게 아니라 텔레비전에 나온 걸 보았다고 했다. 책을 읽을 새가 있느냐고 했더니, "웬걸요, 신문 읽을 새도 없어요."라고 하면서 수줍은 듯 미안한 듯, 어려서 '저 하늘에도 슬픔이'를 읽고 외로움을 달래고, 살아가면서 많은 힘을 얻은 얘기를 했다. 그러니까 그의 글 쓰는 사람에 대한 존경심은 '저 하늘에도 슬픔이'에서 비롯된 것이었다.

나는 그 책을 읽지는 못했지만 아주 오래전에 영화화된 것을 비디오로 본 적이 있어서 그럭저럭 맞장구를 칠 수가 있었다. 아저씨는 마지막으로 선생님도 '저 하늘에도 슬픔이' 같은 걸작을 쓰시길 바란다는 당부 겸 덕담까지 했다.

어렸을 적에 읽은 그 한 권의 책으로 험하고 고단한 일로 일관해 온 중년 사내의 얼굴이 그렇게 부드럽고 늠름하게 빛날 수 있는 거라면 그 책은 걸작임에 틀림이 없으리라. 그의 덕담을 고맙게 간직하기로 했다.

• 순박(淳 순박할 순, 朴 순박할 박)하고 거짓이나 꾸밈이 없이 순수하며 인정이 두텁고.

• 여비(旅 나그네 여, 費 쓸 비) 여행하는 데에 드는 비용.

• 적격자(適 갈 적, 格 격식 격, 者 놈 자) 어떤 일에 알맞은 자격을 지닌 사람.

• 괴상(怪 기이할 괴. 常 항상 상)한 보통과 달리 괴이하고 이상한.

• 『저 하늘에도 슬픔이』 이윤복(1951~1990)이 초등학교 4학년 때 쓴 일기를 1964년에 책으로 출판한 것. 가난한 환경 속에서도 정직한 마음을 잃지 않는 소년 가장의 이야기.

• 걸작(傑 뛰어날 걸, 作 지을 작) 매우 훌륭한 작품.

• 덕담(德 덕 덕, 談 말씀 담) 남이 잘되기를 비는 말. 주로 새해에 많이 나누는 말.

핵심 요약 TIP

이 글은 글쓴이가 본인이 경험한 일을 쓴 수필입니다. 따라서 이 글에는 글쓴이의 경험과 생각이 담겨 있습니다. 글쓴이가 트럭 아저씨의 어떤 점을 눈여겨보았는지, 또 그런 점을 통해 트럭 아저씨를 어떻게 생각하게 되었는지 등을 정리해 봅니다.

핵심 요약 주요 내용 정리하기

1 다음은 '트럭 아저씨'에 대한 글쓴이의 생각을 중심으로 이 글을 정리한 것입니다. 빈칸에 들어갈 알맞은 말을 쓰시오.

트럭 아저씨에 대한 글쓴이의 생각	글쓴이의 태도
트럭 아저씨는 싱싱한 ( )를 싸게 판다고 생각함.	트럭 아저씨에 대한 따뜻한 애정
트럭 아저씨는 해외여행을 즐길 ( )이 있다고 생각함.	
트럭 아저씨가 건넨 ( )을 간직하기로 함.	

내용 이해 세부 내용 파악하기

2 이 글의 내용으로 적절하지 <u>않은</u> 것은 무엇입니까? (   )

① '나'는 트럭 아저씨의 채소가 싸고 싱싱하다고 생각했다.
② '나'는 채소 농사가 힘들어 트럭 아저씨의 단골이 되었다.
③ 트럭 아저씨가 어릴 때 읽었던 책은 그가 살아갈 힘을 주었다.
④ 트럭 아저씨는 '나'의 직업을 알게 된 뒤 '나'를 다르게 불렀다.
⑤ 트럭 아저씨는 신문 읽을 시간조차 없을 정도로 바쁘게 일한다.

내용 이해 인물의 심리 파악하기

3 글쓴이가 ㉠과 같이 생각한 이유로 알맞은 것은 무엇입니까? (   )

① 트럭 아저씨가 자신에게 덕담을 건넸기 때문에
② 트럭 아저씨는 누구보다 성실하게 일했기 때문에
③ 트럭 아저씨는 직접 기른 채소를 가져다주었기 때문에
④ 트럭 아저씨가 자신이 작가임을 알아봐 주었기 때문에
⑤ 트럭 아저씨의 직업은 다른 사람들이 하기 싫어하는 일이기 때문에

4 감상 이론을 바탕으로 감상하기

다음 보기 를 참고하여 이 글을 감상한 내용으로 적절하지 <u>않은</u> 것은 무엇입니까?

( )

어휘
• **소소한** 작고 대수롭지 아니한.

> **보기**
>
> 「트럭 아저씨」에서 글쓴이는 일상의 소소한 경험을 통해 행복을 느끼고 주변 사람에 대한 따스한 시선을 보이고 있다. 이 글을 통해 글쓴이의 소박한 삶의 태도와 겸손한 삶의 자세를 엿볼 수 있다.

① 트럭 아저씨가 자신에게 해 준 말을 덕담으로 잘 간직하겠다는 글쓴이의 생각에서 겸손한 삶의 자세가 드러나는군.

② 주변에서 흔히 볼 수 있는 채소 장수 아저씨를 소재로 하여 일상적인 경험을 다루는 수필의 성격을 확인할 수 있군.

③ 트럭 아저씨를 '순박하고 건강한 아저씨'라고 표현한 것에서 트럭 아저씨에 대한 글쓴이의 따스한 시선이 느껴지는군.

④ 트럭 아저씨에게 자신의 직업이 탄로 난 걸 부담스러워하는 모습에서 화려한 삶을 추구하는 글쓴이의 태도가 드러나는군.

⑤ 트럭 아저씨에게 싱싱한 채소를 싸게 사 먹는 이야기를 통해 소소한 일상에서 행복을 느끼는 글쓴이의 모습을 확인할 수 있군.

5 어휘·어법 관용 표현

다음 중 ㉮에 들어갈 표현으로 적절한 것은 무엇입니까? ( )

① 손이 뜨다
② 손이 맵다
③ 손이 비다
④ 손이 재다
⑤ 손이 크다

어휘 · 어법 **TIP**

• **손이 뜨다** '일하는 동작이 매우 굼뜨다.'라는 뜻임.

• **손이 맵다** '손으로 슬쩍 때려도 몹시 아프다.', '일하는 것이 빈틈없고 매우 야무지다.'라는 뜻임.

• **손이 비다** '할 일이 없어 아무 일도 하지 아니하고 있다.'라는 뜻임.

• **손이 재다** '일 처리가 빠르다.'라는 뜻임.

• **손이 크다** '씀씀이가 후하고 크다.'라는 뜻임.

낱말 이해 낱말 관계 낱말 적용 관용 표현

1 다음 그림을 보고, ㉠과 ㉡에 들어갈 알맞은 낱말을 보기 에서 찾아 각각 쓰시오.

보기

고비   여비   농담   덕담   악담

여행 조심히 잘 다녀오거라. 더 많은 것을 배워 오려무나.

여행 잘 다녀오라는 ㉡(   )을/를 해 주시는 것도 감사한데 용돈까지 주시다니요. 건강히 다녀올게요.

이 돈은 얼마 안 되지만 ㉠(   )(으)로 쓰렴.

낱말 이해 낱말 관계 낱말 적용 관용 표현

2 다음 낱말의 뜻으로 알맞은 것을 찾아 각각 선으로 이으시오.

(1) 걸작 •   • ㉮ 매우 훌륭한 작품.

(2) 순박하다 •   • ㉯ 보통과 달리 괴이하고 이상하다.

(3) 괴상하다 •   • ㉰ 거짓이나 꾸밈이 없이 순수하고 인정이 두텁다.

낱말 이해 낱말 관계 낱말 적용 관용 표현

3 다음 선생님의 설명 중 빈칸에 들어갈 알맞은 말은 무엇입니까? (   )

선생님: 「트럭 아저씨」에서 글쓴이는 트럭 아저씨에게 물건을 왜 이렇게 싸게 파냐고 물었어요. 그러자 아저씨는 물건을 사면서 싸다고 하는 사람은 처음 봤다고 말하며 웃었지요. 이렇게 무엇인가 서로 뒤바뀐 상황을 의미하는 한자성어로는 ☐☐☐☐이/가 있어요.

① 막상막하(莫上莫下)   ② 선견지명(先見之明)

③ 근묵자흑(近墨者黑)   ④ 설상가상(雪上加霜)

⑤ 주객전도(主客顚倒)

어휘력 ➕

• **막상막하** 더 낫고 더 못함의 차이가 거의 없음.

• **선견지명** 어떤 일이 일어나기 전에 미리 앞을 내다보고 아는 지혜.

• **근묵자흑** 먹을 가까이하는 사람은 검어진다는 뜻으로, 나쁜 사람과 가까이 지내면 나쁜 버릇에 물들기 쉬움을 비유적으로 이르는 말.

• **설상가상** 눈 위에 서리가 덮인다는 뜻으로, 난처한 일이나 불행한 일이 잇따라 일어남을 이르는 말.

• **주객전도** 주인과 손님의 위치가 서로 뒤바뀐다는 뜻으로, 무엇인가 서로 뒤바뀐 상황을 뜻하는 말.

들판에서

이강백

이 희곡은 형제 간의 갈등을 통해 남북 분단이라는 우리나라의 현실을 돌아보게 하는 작품입니다. 들판은 우리나라 국토를, 우애 있던 형제는 남한과 북한을, 측량 기사는 우리나라의 분단을 조장한 미국과 소련 등의 외세를 의미합니다.

빌헬름 텔

실러 / 강두식 옮김

이 희곡은 13세기 말의 스위스를 배경으로 태수의 폭정과 이에 맞서는 마을 사람들의 저항을 그리고 있는 작품입니다. 오스트리아 왕가로부터 지배를 받고 있는 스위스 민중의 투쟁을 전설적인 명사수 텔의 영웅적인 이야기를 통해 펼치고 있습니다.

희곡
(시나리오)

'희곡'은 연극을, '시나리오'는 영화를 만들기 위하여 대사를 중심으로 쓴 문학입니다.

말아톤

윤진호 외

이 시나리오는 다섯 살 지능을 가진 20세의 자폐증 청년이 세상과 좌충우돌하며 마라톤을 완주하기까지의 과정을 유쾌하게 그린 작품입니다. 장애를 가진 주인공이 성장하는 과정에서 드러나는 훈훈한 가족애가 독자들에게 성찰의 기회와 감동을 줍니다.

들판에서

이강백

- 지문 해설

- 지문 난이도: 중

- 글자 수: 1234자
  800   1500

ⓐ등장인물: 형, 아우, 측량 기사, 조수들, 사람들
ⓑ장소: 들판

　무대 위쪽에 들판의 풍경을 그린 커다란 걸개그림이 걸려 있다. 샛노란 민들레꽃, 빨간 양철 지붕의 집, 한가롭게 풀을 뜯는 젖소들이 동화책의 아름다운 그림을 연상시킨다.

　막이 오른다. 형과 아우, 들판에서 그림을 그리고 있다. 형은 무대의 오른쪽에서, 아우는 왼쪽에서 수채화를 그린다. 둘 다 즐거운 표정으로 휘파람을 불거나 노래를 부른다. 형, 아우에게 다가가서 그림을 바라본다.

형: 야, 멋진데! 아주 멋지게 그렸어! / 아우: 경치가 좋으니까 그림이 잘 그려져요.
ⓒ형: 넌 정말 솜씨가 훌륭해! / 아우: 형님 솜씨가 더 훌륭하죠.
형: 아냐, 난 너만큼 잘 그리지 못하는걸.
아우: ⓓ(형의 그림이 있는 곳으로 다가가서 감탄한다.) 형님 그림이 훨씬 멋있어요!

[중간 줄거리] 평화로운 들판에 갑자기 나타난 측량 기사와 조수들이 말뚝을 박고 밧줄을 친다. 밧줄을 사이에 두고 줄넘기 놀이를 하던 형제는 측량 기사의 이간질로 점점 대립하게 된다.

　측량 기사와 조수들, 등장한다.

측량 기사: 어떻습니까, 우리 실력이? 양쪽으로 정확하게 나눠 놓은 측량 솜씨에 놀라셨을 겁니다. (조수들을 칭찬한다.) 자네들, 참 잘했어. 아주 능숙한 솜씨야!
조수들: 고맙습니다, 칭찬해 주셔서. / 조수 1: 사실 우린 이런 일을 여러 번 했거든요.
조수 2: ⓔ측량을 한 다음엔 땅을 빼앗았죠. 아주 교묘한 방법으로요.
측량 기사: 쉿, 입조심해! / 조수들: 네, 알겠습니다.
측량 기사: (먼저, 형에게 다가가서 묻는다.) 측량을 끝냈으니 다음엔 무슨 일을 할까요?
형: 그걸 왜 나에게 묻죠?
측량 기사: 일을 정확히 하기 위해서죠. 처음 약속대로 말뚝과 밧줄을 치워 드릴까요?
형: 아니, 그냥 둬요.
측량 기사: (동생에게 넘어가서 묻는다.) 어떻게 할까요? ㉮당신 형님은 말뚝과 밧줄을 그냥 두라는데요?
아우: 밧줄은 약해요. 더 튼튼한 건 없어요? / 측량 기사: 더 튼튼한 거라면⋯⋯.
아우: 젖소들이 넘어가지 못할 만큼 튼튼한 것이 필요해요.
측량 기사: 그거야 철조망도 있고, 높다란 벽도 있죠.
형: (아우를 향하여 꾸짖는다.) 너, 지금 무슨 짓을 하려는 거냐?
아우: 형님은 내 일에 상관하지 마세요! (측량 기사에게) 철조망보다는 벽이 좋겠어요. (손을 머리 위로 높이 들어 올리며) 이 정도 높은 벽을 쌓아 올리면 아무것도 넘어오지 못하겠죠! / 형: 뭐, 높은 벽? 너와 나 사이를 완전히 가로막겠다고?

- **측량**(測 잴 측, 量 헤아릴 량)　지형의 높낮이, 면적 등을 재는 일.

- **걸개그림**　건물의 벽 등에 걸 수 있도록 그린 그림. 여기에서는 무대 중앙에 걸어 놓은 그림.

- **막**(幕 막 막)　칸을 막거나 어떤 곳을 가리기도 하는, 천으로 된 물건. 주로 무대 앞을 가리는 데 쓰임.

- **이간질**　두 사람이나 나라 등의 중간에서 서로를 멀어지게 하는 일을 낮잡아 이르는 말.

- **교묘한**　솜씨나 재주 등이 재치 있게 약삭빠르고 묘함.

- **입조심**　소문이 나거나, 일이 잘못되지 아니하게 입을 조심하는 일.

- **높다란**　썩 높은.

정답 및 풀이 27쪽

핵심 요약 TIP

이 글에서 형과 아우의 관계가 변하게 되는 원인과 서로 간의 갈등이 깊어져 가는 과정을 파악하여 순서대로 정리해 봅니다.

1 핵심 요약 사건의 흐름 정리하기

다음은 이 글에서 벌어진 사건을 시간의 흐름에 따라 정리한 것입니다. 빈칸에 들어갈 적절한 말을 각각 쓰시오.

> 형과 아우가 서로의 (   )을 칭찬하며 우애 있게 지냄.

⬇

> 측량 기사가 (   )을 친 후, 형제에게 이간질을 하여 형과 아우가 점점 갈등하게 됨.

⬇

> 측량 기사의 속셈이 드러나지만, 형제의 갈등은 깊어져 밧줄을 치우고 (   )을 쌓기를 원하게 됨.

2 내용 이해 세부 내용 파악하기

다음 중 이 글의 내용으로 적절한 것은 무엇입니까? (   )

① 형과 동생은 서로의 그림 실력에 대해 은근한 질투를 표현한다.
② 측량 기사의 속셈은 결국 측량 기사의 말을 통해 드러나게 된다.
③ 측량 기사와 조수들은 이전에도 다른 사람의 땅을 뺏은 적이 있다.
④ 측량 기사는 형과 아우가 해야 할 구체적 계획을 분명히 제시한다.
⑤ 무대에 등장한 꽃과 젖소를 통해 평화로운 들판의 모습을 보여 준다.

3 내용 이해 인물의 심리 파악하기

다음 중 측량 기사가 ㉮와 같이 말한 이유로 가장 적절한 것은 무엇입니까? (   )

① 형과는 다른 색다른 대답을 유도하기 위해서
② 형제가 공통으로 원하는 것을 파악하기 위해서
③ 형제 사이를 이간질하여 갈등을 부추기기 위해서
④ 형과 동생이 더 이상 대립하지 않도록 돕기 위해서
⑤ 동생의 계획을 알려 줌으로써 형에게 도움을 주기 위해

어휘
• **색다른** 동일한 종류에 속하는 보통의 것과 다른 특색이 있는.
• **유도하기** 사람이나 물건을 목적한 장소나 방향으로 이끌기.

감상 이론을 바탕으로 감상하기

④ 다음 보기를 참고할 때, ㄱ∼ㅁ에 대한 설명으로 적절하지 <u>않은</u> 것을 두 가지 고르시오. (   )

> **보기**
>
> 연극의 대본인 희곡은 '해설', '지문', '대사'의 3요소로 이루어져 있다. 이 중 '해설'은 희곡의 첫 부분에 주로 등장하는 것으로 등장인물과 시간적·공간적 배경을 제시하는 부분이다. 다음으로 '지문'은 괄호를 이용하여 인물의 행동이나 표정을 설명하는 부분이다. 마지막으로 '대사'는 인물의 말로, 주로 인물들 사이에서 주고받는 대화와 배우가 무대 위에 혼자 등장해서 말하는 독백 등으로 나뉜다.

① ㄱ: '해설'에 해당하는 부분으로 연극에 등장하는 인물들을 소개하고 있군.

② ㄴ: '해설'에 해당하는 부분으로 연극의 공간적 배경이 '들판'임을 제시하고 있군.

③ ㄷ: '지문'에 해당하는 부분으로 인물들 사이의 갈등 양상을 보여 주고 있군.

④ ㄹ: '지문'에 해당하는 부분으로 인물의 행동과 태도를 독자들에게 전달하고 있군.

⑤ ㅁ: '대사'에 해당하는 부분으로 다른 인물은 들어서는 안 되는 '독백'에 해당하는군.

어휘·어법 한자성어

5 다음 보기에서 밑줄 친 부분의 상황에 어울리는 한자성어로 적절한 것은 무엇입니까? (   )

> **보기**
>
> 「들판에서」의 들판은 우리 국토를, 형과 아우는 남과 북의 우리 민족을 의미한다. 외세를 상징하는 측량 기사의 이간질로 <u>형제끼리 서로 총을 겨누고 대립하기까지 하지만</u> 결국은 잘못을 뉘우치고 화해하는 것으로 끝난다.

① 고군분투(孤軍奮鬪)

② 난형난제(難兄難弟)

③ 막상막하(莫上莫下)

④ 동병상련(同病相憐)

⑤ 동족상잔(同族相殘)

어휘

• **독백** 혼자서 중얼거림. 연극에서는 배우가 상대역 없이 혼자 말하는 행위. 또는 그런 대사를 말함. 관객에게 인물의 심리 상태를 전달하는 데 효과적임.

어휘 · 어법 TIP

• **고군분투** 따로 떨어져 도움을 받지 못하게 된 군사가 많은 수의 적군과 용감하게 잘 싸움.

• **난형난제** 누구를 형이라 하고 누구를 아우라 하기 어렵다는 뜻으로, 두 사물이 비슷하여 낫고 못함을 정하기 어려움을 이르는 말.

• **막상막하** 더 낫고 더 못함의 차이가 거의 없음.

• **동병상련** 같은 병을 앓는 사람끼리 서로 가엾게 여긴다는 뜻으로, 어려운 처지에 있는 사람끼리 서로 가엾게 여김을 이르는 말.

• **동족상잔** 같은 겨레끼리 서로 싸우고 죽임.

1 낱말 이해 | 낱말 관계 | 낱말 적용 | 관용 표현

다음 그림을 보고, ㉠과 ㉡에 들어갈 알맞은 낱말을 보기 에서 찾아 각각 쓰시오.

보기

| 교만 | 교묘 | 교란 | 이간질 | 가늠질 |

윤서야, 내 말 좀 들어 봐. 이건 누군가 우리 사이를 갈라놓으려고 세운 ㉠(   )한 계획인 것 같아.

무슨 소리야? 누가 우리 사이를 ㉡(   ) (이)라도 하고 있다는 거야?

2 낱말 이해 | 낱말 관계 | 낱말 적용 | 관용 표현

다음 밑줄 친 부분의 예로 알맞은 것은 무엇입니까? (   )

선생님: 어떤 낱말에 '-다랗다'를 결합해서 그 의미를 더 강조하는 말들이 있어요. '높다'에서 나온 '높다랗다'처럼요. 그런데 이렇게 결합할 때 <u>어떤 단어의 경우 원래 말의 형태가 달라지기도 해요.</u> '길다'에서 나온 '기다랗다'가 그와 같은 예에요. '길다'에서 'ㄹ'이 사라지니까요.

① 작다랗다   ② 좁다랗다   ③ 굵다랗다
④ 두껍다랗다   ⑤ 가느다랗다

3 낱말 이해 | 낱말 관계 | 낱말 적용 | 관용 표현

다음 측량 기사의 태도에 어울리는 한자성어로 알맞은 것은 무엇입니까? (   )

측량 기사: 어떻습니까, 우리 실력이? 양쪽으로 정확하게 나눠 놓은 측량 솜씨에 놀라셨을 겁니다.

① 안하무인(眼下無人)   ② 자화자찬(自畵自讚)
③ 아전인수(我田引水)   ④ 자업자득(自業自得)
⑤ 타산지석(他山之石)

어휘력 ➕

• **안하무인** 눈 아래에 사람이 없다는 뜻으로, 방자하고 교만하여 다른 사람을 업신여김을 이르는 말.

• **자화자찬** 자기가 그린 그림을 스스로 칭찬한다는 뜻으로, 자기가 한 일을 스스로 자랑함을 이르는 말.

• **아전인수** 자기 논에 물 대기라는 뜻으로, 자기에게만 이롭게 되도록 생각하거나 행동함을 이르는 말.

• **자업자득** 자기가 저지른 일의 결과를 자기가 받음.

• **타산지석** 다른 산의 나쁜 돌이라도 자신의 산의 옥돌을 가는 데에 쓸 수 있다는 뜻으로, 본이 되지 않은 남의 말이나 행동도 자신의 지식과 인격을 수양하는 데에 도움이 될 수 있음을 비유적으로 이르는 말.

빌헬름 텔

실러 / 강두식 옮김

• 지문 해설

• 지문 난이도: 중
●●●○○

• 글자 수: 1292자
○──○──●──○
800   1500

[중간 줄거리] 오스트리아의 지배를 받고 있는 스위스의 마을. 태수인 게슬러는 모자 하나를 막대기 위에 걸어 두고 주민들에게 절을 하도록 명령한다. 명사수 빌헬름 텔이 아들 발터와 아무 생각 없이 지나가다 체포되고, 태수는 텔에게 아들의 머리 위에 사과를 놓고 쏘아 맞히면 용서해 주겠다고 말한다. 텔은 태수의 부당한 명령을 거부하다가 끝내 활을 쏘게 된다.

㉮ 여러 사람의 목소리: 사과에 맞았다! (발터 퓌르스트, 비틀거리며 쓰러지려고 한다. 베르타가 붙잡는다.)

게슬러: (㉠   ) 뭣이, 활을 쐈다고? 저 미친놈이!

베르타: 저 애는 살아 있군요! 여보시오, 정신 차리시오!

발터: (사과를 들고 뛰어온다.) 아버지, 이것 보세요. 사과, 여기 있어요! 저는 다 알고 있었어요. 아버지 화살은 내 몸에는 절대로 맞지 않아요!

　텔, 쏜 화살을 쫓는 듯이 몸을 앞으로 꾸부리고 있다. ── 활이 손에서 떨어진다. 뛰어오는 아들을 보자, 두 팔을 벌리고 격정적으로 품에 껴안고는 힘없이 땅바닥에 쓰러진다. (중략)

게슬러: 사실이군! 사과의 한가운데를 뚫었군! 훌륭한 솜씨다. 칭찬하지 않을 수 없는걸. / 뢰셀만: 훌륭한 솜씨였어. 하지만, 텔을 강요해서 하느님을 시험하게 한 그 사람은 저주를 받아야 해!

슈타우프파허: 정신 차리게, 텔. 일어나게. 자넨 사나이답게 스스로 문제를 해결했어. 이젠 떳떳하게 집으로 돌아갈 수 있게 되었어.

뢰셀만: 자아, 가세. 아들을 그 어미한테 돌려줘야지! (일동, 텔을 데리고 가려 한다.)

게슬러: 텔, 들어라! / 텔: (되돌아온다.) 무슨 말씀인가요?

게슬러: 네놈은 아직도 화살 하나를 허리에 찌른 채로 있다. ── 암, 암, 나는 잘 봐 뒀지. ── 그건 뭣 때문이었지?

텔: (㉡   ) 나으리, 이것은 활을 쏠 때의 제 습관입니다.

게슬러: 아닐걸, 텔. 그런 대답은 안 통해. 딴 흑심이 있어서였지? 빨리 털어놓지 못할까, 텔? 무슨 말을 해도 목숨만은 살려 줄 것이다. 화살 하나는 뭣 때문이지?

텔: 좋습니다. 저의 목숨을 보장하셨으니 말씀드리죠. (텔은 화살을 허리춤에서 뽑고, 무서운 눈초리로 태수를 노려본다.) 만일 제 자식놈을 쐈을 경우, 이 화살로 나으리의 가슴을 꿰뚫을 생각이었습니다. 사실입죠. 절대로 빗나가지 않았을 겁니다.

게슬러: 좋다, 텔! 목숨만은 살려 주지. 내가 한 말이니 내가 지키겠다. 하지만, 네놈의 그런 악독한 심보를 안 이상, 네놈을 끌고 가서 달빛도 햇빛도 들지 않는 감옥에다 가둬 두지 않고서는, 네놈의 화살에 내가 마음을 놓을 수가 없다. 얘들아, 이놈을 잡아서 어서 묶어라! (텔이 묶인다.)

• 태수(太 클 태, 守 지킬 수)
예전에, 주(州)·부(府)·군(郡)·현(縣)의 행정 책임을 맡았던 으뜸 벼슬.

• 명사수(名 이름 명, 射 쏠 사, 手 손 수) 총이나 활을 잘 쏘아 이름난 사수.

• 부당(不 아닐 불, 當 마땅할 당)한 이치에 맞지 아니한.

• 격정적(激 과격할 격, 情 뜻 정, 的 과녁 적) 감정이 강렬하고 갑작스러워 누르기 어려운 것.

• 일동(一 하나 일, 同 같을 동) 어떤 단체나 모임의 모든 사람.

• 흑심(黑 검을 흑, 心 마음 심) 음흉하고 부정한 욕심이 많은 마음.

• 악독(惡 악할 악, 毒 독 독)한 마음이 흉악하고 독한.

• 심보 마음을 쓰는 속 바탕.

핵심 요약 사건의 흐름 정리하기

1 다음은 이 글에서 벌어진 중요 사건을 정리한 것입니다. 빈칸에 들어갈 적절한 말을 각각 쓰시오.

핵심 요약 TIP

이 글에 나타난 사건의 전개 과정을 순서대로 떠올려 보고, 각 과정에서 가장 중요한 의미를 지니는 소재가 무엇인지 찾아 정리해 봅니다.

태수가 (   )에 절을 하지 않은 텔에게 부당한 명령을 내림.

⬇

화살을 쏘아 (   )를 정확히 맞힌 텔은 아들을 껴안고 쓰러짐.

⬇

집으로 가려는 텔에게, 태수는 (   ) 하나를 허리에 찌른 채로 있었던 이유를 질책함.

⬇

태수는 이유를 밝힌 텔을 (   )에 가둬 둘 것임을 선언함.

내용 이해 세부 내용 파악하기

2 다음 중 이 글의 내용으로 적절하지 <u>않은</u> 것은 무엇입니까? (   )

① 텔은 아들 발터의 무사한 모습을 보고 긴장이 풀려 쓰러졌다.

② 마을 사람들은 태수가 자신의 말을 지키지 않을 것으로 생각했다.

③ 태수는 자신이 텔을 감옥에 가두려는 이유를 솔직하게 이야기했다.

④ 아들 발터는 아버지 텔의 활 쏘는 실력에 대한 분명한 믿음이 있었다.

⑤ 텔은 태수가 화살을 허리에 찔러 둔 이유를 묻자 처음에는 거짓말을 했다.

내용 이해 인물의 심리 파악하기

3 ㉠과 ㉡에 들어갈 지문으로 가장 적절한 것은 무엇입니까? (   )

	㉠	㉡
①	놀라며	화를 내며
②	놀라며	당황하며
③	기뻐하며	당황하며
④	기뻐하며	비웃으며
⑤	화를 내며	비웃으며

감상 이론을 바탕으로 감상하기

다음 보기를 참고할 때, 이 글에 대한 설명으로 적절하지 <u>않은</u> 것은 무엇입니까?

( )

보기

　희곡은 소설과 마찬가지로 작가가 꾸며 낸 이야기이며 인물들이 일으키는 갈등을 중심으로 사건이 전개된다. 그러나 소설과의 차이점은 서술자가 존재하지 않는다는 점이다. 소설에서는 인물의 대화와 행동만이 아니라 서술자의 설명을 통해서도 인물의 성격과 심리가 전달된다. 그러나 희곡의 경우 오직 등장인물의 대사와 행동으로만 내용이 전달된다. 그리고 상황을 과거형으로 서술하는 소설과 달리 희곡은 모든 사건이 현재형으로 나타난다.

① 주인공과 다른 인물 사이의 갈등을 중심으로 사건이 전개되는 것은 소설과의 공통점으로 볼 수 있겠군.

② '(무서운 눈초리로 태수를 노려본다.)'와 같이 행동을 통해 심리를 드러내는 것은 서술자가 없기 때문이겠군.

③ "칭찬하지 않을 수 없는걸."과 같은 대사를 통해 심리를 제시하는 것은 소설과는 다른 희곡만의 특징이겠군.

④ '활이 손에서 떨어진다.'와 같은 부분은 소설에서는 '활이 손에서 떨어졌다.'와 같이 서술자에 의해 서술될 수 있겠군.

⑤ 스위스가 오스트리아의 지배를 받은 것은 역사적 사실이지만, 이 글에서 전개되는 사건과 대사는 작가가 꾸며 낸 것이겠군.

어휘·어법 한자성어

5
㉮의 상황에 어울리는 한자성어로 적절한 것은 무엇입니까? ( )

① 유구무언(有口無言)

② 이구동성(異口同聲)

③ 반신반의(半信半疑)

④ 동상이몽(同牀異夢)

⑤ 수수방관(袖手傍觀)

어휘·어법 TIP

• **유구무언** 입은 있어도 말은 없다는 뜻으로, 변명할 말이 없거나 변명을 못함을 이르는 말.

• **이구동성** 입은 다르나 목소리는 같다는 뜻으로, 여러 사람의 말이 한결같음을 이르는 말.

• **반신반의** 얼마쯤 믿으면서도 한편으로는 의심함.

• **동상이몽** 같은 자리에 자면서 다른 꿈을 꾼다는 뜻으로, 겉으로는 같이 행동하면서 속으로는 각각 딴생각을 하고 있음을 이르는 말.

• **수수방관** 팔짱을 끼고 보고만 있다는 뜻으로, 간섭하거나 거들지 아니하고 그대로 버려둠을 이르는 말.

1

낱말 이해 낱말 관계 낱말 적용 관용 표현

다음 그림을 보고, ㉠과 ㉡에 들어갈 알맞은 낱말을 보기 에서 찾아 각각 쓰시오.

보기

| 결정적 | 격정적 | 수심 | 흑심 | 핵심 |

난 이렇게 ㉠(   )인 연애편지는 처음 받아 봐. 정말 날 사랑하나 봐.

글쎄? 내가 볼 때는 ㉡(   )만 가득한 것 같은데. 조금 더 지켜보는 게 좋을 것 같아.

2

낱말 이해 낱말 관계 낱말 적용 관용 표현

다음 선생님의 설명 중 ㉠의 예로 알맞은 것은 무엇입니까? (   )

선생님: 어떤 낱말에 결합하여 새로운 낱말을 만드는 접미사 '-보'에는 두 가지 의미가 있어요. 하나는 ㉠'그것이 쌓여 모인 것'이라는 의미로 '심보' 같은 낱말이 이에 해당해요. 그리고 또 하나는 '그것이나 그런 행위를 특성으로 지닌 사람'이라는 의미인데 '울보' 같은 낱말이 있어요.

① 꾀보　　② 털보　　③ 잠보　　④ 먹보　　⑤ 울음보

3

낱말 이해 낱말 관계 낱말 적용 관용 표현

다음 밑줄 친 부분의 뜻을 가진 한자성어로 알맞은 것은 무엇입니까? (   )

선생님: 「빌헬름 텔」에서 마을을 지배하는 태수는 사람들에게 모자에 절을 할 것을 강요하고, 텔에게는 말도 안 되는 명령을 내리고 있습니다. 이러한 모습에서 '가혹한 정치는 호랑이보다 더 무섭다'고 한 공자의 말이 생각나는군요.

① 가정맹어호(苛政猛於虎)　　　② 가화만사성(家和萬事成)
③ 사후약방문(死後藥方文)　　　④ 오십보백보(五十步百步)
⑤ 일각여삼추(一刻如三秋)

어휘력 ➕

- **가정맹어호** 가혹한 정치가 호랑이보다 무섭다는 뜻으로, 혹독한 정치의 폐해가 큼을 이르는 말.

- **가화만사성** 집안이 화목하면 모든 일이 잘 이루어짐.

- **사후약방문** 죽은 뒤에 약의 처방을 한다는 뜻으로, 때가 지난 뒤에 어리석게 애를 쓰는 경우를 비유적으로 이르는 말.

- **오십보백보** 오십 보를 도망한 것과 백 보를 도망한 것이 마찬가지라는 의미로, 조금 낫고 못한 정도의 차이는 있으나 본질적으로는 차이가 없음을 이르는 말.

- **일각여삼추** 기다리는 마음이 간절하여 아주 짧은 시간(일각=15분)도 삼 년같이 길게 느껴진다는 말.

• 지문 해설

• 지문 난이도: 하
●─●─○─○─○

• 글자 수: 1113자
○──────●──────○
800   1500

S# 8. 초원의 집 / 낮

자폐증에 대한 책이 수북이 쌓인 탁자. 그 옆에 새로 산 플래너를 탁 소리 내며 놓는 경숙. (1987년이라는 햇수가 보인다) 앞으로 잘 부탁한다는 듯 표지를 한번 쓰다듬은 후 펼쳐 본다. 오늘 날짜 칸에 13:00 언어 훈련 15:00 줄넘기 50회…… 등을 적는다.

『'초원'을 위해 연구하고 공부•하는 엄마 '경숙'의 노력을 보여 줌.

−시간 경과−

초원이는 장난감 동물들을 일렬로 줄 세우며 혼자 놀고 있다. 화장실 문이 열려져 있고, 변기의 물이 새는지 이곳저곳을 살펴보고 있는 경숙. 스패너를 들고 수도관 꼭지를 이리저리 돌려 본다. 그러다가 펑 하는 소리와 함께 수도관이 터지고 사방으로 뿜어져 나가는 물줄기. 두꺼운 끈이나 테이프로 대충 수도관을 막은 경숙. 지친 듯 한쪽 벽에 기대어 퍼질러 앉은 채 눈을 감는다. 물이 아직 새어 나와 마루까지 넘치고 있다. 화장실 쪽으로 걸어오는 초원이의 발. 화장실에서 넘쳐 나온 물이 초원이의 발가락에 와 닿는다.

초원: 비…….

번쩍 눈을 뜨는 경숙.

경숙: (초원이에게 다가와) ㉠뭐? 뭐라고 했니?

초원: (멍한 표정으로 물보라를 보기만 할 뿐) …….

경숙: (다급한) ㉡방금 뭐라고 했어? 어? / 초원: …….

경숙: (㉮애절) ㉢다시 한 번만 해 봐. / 초원: (손가락으로 가리키며) 비가 와요.

경숙, 믿기지 않는 듯 초원의 얼굴을 다시 한번 들여다본다. 초원이를 욕실 안으로 끌어당기는 경숙. ㉣힘들게 막아 놓았던 수도관을 미친 듯이 다시 뜯어 버리는 경숙. 그러자 소나기처럼 더욱 거세게 쏟아지는 물줄기.

초원: (물줄기에 손을 내밀며) 비가 와요.

경숙: 그래. 비야. (실성한 사람처럼 외친다.) ㉤와아 비가 온다~~~

경숙, 초원을 껴안고 그렇게 비를 맞는다.

S# 9. 서울랜드 수족관 / 낮

얼마 전에 왔었던 물개쇼 공연장에서 조련사를 만나는 경숙. 난간에 기대어 내려다보는 경숙의 아래 물개들 틈에 서 있는 물개 조련사.
『'초원'과 '물개'의 지적 수준이 비슷하다고 생각하고 조련사•에게 조언을 얻으려는 행동

조련사: ㉥굶기거나 벌을 주는 건 소용없어요. 중요한 건…….

조련사가 물개에게 공을 던지자 물개가 코로 받아 리시브를 한다. 물개에게 달려가 목을 껴안고 쓰다듬어 준 후 꽁치도 한 마리 입에 넣어 준다. 좋다고 꼬리치는 물개.

조련사: 칭찬이죠.

경숙, 웃으며 고개를 끄덕인다.

조련사: (경숙을 보며) 근데 무슨 동물 키우시는데요?

• **말아톤** '마라톤(육상 경기에서 42.195km를 달리는 장거리 경주 종목.)'의 잘못된 표기. 초원이 자신의 일기장에 '내일의 할 일 말아톤'이라고 적어 놓는 장면에서 착안한 영화 제목.

• **자폐증**(自 스스로 자, 閉 닫을 폐, 症 증세 증) 심리적으로 현실과 동떨어진 자기 내면 세계에 틀어박히는 정신적인 질환.

• **플래너**(Planner) 그날그날의 계획이나 일정 따위를 적는 다이어리의 의미로 쓰인 말.

• **햇수** 해의 수.

• **스패너**(spanner) 볼트, 너트, 나사 등의 머리를 죄거나 푸는 공구.

• **애절** '애절하다(견디기 어렵도록 애가 타는 마음이 있다.)'의 어근.

• **실성**(失 잃을 실, 性 성품 성)**한** 정신에 이상이 생겨 본정신을 잃은.

• **조련사**(調 고를 조, 鍊 불릴 련, 師 스승 사) 개, 돌고래, 코끼리 등의 동물에게 재주를 가르치고 훈련하는 사람.

• **리시브**(receive) 테니스·탁구·배구 등에서, 서브한 공을 받아넘기는 일.

핵심 요약 TIP

이 글에는 「말아톤」 시나리오의
두 장면이 나타나 있습니다. 각
장면에서의 중요한 사건과 핵심
소재를 찾아서 정리해 봅니다.

핵심 요약 사건의 흐름 정리하기

1

다음은 이 글에서 벌어진 사건을 장면의 변화에 따라 정리한 것입니다. 빈칸에 들어
갈 알맞은 말을 쓰시오.

S# 8	경숙이 ( )에 대해 공부하고, 훈련 계획도 세움.
	↓
	( )이 터지고, 경숙이 고쳐 보지만 물이 새어 나옴.
	↓
	초원이 물을 보며 "( )가 와요."라고 반응을 보이고 경숙은 감격함.
	↓
S# 9	가장 중요한 것이 ( )이라는 사실을 조련사에게 들음.

내용 이해 세부 내용 파악하기

2

다음 중 이 글을 영화로 만들 때, 연출자가 지시할 내용으로 적절하지 <u>않은</u> 것은 무
엇입니까? (   )

① 경숙은 플래너를 보며 각오를 다지는 듯한 행동을 보여 주세요.

② 경숙은 조련사가 하는 말에 공감하는 듯한 태도를 보여 주세요.

③ 조련사는 물개들이 다가오면 먹을 것을 주면서 쓰다듬어 주세요.

④ 집 안에는 초원의 병과 관련된 책들과 장난감을 많이 준비해 주세요.

⑤ 초원은 쏟아지는 수돗물을 표정의 변화가 없는 모습으로 바라보세요.

내용 이해 인물의 심리 파악하기

3

㉠~㉤에 대한 설명으로 적절하지 <u>않은</u> 것은 무엇입니까? (   )

① ㉠: 예상하지 못했던 초원의 반응에 놀라고 있다.

② ㉡: 초원의 반응이 계속되지 않자 답답해하고 있다.

③ ㉢: 초원의 반응을 다시 바라는 간절함이 드러나고 있다.

④ ㉣: 초원의 반응과 말에 대한, 기쁨과 기대감이 드러나고 있다.

⑤ ㉤: 수돗물을 비라고 하는 초원에 대한 안타까움이 표현되고 있다.

수능형

4 **감상** 이론을 바탕으로 감상하기

다음 보기를 참고할 때, 조련사가 ㉡과 같은 대답을 하기 전에 경숙이 했을 질문으로 가장 적절한 것은 무엇입니까? (   )

문제 풀이

> **보기**
>
> 영화의 대본인 시나리오는 '장면(scene)'들의 결합으로 이루어지는데 '장면'이란 같은 장소, 같은 시간 내에서 대사와 행동이 이루어지는 부분을 말한다. 각각의 장면은 '장면 번호' 즉 'S#(Scene Number)'로 구분되며 영화는 진행이 빠르기 때문에 장면 사이에는 생략되는 부분이 존재한다. 예를 들어 초원이의 자폐증 때문에 괴로워하는 경숙이 조련사와 대화를 나누는 'S# 9'의 첫 부분에서 경숙이 조련사를 찾아가서 질문하는 상황은 생략되어 있다. 따라서 이 부분은 독자의 상상력이 필요하다.

① 경숙: 어떻게 하면 초원이도 말을 잘 알아들을 수 있을까요?
② 경숙: 자폐증인 어린아이와 물개의 지적 수준이 비슷할까요?
③ 경숙: 물개는 자기에게 칭찬을 많이 해 주는 것을 좋아하나요?
④ 경숙: 물개들이 조련사님의 말을 잘 듣게 된 비결이 무엇인가요?
⑤ 경숙: 애완동물을 길러 보고 싶은데 어떻게 길들이는 게 좋을까요?

5 **어휘·어법** 어휘의 의미

다음 중 빈칸에 ㉮가 어울리는 것은 무엇입니까? (   )

① 민희는 노래를 힘찬 목소리로 [   ]하게 불렀다.
② 맑은 울음소리가 봄날을 알려 주는 것같이 [   ]하다.
③ 오랜만에 자식들을 만난 할머니의 모습이 정말 [   ]했다.
④ 서희의 [   ]한 웃음소리가 듣는 사람의 마음을 즐겁게 했다.
⑤ 영수는 [   ]한 사랑의 눈빛으로 서희를 그윽하게 바라보았다.

어휘·어법 TIP

• **애절하다**[1] 견디기 어렵도록 애가 타는 마음이 있다.
  ⑩ 다큐멘터리를 보며 새들의 암수 사이의 사랑도 매우 애절하다는 것을 알게 되었습니다.

• **애절(哀切)하다**[2] 몹시 애처롭고 슬프다.
  ⑩ 그 노래는 가사가 애절하다.

낱말 이해　낱말 관계　낱말 적용　관용 표현

1 다음 그림을 보고, ㉠과 ㉡에 들어갈 알맞은 낱말을 보기 에서 찾아 각각 쓰시오.

보기

햇수	가짓수	실색	실성	실심

국어 공부를 시작한 지도 횟수로 6년. 이제 나를 어휘력 박사라고 부르도록 하여라.

㉠(　　　　)을/를 횟수라고 하면서 어휘력 박사라니 난 네가 ㉡(　　　　)한 것이 아닌가 싶다.

낱말 이해　낱말 관계　낱말 적용　관용 표현

2 다음 선생님의 질문에 대한 답으로 알맞지 않은 것은 무엇입니까? (　　　　)

선생님: '조련사'는 '조련'과 접미사 '-사(師)'가 결합해서 만들어진 말이에요. 이때 '-사(師)'는 '그것을 직업으로 하는 사람'의 뜻을 더하는 말이랍니다. 이렇게 '-사(師)'가 결합해서 만들어진 말을 또 찾아볼까요?

① 감별사　　　　② 곡예사　　　　③ 격려사

④ 선교사　　　　⑤ 연금술사

낱말 이해　낱말 관계　낱말 적용　관용 표현

3 다음 선생님의 질문에 대한 답으로 가장 알맞은 것은 무엇입니까? (　　　　)

선생님: 「말아톤」의 경숙은 자폐증이 있는 초원을 믿고, 초원의 변화를 위해 자신이 할 수 있는 모든 노력을 묵묵히 실천하는 사람입니다. 이처럼 쉬지 않고 꾸준하게 한 가지 일을 열심히 하면 마침내 큰일을 이룰 수 있음을 의미하는 한자성어에는 무엇이 있을까요?

① 목불식정(目不識丁)　　　　② 우공이산(愚公移山)

③ 조령모개(朝令暮改)　　　　④ 각주구검(刻舟求劍)

⑤ 주경야독(晝耕夜讀)

어휘력 ➕

• **목불식정** 아주 간단한 글자인 '丁' 자를 보고도 그것이 '고무래'인 줄을 알지 못한다는 뜻으로, 아주 까막눈임을 이르는 말.

• **우공이산** 우공이 산을 옮긴다는 뜻으로, 어떤 일이든 끊임없이 노력하면 반드시 이루어짐을 이르는 말.

• **조령모개** 아침에 명령을 내렸다가 저녁에 다시 고친다는 뜻으로, 법령을 자꾸 고쳐서 갈피를 잡기가 어려움을 이르는 말.

• **각주구검** 융통성 없이 현실에 맞지 않는 낡은 생각을 고집하는 어리석음을 이르는 말.

• **주경야독** 낮에는 농사짓고, 밤에는 글을 읽는다는 뜻으로, 어려운 여건 속에서도 꿋꿋이 공부함을 이르는 말.

수필 · 희곡

누구나 쓸 수 있는 수필

시나 소설은 좋은 작품을 쓰기 위해 많은 노력이 필요할 수 있어요. 전문적인 훈련을 받아야 할 수도 있고요. 그런데 수필은 전혀 그렇지 않아요. 아빠도, 엄마도, 그리고 동생도 쓸 수 있는 것이 수필이에요.

수필(隨筆)은 한자인 '따를 수(隨)'와 '붓 필(筆)'의 결합으로 이루어진 이름이에요. 한자 뜻 그대로 '붓이 가는 대로 따라 쓰는 글'이라는 뜻이지요. 한마디로 내가 쓰고 싶은 대로 쓰면 된다는 말이에요. 그래서 수필에는 특별한 형식이 없어요. 자유롭게 쓰면 되어요.

또 수필에 등장하는 '나'는 언제나 글쓴이 자신이에요. 글쓴이가 보고 듣고 경험한 이야기를 자유롭게 기록하는 것이지요. 예를 들어 오늘 내가 놀이터에서 겪었던 재미있었던 일도 수필의 소재가 될 수 있고, 엄마에게 야단맞았던 슬픈 일도 수필의 소재가 될 수 있어요.

그리고 우리는 어떤 일을 겪으며 그 경험을 통해 교훈을 얻게 되곤 하지요? 그 교훈을 수필의 주제로 삼으면 된답니다.

머리를 쓰게 만드는 희곡과 시나리오

연극을 만들기 위해 쓴 글을 '희곡'이라고 하고, 영화를 만들기 위해 쓴 글을 '시나리오'라고 해요. 그러니까 희곡과 시나리오는 우리 독자들도 읽지만, 연기를 하는 배우나 연출을 하는 감독도 함께 보는 글이죠.

희곡과 시나리오의 특징은 모든 것이 등장인물의 대사와 행동으로만 이루어져 있다는 점이에요. 소설에서와 같은 서술자가 존재하지 않는 것이지요. 그러니까 지금 벌어지고 있는 일들에 대해서 아무도 설명해 주지 않아요. 예를 들어 주인공이 착한지 아니면 나쁜지, 누가 어떤 음모를 꾸미고 있는 것인지 등을 아무도 가르쳐 주지 않는답니다.

결국 모든 것을 독자가 스스로 찾아내고 판단해야 해요. 무엇을 보고 알 수 있을까요? 바로 등장인물의 대사와 행동을 보고 판단할 수 있어요.

등장인물의 대사는 각 인물의 이름 옆에 나오는 말이에요. 그리고 그 인물들의 행동이나 표정은 대사 옆의 괄호 안에 나와 있어요. 예를 들어 "(손가락으로 가리키며) 잡아라!"처럼 말이이요.

반통의 물

나희덕

이 수필은 글쓴이가 밭을 일구며 느끼고 깨달은 점을 솔직하게 표현한 글로, 선택보다는 공존이 땅의 질서임을 이야기하고 있습니다.

슬견설

이규보

이 수필은 '이'나 '개'의 죽음을 어떻게 볼 것인가에 대한 '손님'과 '나'의 논쟁을 기록한 글로, 선입견을 버리고 사물의 본질을 올바로 볼 수 있어야 함을 이야기하고 있습니다.

복합

'복합'은 유사한 주제나 제재 등을 기준으로 두 개 이상의 문학 작품을 함께 제시합니다.

무소유

법정

이 수필은 난을 키우며 겪은 일들을 통해 무소유에 대한 깨달음을 전하는 글로, 집착을 버릴 때 진정한 해방감을 느낄 수 있음을 이야기하고 있습니다.

은전 한 닢

피천득

이 수필은 은전 한 닢을 구한 거지에 대해 회상하는 글로, 다양한 해석이 가능한 거지의 마지막 말이 많은 여운을 줍니다.

가 슬견설 이규보   나 반 통의 물 나희덕

• 지문 해설

• 지문 난이도: 상
●─●─●─●─○

• 글자 수: 1390자
○────●──○
800   1500

가 어떤 손님이 내게 말했다. / "어제저녁에 보니 웬 불량한 남자가 돌아다니는 개를 큰 몽둥이로 때려 죽이더군요. 그 형세가 얼마나 애처롭던지 마음이 아프지 않을 수 없었지요. 그래서 다시는 개·돼지고기를 먹지 않기로 맹세했답니다."

내가 대답했다. / "어제저녁에 어떤 사람이 이글대는 화로를 끼고 앉아서는 거기에다 이를 잡아서 태워 죽이더군요. 나는 마음이 아프지 않을 수 없었지요. 그래서 다시는 이를 잡지 않기로 맹세했지요."

손님이 낙심하여 말했다. / "이는 미물입니다. 나는 그럴듯하게 큰 것이 죽는 것을 불쌍히 여겨 말했는데, 선생께서는 이런 걸로 대꾸하시다니, 어찌 나를 놀리시오?"

내가 말했다. / "무릇 혈기가 있는 것은 사람으로부터 소나 말·돼지·양·벌레·개미에 이르기까지 살고 싶어 하고 죽기 싫어하는 마음이야 같지 않은 게 없다오. 어찌 큰 것만이 죽기를 싫어하고 작은 것은 그렇지 않겠소? 그런즉 개나 이의 죽음이 한 가지지요. 그래서 예를 들어 적절한 짝을 삼은 것이라오. 어찌 놀린 것이겠소? 만일 그대가 이를 믿지 못하겠거든 왜 그대의 열 손가락을 깨물어 보지 않소. 엄지손가락만 아프고 나머지는 그렇지 않은가요? (중략) 그러니 물러가서 눈을 감고 조용히 생각해 보시오. ㉠달팽이 뿔을 쇠뿔과 똑같이 보고, 메추리를 대붕과 같게 보시오. 그런 뒤에라야 내 그대와 더불어 도를 말하겠소."

나 미운 풀이 죽으면 고운 풀도 죽는다는 속담이 있다. 김을 맬 때마다 나는 그 말을 자주 떠올린다. 그럼 내가 뽑고 있는 잡초는 미운 풀이고, 키우고 있는 채소는 고운 풀이란 말인가. 곱고 미운 것의 기준은 어디에 있을까. 사람이 먹을 수 있느냐 없느냐에 따라 잡초와 채소를 구분하여 하나는 죽이고 하나는 살리는 것이 이른바 농사다. 그러나 미운 풀이 죽으면 고운 풀도 죽는다고 하지 않는가. 선택보다는 공존이 땅의 본래적 질서라고 할 때, 밭은 숲보다 생명에 덜 가깝다.

그래서 밭을 일구면서 가장 고민되는 문제가 풀이다. 사람의 손이 미치기 오래전부터 이 둔덕에는 명아주, 저 둔덕에는 개망초, 이 고랑에는 돼지풀, 저 고랑에는 질경이…… 그들이 바로 이 땅의 주인이었던 것이다. 그런데 ㉮달갑지 않은 침입자가 삽과 호미를 들고 나타나 그것도 생명을 키운답시고 원주민을 쫓아내니, 사실 원주민 풀들에게는 명목이 서지 않는 노릇이다.

그렇다고 풀을 그냥 두면 뿌려 놓은 채소들이 자라지 못하게 되니 어느 정도는 뽑아 주어야 한다. ㉡이런 안절부절 덕분에 우리 밭에는 채소가 반이고 잡초가 반이다. 변명 같지만, 다른 밭보다 우리 밭에 풀이 무성한 것은 게으름 때문만은 아니다. 만일 그렇다 해도 게으름이 농부의 악덕은 아닌 것이다.

• 형세(形 형상 형, 勢 기세 세)
일이 되어 가는 형편.

• 미물(微 작을 미, 物 만물 물)
인간에 비하여 보잘것없는 것이라는 뜻으로, '동물'을 이르는 말.

• 혈기(血 피 혈, 氣 기운 기)
피의 기운이라는 뜻으로, 힘을 쓰고 활동하게 하는 원기를 이르는 말.

• 대붕(大 큰 대, 鵬 대붕새 붕)
하루에 구만 리를 날아간다는, 매우 큰 상상의 새.

• 김을 맬 논밭에 난 잡풀을 뽑을.

• 공존(共 함께 공, 存 있을 존)
서로 도와서 함께 존재함.

• 원주민(原 근원 원, 住 살 주, 民 백성 민) 그 지역에 본디부터 살고 있는 사람들.

• 명목(名 이름 명, 目 눈 목)
구실이나 이유.

• 악덕(惡 악할 악, 德 덕 덕)
도덕에 어긋나는 나쁜 마음이나 나쁜 짓.

정답 및 풀이 30쪽

핵심 요약 주요 내용 정리하기

1 다음은 글 **가**와 **나**의 내용을 정리한 것입니다. 빈칸에 들어갈 적절한 말을 각각 쓰시오.

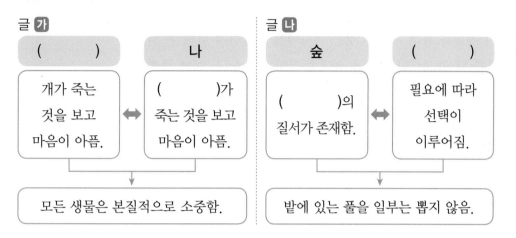

핵심 요약 TIP

글 **가**와 **나**는 중요한 중심 소재는 각각 다르지만, 모두 대립되는 어떤 상황이 나타나 있습니다. 글 **가**와 **나**에 나타난 대립되는 상황이 무엇인지 파악하여 각각 정리해 봅니다.

표현 서술상의 특징 파악하기

2 다음 중 글 **가**와 **나**를 비교한 설명으로 적절하지 <u>않은</u> 것은 무엇입니까? (   )

① 글 **가**는 **나**와 달리 대화 형식으로 내용을 전개하고 있다.

② 글 **가**는 **나**와 달리 글쓴이의 구체적인 경험이 제시되고 있다.

③ 글 **가**와 **나**는 모두 예를 들어 글쓴이의 생각을 전달하고 있다.

④ 글 **나**는 **가**와 달리 속담을 인용하면서 이야기를 시작하고 있다.

⑤ 글 **가**와 **나**는 모두 대조적인 성격을 지닌 소재들이 등장하고 있다.

어휘

• **대조적** 서로 달라서 대비가 되는 것. 즉 두 가지의 차이를 밝히기 위하여 서로 맞대어 비교할 수 있는 것

내용 이해 세부 내용 파악하기

3 ㉠과 ㉡에 대한 설명으로 가장 적절한 것은 무엇입니까? (   )

① ㉠: 보통 사람들은 '쇠뿔'보다 '달팽이 뿔'을 더 큰 것으로 생각한다.

② ㉠: '나'는 '대붕'보다 '메추리'가 훨씬 가치 있는 것이라고 생각한다.

③ ㉠: '나'는 '달팽이 뿔'과 '메추리'도 모두 소중한 것이라고 생각한다.

④ ㉡: '채소'와 '잡초'를 둘 다 심고 기르는 것이 농부의 일이라 생각한다.

⑤ ㉡: 글쓴이는 '채소'를 위해 '잡초'를 모두 뽑아 없애야 한다고 생각한다.

감상 이론을 바탕으로 감상하기

4 다음 보기를 참고하여 이 글을 감상한 내용으로 적절하지 <u>않은</u> 것은 무엇입니까?

(   )

어휘
• **편견** 공정하지 못하고 한쪽으로 치우친 생각.

• **촉구하고** 급하게 재촉하여 요구하고.

보기

　　수필은 글쓴이가 경험을 통해 깨달은 것을 독자에게 전달하기 위해 쓴 글인데, 때로는 독자를 대신하는 인물이 글 속에 등장하기도 한다. 이때 글쓴이가 전달하고자 하는 깨달음은 사람들이 지니고 있는 잘못된 **편견**이나 보통 사람들의 일반적인 생각을 깨뜨리는 경우가 많다. 글 가와 나의 글쓴이 또한 이러한 생각의 전환을 통한 깨달음을 전달하고 있다.

① 글 가에서 '나'와 대화를 나누는 '손님'은 독자를 대신하는 인물로 볼 수 있어.

② 글 가에서 '나'는 '이'를 잡아 죽이는 일을 보고 슬퍼했다고 말함으로써 사람들의 편견을 깨뜨리고 있어.

③ 글 가에서 '나'는 '손님'에게 생각의 전환이 있어야 '도'를 말할 수 있음을 이야기함으로써 깨달음을 요구하고 있어.

④ 글 나에서 글쓴이는 '농사'가 오히려 생명을 죽이는 일이 될 수 있다고 말함으로써 사람들의 일반적인 생각을 깨뜨리고 있어.

⑤ 글 나에서 글쓴이는 '게으름'이 '악덕'이 될 수 없음을 이야기함으로써 독자들이 게으른 태도를 지녀야 함을 **촉구하고** 있어.

어휘·어법 속담

5 다음 중 ㉮의 상황에 어울리는 속담으로 적절한 것은 무엇입니까? (   )

① 모난 돌이 정 맞는다

② 굴러온 돌이 박힌 돌 뺀다

③ 구르는 돌은 이끼가 안 낀다

④ 조약돌을 피하니까 수마석을 만난다

⑤ 아랫돌 빼서 윗돌 괴고 윗돌 빼서 아랫돌 괴기

어휘·어법 TIP

• **모난 돌이 정 맞는다** 두각을 나타내는 사람이 남에게 미움을 받게 된다는 말.

• **굴러온 돌이 박힌 돌 뺀다** 외부에서 들어온 지 얼마 안 되는 사람이 오래전부터 있던 사람을 내쫓거나 해치려 함을 비유적으로 이르는 말.

• **구르는 돌은 이끼가 안 낀다** 부지런하고 꾸준히 노력하는 사람은 침체되지 않고 계속 발전한다는 말.

• **조약돌을 피하니까 수마석을 만난다** 일이 점점 더 어렵고 힘들게 되었음을 비유적으로 이르는 말.

• **아랫돌 빼서 윗돌 괴고 윗돌 빼서 아랫돌 괴기** 일이 몹시 급하여 임시변통으로 이리저리 둘러맞추어 일함을 비유적으로 이르는 말.

낱말 이해 낱말 관계 낱말 적용 관용 표현

1 다음 그림을 보고, ㉠과 ㉡에 들어갈 알맞은 낱말을 보기 에서 찾아 각각 쓰시오.

보기

| 혈서 | 혈기 | 명칭 | 명목 | 죄목 |

이놈의 김매기는 해도 해도 끝이 없네. 밥을 제대로 못 먹었더니 ㉠(   )이/가 없어서 일하기가 몹시 힘들구나.

이놈, 돌쇠야. 그렇게 일을 대충하고 무슨 ㉡(   )(으)로 품삯을 받으려 하느냐.

낱말 이해 낱말 관계 낱말 적용 관용 표현

2 다음 낱말의 뜻으로 알맞은 것을 찾아 각각 선으로 이으시오.

(1) 미물 •

(2) 악덕 •

(3) 형세 •

• ㉮ 일이 되어 가는 형편.

• ㉯ 도덕에 어긋나는 나쁜 마음이나 나쁜 짓.

• ㉰ 인간에 비하여 보잘것없는 것이라는 뜻으로 '동물'을 이르는 말.

낱말 이해 낱말 관계 낱말 적용 관용 표현

3 다음 밑줄 친 부분의 뜻을 가진 한자성어로 알맞은 것은 무엇입니까? (   )

사람이 먹을 수 있느냐 없느냐에 따라 잡초와 채소를 구분하여 <u>하나는 죽이고 하나는 살리는 것</u>이 이른바 농사다.

① 생자필멸(生者必滅)
② 살신성인(殺身成仁)
③ 선공후사(先公後私)
④ 멸사봉공(滅私奉公)
⑤ 취사선택(取捨選擇)

어휘력 ➕

• **생자필멸** 생명이 있는 것은 반드시 죽음을 뜻하는 말로, 존재의 허무함을 이름.

• **살신성인** 자기의 몸을 희생하여 인(仁)을 이룸.

• **선공후사** 공적인 일을 먼저 하고 사사로운 일은 뒤로 미룸.

• **멸사봉공** 사욕을 버리고 공익을 위하여 힘씀.

• **취사선택** 여럿 가운데서 쓸 것은 쓰고 버릴 것은 버림.

가 은전 한 닢 피천득　나 무소유 법정

가 [앞부분 줄거리] 일제 강점기 무렵 중국 상하이에서 본 일이다. 어떤 늙은 거지가 일 원짜리 은전을 들고 돈을 바꿔 주는 곳을 찾아다니며, 진짜 은전인가를 거듭 확인한다.

"누가 그렇게 많이 도와줍디까?" 하고 나는 물었다. 그러자 그는 내 말소리에 움칠하면서 손을 가슴에 숨겼다. 그리고는 떨리는 다리로 일어서서 달아나려고 했다.

"염려 마십시오, 빼앗아 가지 않소." 하고 나는 그를 안심시키려 하였다. 한참 머뭇거리다가 그는 나를 쳐다보고 이야기를 하였다.

"이것은 훔친 것이 아닙니다. 길에서 얻은 것도 아닙니다. 누가 저 같은 놈에게 일 원짜리를 줍니까? 각전(角錢) 한 닢을 받아 본 적이 없습니다. 동전 한 닢 주시는 분도 백에 한 분 쉽지 않습니다. 나는 한 푼 한 푼 얻은 돈에서 몇 닢씩 모았습니다. 이렇게 모은 돈 마흔여덟 닢을 각전 닢과 바꾸었습니다. 이러기를 여섯 번을 하여 겨우 이 귀한 '대양(大洋)' 한 푼을 갖게 되었습니다. 이 돈을 얻느라고 여섯 달이 더 걸렸습니다."

그의 뺨에는 눈물이 흘렀다. 나는 "왜 그렇게까지 ㉠애를 써서 그 돈을 만들었단 말이오? 그 돈으로 무엇을 하려오?" 하고 물었다.

그는 다시 머뭇거리다가 대답했다. / "이 돈 한 개가 갖고 싶었습니다."

나 아차! 이때에야 문득 생각이 난 것이다. 난초를 뜰에 내놓은 채 온 것이다. 모처럼 보인 찬란한 햇볕이 돌연 원망스러워졌다. 뜨거운 햇볕에 늘어져 있을 난초 잎이 눈에 아른거려 더 지체할 수가 없었다. 허둥지둥 그길로 돌아왔다. 아니나 다를까, 잎은 축 늘어져 있었다. 안타까워하며 샘물을 길어다 축여 주고 했더니 겨우 고개를 들었다. 하지만 어딘지 생생한 기운이 빠져나간 것 같았다.

나는 이때 온몸으로, 그리고 마음속으로 절절히 느끼게 되었다. 집착이 괴로움인 것을. 그렇다. 나는 난초에게 너무 집념해 버린 것이다. 이 집착에서 벗어나야겠다고 결심했다. 난을 가꾸면서는 산철—승가(僧家)의 유행기(遊行期)—에도 나그네 길을 떠나지 못한 채 꼼짝을 못했다. 밖에 볼일이 있어 잠시 방을 비울 때면 환기가 되도록 들창문을 조금 열어 놓아야 했고, 분을 내놓은 채 나가다가 뒤미처 생각하고는 되돌아와 들여 놓고 나간 적도 한두 번이 아니었다. 그것은 정말 지독한 집착이었다.

며칠 후, 난초처럼 말이 없는 친구가 놀러 왔기에 선뜻 그의 품에 분을 안겨 주었다. 비로소 나는 얽매임에서 벗어난 것이다. 날아갈 듯 홀가분한 해방감. 삼 년 가까이 함께 지낸 '유정(有情)'을 떠나보냈는데도 서운하고 허전함보다 홀가분한 마음이 앞섰다. 이때부터 나는 하루 한 가지씩 버려야겠다고 스스로 다짐을 했다. 난초를 통해 무소유(無所有)의 의미 같은 걸 터득하게 됐다고나 할까.

핵심 요약 TIP

글 가와 글 나에서 시간의 흐름에 따라 일어난 일을 파악하고, 각 상황에서 중요한 중심 소재를 찾아 정리합니다.

핵심 요약　내용 흐름 정리하기

1 다음은 글 **가**와 **나**에서 일어난 일을 순서대로 정리한 것입니다. 빈칸에 들어갈 알맞은 말을 쓰시오.

글 **가**

| (　　　　　)을 가진 거지에게 누가 도와주었냐고 물어봄. |

↓

| 거지는 은전을 얻기까지의 과정을 설명하며 (　　　　)을 흘림. |

↓

| 거지에게 은전을 만든 이유를 묻자 은전 한 개가 갖고 싶었다고 답함. |

글 **나**

| 뜨거운 햇볕에서 (　　　　)를 보호하기 위해 집으로 돌아옴. |

↓

| 난초를 통해 (　　　　)이 괴로움인 것을 깨달음. |

↓

| 난초를 떠나보내고 날아갈 듯 홀가분한 해방감을 느끼게 됨. |

표현　서술상의 특징 파악하기

2 다음 중 글 **가**와 **나**를 비교한 설명으로 적절한 것은 무엇입니까? (　　　　)

① 글 **나**는 **가**와 달리 대화와 행동을 통해 현장감을 드러내고 있다.

② 글 **가**와 **나**는 모두 '나'의 경험을 바탕으로 내용을 전개하고 있다.

③ 글 **가**와 **나**는 모두 과거와 현재의 차이점에 대해 이야기하고 있다.

④ 글 **가**는 **나**와 달리 상황에 대한 '나'의 판단을 주로 드러내고 있다.

⑤ 글 **가**와 **나**는 모두 시간의 흐름에 따른 태도 변화가 나타나고 있다.

적용하기　대화 상황에 적용하기

3 글 **가**의 '거지'와 글 **나**의 '나'가 대화를 나눈다고 할 때, 적절하지 <u>않은</u> 것은 무엇입니까? (　　　　)

① 글 **나**의 '나' : 저는 '난초' 때문에 힘든 시간을 가졌었는데, 당신은 '은전' 때문에 힘들었겠군요.

② 글 **가**의 '거지' : 네, 힘들었습니다. 그렇지만 분명한 목표가 있었기 때문에 쉬지 않고 노력했습니다.

③ 글 **나**의 '나' : 역시 분명한 목표를 향해서 모든 것을 포기하는 삶은 참으로 아름다운 것 같군요.

④ 글 **가**의 '거지' : 그런데 그동안의 시간을 생각해 보니, 기쁘기도 하지만 한편으로는 서글프기도 합니다.

⑤ 글 **나**의 '나' : 집착은 괴로움의 원인이 되니까요. 이제는 집착에서 벗어나서 진정한 해방감을 느껴 보세요.

감상 이론을 바탕으로 감상하기

4 다음 **보기**를 참고하여 글 **가**를 감상한 내용으로 적절하지 <u>않은</u> 것은 무엇입니까?

( )

어휘
• **물질적** 물질과 관련된 것
• **욕망** 부족을 느껴 무엇을 가지거나 누리고자 탐함. 또는 그런 마음.

보기

문학 작품에서 소재의 의미는 다양하게 해석될 수 있다. 글 **가**에서 '은전'은 삶의 목적, 인간의 의지, 물질적 욕망 등의 다양한 의미로 이해할 수 있다. 그리고 '은전'의 의미를 어떻게 해석하는가에 따라 거지의 행동이 지니는 의미와 거지를 바라보는 독자의 태도에 차이가 생긴다.

① '은전'의 의미를 삶의 목적으로 본다면 거지는 삶의 목표를 이루어 낸 사람이라고 할 수 있겠군.

② '은전'의 의미를 인간의 의지로 본다면 거지는 포기하지 않고 노력하는 인간으로 평가할 수 있겠군.

③ '은전'의 의미를 인간의 의지로 본다면 거지가 흘리는 눈물에서 현실에 대한 절망감을 엿볼 수 있겠군.

④ '은전'의 의미를 물질적 욕망으로 본다면 오직 큰돈에만 집착한 거지의 욕망에 안타까움을 느낄 수 있겠군.

⑤ '은전'의 의미를 물질적 욕망으로 본다면 겨우 은전 한 개를 갖고 싶어 하는 거지가 불쌍한 존재로 보일 수 있겠군.

어휘·어법 어휘의 의미

5 다음 **보기**를 참고할 때, 밑줄 친 부분 중 ⊙과 같은 뜻으로 쓰인 것을 두 가지 고르시오. ( )

어휘·어법 TIP
• 애
「1」 초조한 마음속.
㉐ 애를 태우다.
㉐ 아이가 들어오지 않아 애가 탄다.
「2」 몹시 수고로움.
㉐ 나는 늘 갖고 싶었던 그 목걸이를 구하려고 <u>애</u>를 쓰면 구할 수 있을 것이라고 생각했다.

보기

애 「1」 초조한 마음속.

㉐ 고향집에 연락이 되지 않아 애가 탄다.

「2」 몹시 수고로움.

㉐ 어떻게든 책을 꼭 구하려고 애를 썼다.

① 어려운 문제를 모두 해결하느라 너무 애를 먹었다.

② 우리 엄마는 짝이 없는 언니 때문에 늘 애를 끓이신다.

③ 친구의 연락을 기다리며 매일매일 애만 태우고 있었다.

④ 엄마는 딸이 늦은 시각까지 돌아오지 않자 애가 말랐다.

⑤ 나는 자전거를 스스로 번 돈으로 사기 위해 늦은 시간까지 일을 하며 애를 썼다.

1 낱말 이해 낱말 관계 낱말 적용 관용 표현

다음 그림을 보고, ㉠과 ㉡에 들어갈 알맞은 낱말을 보기 에서 찾아 각각 쓰시오.

보기

| 유념 | 집착 | 허세 | 욕망 |

민수는 왜 저렇게 달리기 일 등에 ㉠( ) 하는 거지?

그야 일 등 상인 과자 꾸러미를 갖고 싶은 ㉡( ) 때문이지.

2 낱말 이해 낱말 관계 낱말 적용 관용 표현

다음 낱말의 뜻으로 알맞은 것을 찾아 각각 선으로 이으시오.

(1) 유정 •

(2) 지체 •

(3) 돌연 •

• ㉮ 때를 늦추거나 질질 끎.

• ㉯ 예기치 못한 사이에 급히.

• ㉰ 마음을 가진 살아 있는 중생.

3 낱말 이해 낱말 관계 낱말 적용 관용 표현

다음 '나'의 상황에 어울리는 한자성어는 무엇입니까? ( )

나는 한 푼 한 푼 얻은 돈에서 몇 닢씩 모았습니다. 이렇게 모은 돈 마흔여덟 닢을 각전 닢과 바꾸었습니다. 이러기를 여섯 번을 하여 겨우 이 귀한 '대양(大洋)' 한 푼을 갖게 되었습니다.

① 진합태산(塵合泰山)

② 선견지명(先見之明)

③ 천우신조(天佑神助)

④ 대기만성(大器晩成)

⑤ 군계일학(群鷄一鶴)

어휘력 ➕

• **진합태산** 작은 물건도 많이 모이면 큰 것이 됨.

• **선견지명** 어떤 일이 일어나기 전에 미리 앞을 내다보고 아는 지혜를 뜻하는 말.

• **천우신조** 하늘이 돕고 신령이 도움. 또는 그런 일.

• **대기만성** 큰 그릇을 만드는 데는 시간이 오래 걸린다는 뜻으로, 크게 될 사람은 늦게 이루어짐을 이르는 말.

• **군계일학** 닭의 무리 가운데에서 한 마리의 학이란 뜻으로, 많은 사람 가운데서 뛰어난 인물을 이르는 말.

대세는 '1+1' 문학도 복합

　시면 시, 소설이면 소설, 수필이면 수필, 따로따로 공부하는 시대는 끝났어요. 이제는 두 가지 또는 세 가지 갈래의 작품들을 함께 묶어 물어보는 세상이에요. 중학교나 고등학교에 가면 그런 형식을 자주 접하게 될 거예요.

　딱 한 작품만 공부해서 이해하는 것도 어려운데 세상은 자꾸 많은 것을 요구해요. 내가 방금 읽은 작품과 또 다른 작품을 비교해 보길 원해요. 두 작품이 어떤 면에서 비슷하고 어떤 면에서 다른지를 말이에요. 이를테면 중심 생각이나 표현하는 방법이 비슷한지? 아니면 구성 방식이 비슷한지? 또는 비슷한 글감이 어떻게 다른 의미로 사용되고 있는지? 등을 물어보게 되는 거죠.

　한 작품도 어려운데 두 작품을 같이 묶어서 물어보다니, 이럴 때는 어떻게 해야 할까요? 둘 중에 조금이라도 쉬운 작품부터 먼저 확실히 이해해야 해요. 그 이해를 바탕으로 조금 어려운 작품에 접근하는 것이 언제나 옳답니다.

문학 작품을 감상하는 방법

문학 작품을 감상하는 방법은 크게 두 가지가 있어요. 하나는 작품 자체의 특징만 살펴보는 것이고, 또 하나는 작품을 둘러싸고 있는 여러 요소와 연결하여 작품을 이해하는 거죠.

작품 자체의 특징만 살펴보는 것을 '내재적 감상'이라고 해요. 시를 예로 든다면 화자의 정서나 태도, 시어의 의미, 표현하는 방법, 운율이나 구성 등을 살펴보는 것이지요. 소설이라면 인물의 심리나 갈등 상황, 서술자의 특징이나 사건을 전개하는 방법 등을 살피는 것을 말하지요.

반면 '외재적 감상'이란 한 편의 작품을 둘러싸고 있는 여러 요소, 즉 작품을 쓴 작가, 그 작품이 나오게 된 현실, 그리고 작품을 읽는 독자와 연결하여 작품을 감상하는 것을 말해요. 작가가 이런 사람이어서 이런 작품이 탄생했다거나 당시의 현실이 이런 작품을 만들 수밖에 없었다는 식으로요. 또 이 작품이 독자에게 어떤 감동을 주거나 영향을 미치게 되는지를 설명하려 하는 것이지요.

초고필

초등
고학년 필수

문학 독해 1

정답 및 풀이

동아출판

초고필

문학 독해

1

1 물장난, 개울둑, 조약돌, 주머니 **2** ⑤ **3** ② **4** ③
5 ①

글의 종류 현대 소설

글의 특징 이 소설은 순수한 시골 소년과 서울 소녀의 맑고 풋풋한 사랑을 서정적으로 그려 낸 작품입니다. 전지적 작가 시점과 관찰자 시점으로 이루어져 있으며 소년과 소녀의 행동과 대화를 통해 그들의 심리를 독자가 스스로 파악할 수 있도록 하고 있습니다.

주제 소년과 소녀의 순수한 사랑

---

1 핵심 요약_내용 흐름 정리하기

> 소녀가 징검다리 한가운데 앉아서 (물장난)을 함.

⬇

> 소년은 (개울둑)에 앉아서 소녀가 비켜 주기를 기다림.

⬇

> 소녀가 징검다리를 건너가더니 소년에게 (조약돌)을 던짐.

⬇

> 소년은 소녀가 보이지 않을 때까지 그대로 서 있다가 조약돌을 집어서 (주머니)에 넣음.

2 표현_서술 시점 파악하기

이 글에서 말하는 이는 이야기 안에는 등장하지 않으면서 이야기 속 인물들의 행동과 대화 그리고 생각까지 파악하여 말해 주고 있습니다. 예를 들어 '저쯤 갈밭머리로 소녀가 나타나리라. 꽤 오랜 시간이 지났다고 생각됐다.'에서는 소년의 생각도 직접 제시하고 있습니다.

3 내용 이해_구절의 의미 파악하기

ⓒ의 이어지는 구절에서 '그대로 재미있는 양, 자꾸 물만 움킨다.'라고 했으므로 소녀는 그냥 재미로 물을 움켜 내는 것일 뿐 물고기를 잡겠다는 의도가 있다고 짐작할 수는 없습니다. 따라서 소년이 대신 물고기를 잡아 주기를 바란다고 짐작할 수는 없습니다.

4 감상_이론을 바탕으로 감상하기

소녀가 징검다리 한가운데 앉아 길을 비켜 주지 않은 행동을 보면 소녀는 소년이 자신에게 직접 말을 걸어 주기를 기대하였음을 짐작할 수 있습니다. 따라서 길을 비켜 주지 않았다고 하여 소녀가 배려심이 없는 인물이라고 판단할 수는 없습니다.

---

4 다음 보기를 참고하여 이 글의 인물에 대해 이해한 내용으로 적절하지 않은 것은 무엇입니까? (③)

> **보기**
>
> 소설에서 '말하는 이(서술자)'는 인물의 성격이나 심리를 직접적으로 설명하기도 하고, 그들의 대화나 행동 묘사를 통해 간접적으로 드러내기도 한다. 후자의 경우에 독자는 인물의 대화나 행동에 담긴 의도를 생각하며 인물의 성격이나 심리를 파악해야 한다.

① 소녀가 던진 조약돌을 주머니에 넣는 소년의 행동으로 보아 소년은 소녀에게 관심이 있는 것 같아.
② 소년을 향해 조약돌을 던지는 소녀의 행동으로 보아 소녀는 적극적인 성격을 지닌 인물인 것 같아.
③ 소년이 기다리는 것을 알면서도 길을 비켜 주지 않는 소녀의 행동으로 보아 소녀는 배려심이 없는 인물인 것 같아.
④ 소녀가 비켜 주기를 기다리며 개울둑에 앉아 있는 소년의 행동으로 보아 소년은 소극적인 성격을 지닌 인물인 것 같아.
⑤ 소녀가 소년에게 "이 바보."라고 말한 것으로 보아 소녀는 자신에게 말을 걸어 주지 않는 소년에게 답답함을 느낀 것 같아.

└ 말을 걸어 주길 기대하며 한 행동임.

5 어휘·어법_관용 표현

㉮는 소년이 소녀와 갈꽃의 아름다운 모습을 바라보느라 꼼짝 못 하고 있는 상황입니다. 이와 같은 상황에 잘 어울리는 관용 표현은 어떤 사물을 보는 데 열중하여 정신이 없다는 의미의 '넋을 잃다'입니다.

어휘력 완성

1 ㉠ 초시 ㉡ 요행 **2** (1) ㉯ (2) ㉰ (3) ㉮ **3** ③

1 그림에서 오른쪽에 있는 선비가 이번 과거에 합격했다고 합니다. 과거의 첫 시험 또는 그 시험에 합격한 사람을 '초시'라고 합니다. 또한 오른쪽에 있는 선비는 자신이 운이 좋았다고 말하고 있습니다. 이와 같이 뜻밖에 얻는 행운을 '요행'이라고 합니다.

2 (1)~(3)은 모두 앞에서 공부한 「소나기」에 나왔던 낱말입니다. (1)의 '옴큼'은 '한 손으로 옴켜쥘 만한 분량을 세는 단위.'입니다. 또한 (2)의 '움키다'는 '손가락으로 우그리어 물건 등을 놓치지 않도록 힘있게 잡다.'라는 뜻입니다. 그리고 (3)의 '청량하다'는 '맑고 서늘하다.'는 뜻입니다.

3 대화에서 송 영감은 손자가 딸을 낳았다고 말하였습니다. 손자의 딸은 '증손녀'라고 합니다. 그리고 송 영감은 그 '증손녀'의 '증조할아버지'가 되는 것입니다.

1 점순이, 감자, 밀어, 얼굴 **2** ③ **3** ② **4** ③ **5** ④

글의 종류 현대 소설

글의 특징 이 소설은 소작인의 아들인 '나'와 마름의 딸인 점순이의 풋풋한 사랑을 보여 주는 작품입니다. 점순이의 마음을 이해하지 못하는 주인공이자 서술자인 '나'의 어수룩함이 재미를 유발하고 있습니다.

주제 농촌 마을 사춘기 남녀의 순박한 사랑

1 핵심 요약_내용 흐름 정리하기

(점순이)가 평소와 달리 '나'에게 와서 말을 붙임.

↓

'나'는 점순이의 말에 무뚝뚝하게 대답함.

↓

점순이가 갓 구운 듯한 (감자)를 건네며 먹으라고 함.

↓

'나'는 감자를 안 먹는다고 거절하며 도로 (밀어) 버림.

↓

점순이가 (얼굴)이 빨개져서 논둑으로 달아남.

2 내용 이해_세부 내용 파악하기

'나'는 점순이가 자신에게 말을 거는 것을 귀찮아하고 있습니다. '오늘로 갑작스레 대견해졌음은 웬일인가.'라는 구절은 평소와 달리 서로 마주 보며 말하는 점순이의 모습에 의아해하는 '나'의 마음을 나타낸 것입니다.

오답 피하기

② '나'는 점순이가 자신에게 왜 아르렁거리는지 모르겠다고 했습니다.

⑤ '나'는 자신이 감자를 거절하자 새빨개진 점순이의 얼굴을 보고 놀랐습니다.

3 내용 이해_소재의 기능 파악하기

점순이는 감자를 건네주며 얼른 먹으라고 하고 있습니다. 이는 점순이가 감자를 건네면서 '나'에게 애정이 있음을 드러내는 것으로 이해할 수 있습니다.

4 감상_종합적으로 감상하기

'나'는 점순이가 감자를 주는 의도를 알아차리지 못해 거절한 것이고, 이에 점순이는 부끄럽고 분한 마음에 얼굴이 빨개진 것입니다. 따라서 '나'가 일부러 무뚝뚝하고 짓궂은 태도로 점순이를 울린 것은 아닙니다.

4 다음 보기를 참고하여 이 글을 감상한 내용으로 적절하지 않은 것은 무엇입니까? (③)

보기

「동백꽃」은 농촌을 공간적 배경으로 하여 집안의 계층이 서로 다른 소년과 소녀의 애정을 그린 소설이다. 주인공인 '나'는 어수룩하면서도 눈치가 없어 자신을 향한 점순이의 마음을 전혀 알아채지 못한다. 이에 비해 점순이는 사랑의 감정에 눈을 떠 '나'에게 적극적으로 애정을 표현한다. 이렇게 적극적인 점순이의 모습과 그것을 눈치채지 못하는 '나'의 모습이 대비되어 재미가 유발된다.

① 점순이가 논둑으로 달아난다고 하는 것을 보니 소설의 공간적 배경이 농촌임을 알 수 있군. ┌'나'에 대한 점순의 애정을 나타냄.

② '나'에게 감자를 건네는 점순이의 행동에서 점순이가 사랑의 감정에 눈을 뜬 인물임을 알 수 있군.

③ '나'가 일부러 무뚝뚝하고 짓궂은 태도로 점순이를 울리고 있는 모습에서 소설의 재미를 느낄 수 있군.

④ '나'가 감자를 건네는 점순이의 마음을 알아차리지 못하는 것에서 '나'의 어수룩하고 눈치 없는 성격을 알 수 있군.

⑤ 감자를 내밀며 "느 집엔 이거 없지?"라고 하는 점순이의 말로 보아 '나'와 점순이 집의 경제적 상황이 다름을 짐작할 수 있군.

5 어휘·어법_한자성어

ⓒ은 '나'가 점순이의 성의를 뒤도 돌아보지 않고 한 마디로 거절하는 상황입니다. 이런 태도와 어울리는 한자성어는 '한 마디로 잘라 말함.'을 뜻하는 '일언지하'입니다.

어휘력 완성 ──────── 021쪽

1 ⓐ 휑하니 **2** ④ **3** ①

1 그림에서 준서는 배를 잡으며 빠르게 뛰어가고 있습니다. 이처럼 중도에 지체하지 않고 곧장 빠르게 가는 모양을 '휑하니'라고 합니다.

2 '할금할금'은 곁눈으로 살그머니 계속 할겨 보는 모양을 가리키며 이보다 센 느낌을 주는 말이 '할끔할끔'입니다. 그리고 이와 의미는 비슷하지만 느낌이 다른 단어로, '흘금흘금', '흘끔흘끔', '힐금힐금', '힐끔힐끔' 등이 있습니다. 그러나 '헐금헐금'이라는 말은 존재하지 않습니다.

3 제시된 글은 '나'의 거절로 인해 상처 받은 점순이가 '나'를 쏘아보며 복수의 다짐을 하는 상황입니다. 이런 상황과 어울리는 관용 표현은 복수를 준비한다는 의미의 '칼을 갈다'입니다.

1 반찬, 달걀, 어머니(엄마), 많이(씩)　**2** ⑤　**3** ①
4 ⑤　**5** ③

글의 종류 현대 소설

글의 특징 이 소설은 과부인 어머니와 사랑손님인 아저씨 사이의 애틋한 감정을 어린아이인 '옥희'의 눈을 통해 보여 주고 있는 작품입니다. 일제 강점기가 배경인 이 작품은 보수적인 가치관으로 인해 자신의 감정을 표현하지 못하는 어머니와 아저씨의 사랑과 이별을 순수한 어린아이의 시선을 통해 제시함으로써 인물의 상황과 심리를 독자 스스로 상상하게 합니다.

주제 보수적인 가치관으로 인해 갈등하는 어머니와 사랑손님의 사랑과 이별

1 핵심 요약_내용 흐름 정리하기

> 아저씨는 자신이 점심 먹는 것을 구경하는 '나'에게 좋아하는 (반찬)이 무엇이냐고 물어봄.

↓

> '나'가 삶은 (달걀)을 좋아한다고 하자 아저씨가 자신도 그렇다고 함.

↓

> '나'는 (어머니(엄마))에게 가서 아저씨가 삶은 달걀을 좋아한다고 말함.

↓

> 어머니가 달걀 장수에게 달걀을 (많이(씩)) 사게 됨.

2 내용 이해_세부 내용 파악하기

어머니가 달걀을 많이 사 두기 시작한 건 '나'가 아저씨도 삶은 달걀을 좋아한다는 말을 한 다음부터입니다. 그러므로 어머니는 아저씨에게 반찬으로 주기 위해 달걀을 많이 산 것이라고 이해할 수 있습니다.

3 내용 이해_소재의 기능 파악하기

아저씨가 '나'가 좋아하는 달걀을 종종 주면서 아저씨와 '나'는 서로 친해질 수 있게 되었습니다. 그리고 아저씨가 삶은 달걀을 좋아한다는 말을 듣고 어머니가 그다음부터 달걀을 많이 사 두게 되었다는 것으로 보아 어머니가 아저씨에게 관심이 있다는 것을 엿볼 수 있습니다.

4 감상_이론을 바탕으로 감상하기

이 글의 서술자인 '나'는 어린아이이기 때문에 어른들의 감정을 제대로 이해하지 못하고 있습니다. 그래서 아저

씨가 말리는데도 아저씨가 삶은 달걀을 좋아한다는 것을 어머니에게 말하기도 하고, 어머니가 달걀을 많이 사 두는 이유도 정확하게 파악하지 못합니다. 따라서 독자들은 '나'의 말이 아닌 글의 흐름을 통해 어머니와 아저씨가 어떤 감정을 갖고 있는지를 상상하며 읽어야 합니다.

? 문제 돋보기

4 다음 보기를 참고하여 이 글을 감상한 내용으로 가장 적절한 것은 무엇입니까? (⑤)

> 보기
>
> 소설에서 말하는 이 즉, 서술자 중에는 부족한 지식을 가지고 있거나 상황을 잘못 이해하고 엉뚱한 판단을 내리는 서술자가 있다. 이런 서술자는 보통 어리숙한 사람이거나 어린아이일 때가 많다. 이 경우 독자는 서술자의 이야기를 믿을 수 없게 된다. 그렇기 때문에 독자는 글을 읽으며 서술자가 전달하는 상황을 참고하여 스스로 내용을 추측하고 상상하며 읽어야 한다.

① 서술자인 '나'가 자신이 하는 말이 잘못된 판단에 따른 것이라는 점을 밝히고 있다.

② 서술자인 '나'가 '어머니'가 달걀을 많이 사 두는 이유를 정확하게 파악하여 서술하고 있다. └ '나'는 이유를 모름.

③ 서술자인 '나'의 부족한 지식 때문에 '어머니'에 대한 '아저씨'의 마음을 추측하여 전달하고 있다. └ 나와 있지 않은 내용임.

④ 서술자인 '나'는 어린아이여서 '어머니'가 하숙을 치는 것을 힘들어하고 있다는 사실을 깨닫지 못하고 있다.

⑤ 서술자인 '나'를 어린아이로 설정하여 어른들인 '어머니'와 '아저씨'의 심리는 독자가 상상을 통해 파악하도록 하고 있다.

---

5 어휘·어법_대명사의 쓰임 이해하기

㉠은 앞에서 이미 나온 '어른들'을 가리키는 삼인칭 대명사입니다. ①의 '저희'는 '동생들', ②의 '저희'는 '친구들', ④의 '저희'는 '아이들', ⑤의 '저희'는 '아들들'을 가리킵니다. 반면 ③의 '저희'는 앞에 이미 나온 사람을 가리키는 것이 아니라 말하는 사람인 '우리'를 낮추어 가리키는 일인칭 대명사입니다.

어휘력 완성 ──────── 025쪽

1 ㉠ 성미 ㉡ 동무　**2** (1) ㉰ (2) ㉯ (3) ㉮　**3** ③

1 '마음씨'나 '버릇'은 순우리말이고 이와 비슷한 의미로 쓰이는 '성미(性味)'는 한자어입니다. 또 '친구(親舊)'는 가깝게 오래 사귄 사람을 뜻하는 한자어이지만 '동무'는 늘 친하게 어울리는 사람이라는 의미의 순우리말입니다.

소설 04 소를 줍다

028~030쪽

1 소, (강)물, 강가 **2** ⑤ **3** ③ **4** ⑤ **5** ③, ⑤

글의 종류 현대 소설

글의 특징 이 소설은 1970년대 농촌 마을의 가난한 가정을 배경으로, 소를 둘러싸고 벌어진 갈등을 다룬 작품입니다. 해학적이고 토속적인 문체의 사용이 두드러지며, 대화와 행동 묘사를 통한 생동감 있는 사건 전개가 중심이 되고 있습니다.

주제 소를 둘러싼 부자 간의 갈등과 사랑

---

1 핵심 요약_내용 흐름 정리하기

필구가 강물에 떠내려오는 (소)를 발견함.

↓

아이들이 구경하는 사이 '나'가 ((강)물)에 뛰어들어 소의 굴레를 쥠.

↓

아이들이 강물에 들어오려 하자 '나'가 들어오지 못하게 함.

↓

'나'는 소와 함께 물속에 빠졌으나 겨우 소를 (강가)로 끌어냄.

2 표현_서술상 특징 파악하기

이 글은 '나'가 떠내려오는 소를 보고 강물에 뛰어들어 끌어내는 과정이 나타나 있습니다. 따라서 '나'의 행동에 대한 설명을 중심으로 이야기가 전개되고 있습니다.

3 내용 이해_발화의 의도 파악하기

'나'는 소가 강물에 떠내려오는 것을 보고 가장 먼저 강물에 뛰어들었는데, 이는 소를 주워서 소 주인에게 보상을 받겠다는 마음이었기 때문입니다. 그래서 '나'는 아이들이 강물에 들어와 같이 소를 끌어내면 아이들이 자신들에게도 소에 대한 권리가 있다고 주장할까 봐 들어오지 못하게 막은 것입니다. 이는 소에 대한 권리가 자신에게만 있다는 것을 알리려는 의도로 볼 수 있습니다.

4 감상_외부 정보를 참고하여 작품 감상하기

다른 아이들이 소가 떠내려가는 것을 멀뚱히 바라보기만 할 때 '나'는 먼저 강물로 뛰어듭니다. 그런데 보기에서 말한 바와 같이 '나'는 소를 가져 본 적이 없어 소를 갖고자 하는 소망이 있었습니다. 따라서 '나'가 강물에 뛰어든 행동은 소를 가져 보기를 원하는 소망에서 비롯된 것임을 짐작할 수 있습니다.

문제 돋보기

4 다음 보기를 참고하여 이 글을 감상한 내용으로 적절한 것은 무엇입니까? (⑤)

보기

　과거에 농사짓는 집에서 소는 농사일을 도와주는 소중한 노동력을 의미했다. 또한 소를 가지고 있다는 것은 곧 그 집안의 경제적 능력을 상징하는 것이었다. 「소를 줍다」에서 '나'의 집은 직접 소를 가져 본 적이 없는 가난한 형편이었기 때문에 '나'는 소를 가져 보기를 소망하였다.

① '나'는 강물에서 건져 낸 소를 이용해서 소중한 노동력을 얻고자 했겠군. └소 주인에게 보상을 받을 생각이었음.
② 농사일을 도와주다 지친 소가 도망을 쳐서 강물로 떠내려 왔던 것이겠군. └나와 있지 않은 내용임.
③ 다른 아이들이 떠내려가는 소를 구경만 했던 것은 소의 경제적 가치를 몰랐기 때문이겠군.
④ 필구가 '나'에게 소가 강물에 떠내려간다고 일러 준 것은 '나'의 소망을 알고 있었기 때문이겠군.
⑤ 위험을 무릅쓰고 강물에 뛰어든 '나'의 행동은 소를 가져 보기를 원했던 소망에서 비롯된 것이겠군.

5 어휘·어법_사전적 의미

㉮는 서로 견주어 비교한다는 의미로 쓰인 것입니다. 키를 서로 비교해 본다는 ③의 상황과 성적을 비교해 본다는 ⑤의 상황이 이와 같은 의미로 사용된 예가 될 수 있습니다.

어휘력 완성 031쪽

1 ㉠ 요량 **2** (1) ㉢ (2) ㉡ (3) ㉮ **3** ⑤

1 '요량'이라는 것은 '앞일을 잘 헤아려 생각함.'이라는 의미입니다. 즉, 미리 어떤 결과를 계획한다는 것입니다. 오른쪽에 있는 학생은 선생님을 도와드리려는 친구의 행동이 상을 받기 위해 계획된 것임을 파악하고 있습니다. 따라서 ㉠에는 '요량'이 들어가는 것이 적절합니다.

2 (1)~(3)은 모두 앞에서 공부한 「소를 줍다」에 나오는 낱말입니다. (1)의 '굴레'는 '말이나 소 등을 부리기 위하여 머리와 목에서 고삐에 걸쳐 얽어매는 줄.', (2)의 '코뚜레'는 '소의 콧구멍을 꿰뚫어 끼는 나무 고리.', (3)의 '가재도구'는 '집안 살림에 쓰는 여러 물건.'입니다.

3 보기에서 '새-'는 첫음절의 모음이 'ㅏ, ㅗ'인 경우에 결합한다고 설명하고 있습니다. 그런데 '퍼렇다'는 첫음절 '퍼'의 모음이 'ㅓ'이므로 '시-'를 결합하여 '시퍼렇다'라고 써야 합니다.

정답 및 풀이 | 05

032~034쪽

1 자물쇠, 수납, 도망, 쾌감 **2** ⑤ **3** ② **4** ②
5 ⑤

글의 종류 현대 소설

글의 특징 이 소설은 도시화·산업화의 과정에서 돈을 벌러 서울에 온 '수남'이 겪는 다양한 갈등을 그린 작품입니다. '수남'의 모습을 통해 물질적 이익만을 추구하는 도시 사람들의 이기적인 태도를 비판합니다.

주제 물질적 이익만을 추구하는 세태에 대한 비판

---

1 핵심 요약_내용 흐름 정리하기

> 신사가 자전거에 (자물쇠)를 채우고 돈을 가져오라고 함.

⬇

> (수남)이는 예기치 못한 상황에 막연히 서 있기만 함.

⬇

> 구경하던 사람들이 수남이에게 자전거를 들고 (도망)가라고 부추김.

⬇

> 수남이는 자전거를 들고 달리며 (쾌감)을 느낌.

2 내용 이해_세부 내용 파악하기

수남이는 신사가 자동차 수리 비용으로 오천 원을 요구하자, 주머니에 든 만 원은 주인 영감님을 위해 반드시 지키겠다고 생각합니다. 그리고 신사가 자전거에 자물쇠를 채우자 자전거를 들고 도망칩니다. 따라서 수남이는 주인 영감님의 돈을 지키기 위해 신사의 요구를 받아들이지 않았다고 할 수 있습니다.

3 내용 이해_소재의 기능 파악하기

수남이의 자전거가 신사의 자동차에 흠집을 내자 신사는 수리비로 오천 원을 요구하며 자전거에 자물쇠를 채웁니다. 그리고 수남이는 오천 원을 주지 않으려고 결국 자전거를 들고 도망칩니다. 그러므로 '오천 원'은 신사와 수남이가 겪는 갈등의 원인을 제공한다고 할 수 있습니다.

4 감상_이론을 바탕으로 감상하기

㉮의 수리비를 내라는 신사와 수리비가 많아 주고 싶지 않은 수남이의 갈등은 인물과 인물의 갈등으로 이는 외적 갈등에 해당합니다. 또한 ㉱의 수남이가 자전거를 들고 도망갈 것인지, 도망가지 않을 것인지 고민하는 것은 인물의 마음속에서 서로 다른 생각이 맞서는 것이므로 이는 내적 갈등에 해당합니다.

---

4 다음 보기를 참고할 때, ㉮~㉱ 중 이 글에 대한 설명으로 적절한 것을 찾아 짝 지은 것은 무엇입니까? (②)

> **보기**
>
> 소설의 이야기는 갈등을 중심으로 펼쳐진다. 이 갈등에는 내적 갈등과 외적 갈등이 있다. 내적 갈등은 한 인물의 마음속에서 서로 다른 생각이 맞서면서 나타나는 갈등을 의미한다. 외적 갈등은 인물과 인물을 둘러싼 외부 환경 사이에 일어나는 갈등으로 인물과 인물 사이의 갈등, 인물과 그 인물이 속한 사회와의 갈등 등이 있다.

> ㉮ 수리비를 둘러싼 신사와 수남이의 갈등은 외적 갈등에 해당한다.
> ┌ 수남이와 갈등하지 않음.
> ㉯ 도망가라고 외치는 사람들과 수남이 사이의 ~~다툼~~은 인물과 인물 사이의 갈등에 해당한다.
> ㉰ 바람 때문에 수남이의 자전거가 넘어진 것은 인물과 ~~사회~~와의 갈등에 해당한다.
> ㉱ 수남이가 자전거를 들고 도망갈 것인지에 대해 고민하는 것은 내적 갈등에 해당한다.

① ㉮, ㉯ ✓② ㉮, ㉱ ③ ㉯, ㉰
④ ㉯, ㉱ ⑤ ㉰, ㉱

---

5 어휘·어법_단어의 의미

㉠은 수남이가 돈을 가져올 때까지 담보로 맡아 두겠다는 의미이며 이와 같은 의미로 사용된 것은 ⑤입니다.

오답 피하기

① 돈이나 재물을 얻어 가진다는 의미로 쓰였습니다.
② 어떤 순간적인 장면이나 모습을 확인하였다는 의미로 쓰였습니다.
③ 흥분되거나 들뜬 마음을 가라앉힌다는 의미로 쓰였습니다.
④ 어림하거나 짐작하여 헤아린다는 의미로 쓰였습니다.

어휘력 완성 ───── 035쪽

1 ㉠ 질풍 ㉡ 연민 **2** (1) ㉰ (2) ㉮ (3) ㉯ **3** ①

1 그림과 같이 '몹시 빠르고 거세게 부는 바람.'을 '질풍'이라고 합니다. 또한 '불쌍하고 가련하게 여김.'이라는 뜻을 가진 낱말은 '연민'입니다.

오답 피하기

• 미풍: 약하게 부는 바람.
• 화풍: 솔솔 부는 화창한 바람.
• 연모: 어떤 사람이나 존재를 사랑하여 간절히 그리워함.

1 제자리, 깍두기, (어린이) 신문 **2** ① **3** ③ **4** ④
5 ④

글의 종류 현대 소설

글의 특징 이 소설은 '나(구윤희)'가 수택이와 짝이 된 후 겪게 되는 사건을 그린 작품입니다. 어린 시절 수택이에게 큰 상처를 준 후 오랫동안 이를 반성하고 수택이에게 미안해하는 '나'를 통해 자신의 삶을 돌아보고 성장의 경험을 얻을 수 있습니다.

주제 유년 시절의 기억과 성찰

1 핵심 요약_내용 흐름 정리하기

선생님께서 반 아이들에게 밥을 (제자리)에서 먹으라고 함.

↓

'나'는 수택이 옆에서 점심을 먹으며 수택이를 힐끔 봄.

↓

'나'가 건네준 (깍두기)를 수택이가 아껴서 먹음.

↓

수택이가 '나'에게 ((어린이) 신문)을 주고 '나'는 친구들이 알아챌까 봐 급하게 가방에 넣음.

2 표현_서술상 특징 파악하기

이 글의 서술자인 '나'는 자신이 수택이와 짝이 되어 함께 점심을 먹으며 깍두기를 나눠 준 일과 수택이에게 신문을 받은 일을 독자에게 들려주듯이 서술하고 있습니다.

오답 피하기

② 주인공인 수택이의 생각은 전달하지 못하고 있습니다.
③ 인물의 의도를 추측하는 부분은 찾을 수 없습니다.
④ 이 글 전체는 과거에 벌어진 사건이지만 현재와 비교하여 설명하는 부분은 찾을 수 없습니다.
⑤ 인물과 사회의 갈등은 나타나지 않습니다.

3 내용 이해_구절의 의미 파악하기

선생님께서는 다른 아이들과 어울리지 못하고 늘 혼자 밥을 먹는 수택이를 배려하여 아이들에게 제자리에서 밥을 먹으라고 말씀하신 것입니다.

4 감상_이론을 바탕으로 감상하기

보기 에서는 이 소설에서 전개되는 사건이 수택이와 '나'가 짝이 된 후에 겪게 된 일이라고 알려 줍니다. 또한 소설의 내용에서도 두 사람이 깍두기와 어린이 신문을 주고받는 일은 짝이 된 이후의 일임을 알 수 있습니다. 따라서 깍두

기와 어린이 신문을 주고받음으로써 두 사람이 앞으로 짝이 될 것임이 드러난다는 설명은 적절하지 않습니다.

❓ 문제 돋보기

4 다음 보기 를 참고하여 이 글을 감상한 내용으로 적절하지 않은 것은 무엇입니까? (④)

> 보기
> 「보리 방구 조수택」은 중심 인물인 '나'가 가정 형편이 어렵고 몸에서 냄새가 나 반 아이들과 잘 어울리지 못하는 수택이와 짝이 된 후에 겪게 되는 사건을 그린 성장 소설이다. 이 소설은 1970년대의 교실 상황을 사실적으로 서술하고 있으며 인물들의 행동에 대한 묘사가 두드러진 작품이다.

① 양은 도시락에 점심을 싸 온 모습에서 수택이의 가정 형편이 어려움이 드러나는군.
② 점심시간에 급식이 아닌 도시락을 먹는 모습에서 1970년대의 교실 상황이 드러나는군.
③ 늘 혼자 점심을 먹는 모습에서 수택이가 반 아이들과 잘 어울리지 못하고 있음이 드러나는군.
✓④ 깍두기와 어린이 신문을 주고받는 모습에서 나와 수택이가 앞으로 짝이 될 것임이 드러나는군. └짝이 된 이후의 일임.
⑤ 몰래 훔쳐 먹는 아이처럼 도시락을 먹는 모습에서 자신의 도시락을 부끄러워하는 수택이의 심리가 드러나는군.

5 어휘·어법_단어의 쓰임

'전혀', '결코', '별로', '도무지'는 모두 부정의 의미를 지니는 말과만 어울리는 단어입니다. 예를 들어 '전혀 예쁘지 않다.', '결코 예쁘지 않다.', '별로 예쁘지 않다', '도무지 예쁘지 않다'는 자연스럽지만, '전혀 예쁘다.', '결코 예쁘다.', '별로 예쁘다.', '도무지 예쁘다.'는 어색한 표현이 됩니다. 그러나 '정말로'는 '정말로 예쁘지 않다.'와 '정말로 예쁘다.'가 모두 자연스러운 표현으로 부정의 의미를 지니는 말이나 긍정의 의미를 지니는 말 모두와 어울리는 단어입니다.

어휘력 완성 ──── 039쪽

1 ㉠ 우물거리고 ㉡ 차마 **2** 반의 관계 **3** ④

1 그림에서 한 학생이 조용히 무엇인가를 씹고 있습니다. 이처럼 음식물을 입 안에 넣고 씹는 모습을 '우물거리다'라고 말합니다. 또 그 학생은 어머니께서 사 오신 마른 오징어가 쫀득해서 먹지 않을 수 없다는 말을 하려 하고 있습니다. 이럴 때 쓸 수 있는 말로, '차마 모른 척할 수 없다'는 표현이 적절합니다.

1 소리, (실내용) 슬리퍼, 휠체어 **2** ③ **3** ② **4** ③
5 ④

글의 종류 현대 소설

글의 특징 이 소설은 아파트 아래위층에 사는 이웃 주민 간에 벌어지는 갈등을 다루고 있는 작품입니다. 층간 소음을 둘러싼 갈등의 심화와 상황의 반전을 통해, 더불어 사는 삶과 이웃의 의미에 대하여 묻고 있습니다.

주제 이웃에 무관심한 현대인의 삶에 대한 성찰

1 핵심 요약_내용 흐름 정리하기

> 위층에서 나는 (소리) 때문에 경비원에게 인터폰으로 주의를 요청함.

↓

> 도전적으로 느껴지는 위층의 반응에 직접 통화를 했다가 더 화가 남.

↓

> 위층 여자에게 ((실내용) 슬리퍼)를 선물하며 좋은 말로 타이르기로 함.

↓

> 슬리퍼를 들고 위층을 방문했다가 위층 여자의 (휠체어) 탄 모습을 보고 슬리퍼를 감춤.

2 표현_서술상 특징 파악하기
이 글에서는 '나'와 위층 여자가 겪는 갈등의 원인이 위층에서 나는 소리 때문이라는 것을 이들의 대화를 통해 알려 주고 있습니다.

3 내용 이해_소재의 기능 파악하기
'나'는 슬리퍼를 선물함으로써 소리를 죽이라는 메시지와 함께 소리 때문에 고통받는 자신의 심정을 간접적으로 나타낼 생각입니다. 그러나 '나'가 위층을 방문하기 전까지는 위층 여자의 처지를 알지 못하고 있으므로 위층 여자의 처지를 알고 미안한 마음을 전하려고 한다는 내용은 적절하지 않습니다.

오답 피하기
⑤ '나'는 위층 여자가 휠체어를 탄 모습을 보고 상대의 처지를 헤아리지 못한 자신을 부끄럽게 여기고, 위층 여자에게 주려던 슬리퍼를 등 뒤로 감춥니다.

4 감상_이론을 바탕으로 감상하기
'나'가 위층의 소음에 불쾌해하는 것은 휠체어를 타야 하

는 위층 여자의 처지를 모르기 때문입니다. 이를 통해 아파트라는 공간이 이웃에 대해 무관심한 우리들의 삶이 드러나는 곳임을 확인할 수 있습니다.

문제 돋보기

4 다음 (보기)를 참고하여 이 글을 감상한 내용으로 가장 적절한 것은 무엇입니까? (③)

> **보기**
> 아파트라는 공간은 살기에 편리하다는 장점이 있고 문만 닫으면 외부와 완벽히 차단되는 특성을 지니고 있다. 따라서 아파트는 이웃에 대해 무관심한 채 서로 거리를 두고 살아가는 삶의 공간이 되기도 한다. 이러한 무관심은 때로는 이 소설처럼 오해와 갈등을 낳는 요인이 된다.

① 공동생활의 규범을 알려 주려는 '나'의 모습에서 서로의 정을 중시하는 태도를 볼 수 있군.
② 경비원을 통해서만 위층과 소통하는 모습에서 아파트가 살기 편리한 공간임을 알 수 있군. ─ 직접 마주하지 않으려 한 것
③ 위층의 소리를 불쾌하게만 생각하는 것에서 이웃에 대해 (무관심한) 우리들의 삶이 드러나는군.
④ 아래위층 사이에 욕설을 퍼붓는 장면에서 아파트가 이웃 간의 갈등을 유발하는 곳임이 확인되는군.
⑤ 위층의 소리를 자전거나 스케이트 보드 타는 소리로 추측하는 것은 이웃을 좋아하지 않기 때문이군.

5 어휘·어법_한자성어
'나'는 소음을 줄여 달라는 자신의 요청에 신경질적인 반응을 보이며 "저더러 어쩌라는 거예요?"라고 말하는 위층 여자의 태도에 화가 나 있습니다. ㉮로 보아 '나'는 위층 여자의 태도에 대해, '잘못한 사람이 아무 잘못도 없는 사람을 나무람을 이르는 말.'을 뜻하는 '적반하장'과 같다고 생각하고 있습니다.

어휘력 완성 ─── 045쪽

1 ㉠ 저의 ㉡ 지레 **2** (1) ㉰ (2) ㉮ (3) ㉯ **3** ①

1 '겉으로 드러나지 아니한, 속에 품은 생각.'을 '저의'라고 합니다. 따라서 떡볶이를 사 주는 이유를 당장 밝히라며 의심하는 ㉠에는 '저의'가 들어가는 것이 적절합니다. 그리고 ㉡에는 '어떤 일이 일어나기 전.'을 의미하는 '지레'가 들어가는 것이 좋습니다. '지레'는 '지레 겁을 먹다.'처럼 '미리'라는 의미로 자주 쓰는 말입니다.

3 제시된 글에서 '나'는 예상치 못했던 상황으로 인해 놀라서 당황하고 있습니다. 이처럼 뜻밖의 일에 얼굴빛이 변할 정도로 놀라는 것을 '아연실색'이라고 합니다.

1 생활필수품 / 쌀, 연탄 **2** ④ **3** ② **4** ③ **5** ③

글의 종류 현대 소설

글의 특징 이 소설은 1980년대 부천시 원미동에서 살아가는 소시민의 일상적 삶을 다룬 연작 소설 「원미동 사람들」의 일부입니다. 인물들의 다양한 사투리를 통해 원미동 사람들의 소박한 삶을 사실감 있고 현장감 있게 전달하고 있습니다.

주제 소시민적 삶에 대한 비판과 그들에 대한 연민

---

1 핵심 요약_주요 내용 정리하기

	김포 슈퍼	형제 슈퍼
주인	경호네	김 반장
판매 물건	쌀, 연탄 + (생활필수품)	생활필수품 + (쌀, 연탄)

2 내용 이해_세부 내용 파악하기

충청도 산골 마을에서 야망을 품고 상경한 경호네는 품팔이로 번 돈을 모아 원미동에 김포 쌀 상회를 내었습니다. 김포 슈퍼는 그 이후에 확장한 것이지 품팔이로 모은 돈으로 확장한 것은 아닙니다.

3 내용 이해_시대적 배경 파악하기

연탄을 파는 가게가 있었다는 사실을 통해 당시 난방을 위해 연탄을 주로 사용했다는 사실을 알 수 있습니다.

오답 피하기

① 대리점에서 연탄을 가져오는 것은 가게이고, 가게에서 소비자들에게 연탄을 배달하는 것입니다. 그리고 쌀을 대리점에서 가져왔다는 내용도 없습니다.

⑤ 경호네는 시골에서 올라오기는 했지만, 처음에는 품팔이를 하며 돈을 모았다고 했으므로 시골에서 올라왔다고 해서 장사 이외에 할 일이 없었던 것은 아닙니다.

4 감상_이론을 바탕으로 감상하기

형제 슈퍼가 느닷없이 '쌀, 연탄'이라고 쓴 입간판까지 내다 놓은 것이 김포 슈퍼의 개업과 발을 맞춘 것임이 분명하였다는 내용으로 볼 때, 김포 슈퍼로의 확장 때문에 형제 슈퍼에서 파는 품목이 확대된 것이며 이로 인해 김 반장과 경호네가 갈등하게 된다고 볼 수 있습니다.

? 문제 돋보기

4 다음 보기를 참고할 때, ㉠에 대한 설명으로 가장 적절한 것은 무엇입니까? (③)

보기

소설은 갈등의 진행과 해소 과정에 따라 발단, 전개, 위기, 절정, 결말의 구성 단계를 지닌다. 발단에서는 인물과 배경을 소개하고 갈등의 원인을 제시하며, 전개에서는 사건이 본격적으로 진행되면서 갈등이 구체화된다. 그리고 위기와 절정을 거치면서 갈등이 점점 최고조로 향하고 갈등 해결의 실마리가 제시된다. 마지막 결말에서는 갈등이 해소되며 사건이 마무리된다.

① 동네 사람들이 형제 슈퍼와 김포 슈퍼를 함께 이용하도록 하여 갈등을 ~~해소~~하게 한다.

② 김포 슈퍼에서 물건을 사던 동네 사람들을 형제 슈퍼로 ~~유도~~하여 갈등이 최고조에 이르게 한다.

✓③ 김 반장의 형제 슈퍼에서도 쌀과 연탄을 팔게 되면서 김포 슈퍼와 갈등하게 되는 원인을 제공한다.

④ 형제 슈퍼와 김포 슈퍼의 주인에 대한 정보를 제공하여 이야기의 인물과 배경을 ~~소개~~하는 계기가 된다. ┌ 나와 있지 않음.

⑤ 김 반장과 경호네가 평소 ~~감추고~~ 있던 서로에 대한 불만을 표출하게 하여 갈등을 고조하는 역할을 한다.

5 어휘·어법_관용 표현

경호네는 품팔이로 모은 돈으로 김포 쌀 상회를 열었고, 그 뒤에 또 악착같이 일해서 김포 슈퍼로 가게를 확장했습니다. 그러므로 경호네는 자신들이 열심히 일한 결과인 김포 슈퍼를 보며 기쁘고 즐거웠을 것입니다. '입이 가로 터지다'는 이렇게 기쁘거나 즐거워 입이 크게 벌어진다는 뜻의 관용 표현입니다.

어휘력 완성 — 049쪽 —

1 ㉠ 부리고 ㉡ 품팔이 **2** (1) ⓝ (2) ⓒ (3) ㉮ **3** ⑤

1 사람의 등에 지고 있는 짐을 내려 놓는 것을 '부리다'라고 말합니다. 따라서 ㉠에는 '부리고'가 들어가는 것이 적절합니다. 그리고 품삯을 받고 남의 일을 해 주는 일이나 그런 사람을 '품팔이'라고 합니다. 남의 집에서 힘들게 일했다는 말을 통해 ㉡에는 '품팔이'가 들어가는 것이 적절함을 알 수 있습니다.

3 선생님께서 설명하는 것은 두 말이 결합할 때, 앞말에서 'ㄹ'이 사라져 버리는 경우입니다. 그런데 '이튿날'은 '이틀'의 'ㄹ'이 'ㄷ'으로 바뀐 예로 선생님의 설명과는 다른 예에 해당합니다.

1 못, 장, 아파트 **2** ④ **3** ② **4** ① **5** ②

글의 종류 현대 소설

글의 특징 이 소설은 전통적인 삶의 방식을 중요시하는 할머니와 편리한 삶의 방식에 익숙한 젊은 엄마의 갈등을 다룬 작품입니다. 간편함과 빠름을 추구하는 현대 도시의 한 아파트를 배경으로 가치관의 차이로 인한 세대 간의 갈등과 그 해소 과정을 보여 주고 있습니다.

주제 가치관의 차이로 인한 세대 간의 갈등

---

1 핵심 요약_주요 내용 정리하기

할머니		엄마
• 메주를 매달기 위해 창고 문틀에 (못)을 박음. • 아파트에 살아도 사람이 할 일은 하고 살아야 함. • (장)은 직접 담가 먹어야 함.	메주 만들기	• 메주를 매달다가 집 꼴이 엉망이 될까 봐 걱정됨. • 요즘 (아파트)에서는 옛날 방식으로 메주를 만드는 사람이 거의 없음. • 장은 사 먹어도 됨.

2 내용 이해_세부 내용 파악하기

엄마는 메주 때문에 집 꼴이 엉망이 되는 것이 못마땅하고, 장은 사 먹어도 된다고 생각하기 때문에 메주를 만드는 것을 반대합니다. 그러나 아파트에서 메주를 만드는 것이 주위 이웃들에게 피해를 주는 일이라고 말하거나 생각하는 내용은 이 글에서 확인할 수 없습니다.

3 내용 이해_구절의 의미 파악하기

할머니는 메주를 만드는 일을 두고 엄마와 갈등하고 있습니다. 엄마는 요즘 아파트에서 메주를 만드는 사람이 거의 없다는 이유로 할머니가 메주 만드는 걸 반대하고 있습니다. 이에 대해 할머니는 장은 사 먹는 것이 아니라고 하며 메주를 만드는 일을 고집하고 있습니다. 따라서 ㉠에서 할머니께서 말하신 사람이 '할 일'의 구체적인 내용은 장을 사 먹는 것이 아니라 직접 만들어 먹는 것입니다.

4 감상_이론을 바탕으로 감상하기

엄마는 아파트에서 메주를 만들어 장을 직접 담가 먹는 사람이 거의 없다며 할머니의 생각은 옛날 방식이라고 말하고 있는데, 여기에는 할머니가 중요하게 여기는 전통적인 삶의 방식에 대한 부정적인 생각이 담겨져 있습니다.

문제 돋보기

4 다음 보기를 참고하여 이 글을 감상한 내용으로 적절한 것은 무엇입니까? (①)

> **보기**
>
> 「할머니를 따라간 메주」는 '메주'라는 구체적 소재를 중심으로 전통적인 삶의 방식을 중요시하는 인물과 편리한 삶의 방식을 추구하는 인물의 갈등을 다룬 작품이다. 작가는 서로 다른 생각을 가지고 살아가더라도 상대방이 소중히 여기는 것을 헤아리고 더불어 살아가려는 자세가 필요함을 강조하고 있다.

① 메주 만드는 일을 옛날 방식이라고 생각하는 엄마는 전통적인 삶의 방식을 부정적으로 여기고 있군.

② 메주를 만드는 일에 대해 서로 상반된 태도를 지닌 할머니와 엄마는 상대방의 생각을 존중하고 있군.

③ '나'가 엄마가 있는 안방의 문을 닫은 것으로 보아 '나'는 엄마가 중요하게 여기는 것에 반대하고 있군. └ 엄마에게 말을 걸 수 없었기 때문임.

④ 세상이 달라졌다고 해도 달라지지 않는 게 있다는 할머니의 말은 더불어 살아가는 삶의 자세가 중요하다는 뜻이겠군.

⑤ 메주를 매달 데가 없는 아파트를 '몹쓸 놈의 집구석'이라고 표현한 것에서 할머니가 편리한 삶을 추구한다는 것을 알 수 있군.

---

5 어휘·어법_관용 표현

'눈에 쌍심지를 켜다'는 '몹시 화가 나서 눈을 부릅뜨다'라는 뜻을 지닌 관용 표현으로 눈을 무섭고 사납게 크게 뜨는 것을 뜻하는 '눈을 부릅뜨다'와 의미가 비슷합니다.

어휘력 완성 ──────── 053쪽

1 ㉠ 노여운 ㉡ 몹쓸 **2** ③ **3** ①

---

1 그림에서 언니는 나쁜 일을 한 사람들에 대한 신문 기사를 읽으며 얼굴을 찡그리고 있습니다. 따라서 ㉠에는 화가 날 만큼 분하고 섭섭하다는 뜻의 '노여운'이 들어가는 것이 알맞습니다. 또한 나쁜 일을 한 사람들에 대해 말하고 있으므로 ㉡에는 악독하고 고약하다는 뜻의 '몹쓸'이 들어가는 것이 알맞습니다.

2 제시된 뜻풀이를 보면 '메주'는 '장'을 만드는 원료입니다. 결국 ㉡이 ㉠의 원료인 관계라고 말할 수 있고, 이와 같은 관계로 묶인 것은 '종이:나무'입니다. '나무'가 '종이'의 원료가 되기 때문입니다.

3 서로 갈등하는 두 분에게 '나'가 말해 드릴 수 있는 적절한 표현의 한자성어는 처지를 바꾸어서 생각하여 본다는 의미의 '역지사지'입니다.

1 환인, 신단수, 쑥(마늘), 마늘(쑥), 곰, 단군(왕검) **2** ④
3 ① **4** ④ **5** ④

글의 종류 고전 산문

글의 특징 이 글은 우리 민족 최초의 고대 국가인 고조선의 형성 과정과 왕권의 성립 과정이 담긴 건국 신화입니다. 환인의 아들인 환웅이 신단수 밑에 내려와 인간 세계를 다스리다 웅녀와 결혼하여 단군을 낳았고, 그 단군이 고조선을 세웠다는 내용입니다. 이 작품은 당시 우리 민족의 삶과 의식, 종교관 등을 상징적으로 보여 줍니다.

주제 홍익인간의 이념을 바탕으로 한 고조선의 건국

1 핵심 요약_내용 흐름 정리하기

(환인)이 환웅을 내려보내 인간 세상을 다스리도록 함.

↓

환웅이 태백산 (신단수) 아래로 내려와 백성들을 다스림.

↓

환웅이 인간이 되기를 소원하는 곰, 호랑이에게 (쑥(마늘))과 (마늘(쑥))을 줌.

↓

환웅이 시킨 일을 따르지 못한 호랑이는 사람이 되지 못하고, 끝까지 참아 낸 (곰)은 사람이 됨.

↓

환웅과 웅녀 사이에서 탄생한 (단군(왕검))이 고조선을 건국함.

2 내용 이해_세부 내용 파악하기

환웅이 풍백, 우사, 운사를 거느리고 인간 세상에 내려왔는데 풍백, 우사, 운사는 각각 바람, 비, 구름을 의미합니다. 이는 농경 생활에서 가장 중요하게 생각하는 자연 요소들로, 이를 통해 당시 사회가 농경 생활을 기반으로 하는 사회였음을 알 수 있습니다.

3 내용 이해_소재의 기능 파악하기

호랑이는 금기를 지키지 못해 동굴을 뛰쳐나가고 곰은 인내하여 동굴에 머물게 됩니다. 그러나 호랑이와 곰이 갈등하는 내용은 나타나 있지 않습니다.

4 감상_이론을 바탕으로 감상하기

단군 신화에서 건국의 주체는 곰이 아니라 단군입니다. 환웅이 곰을 사람으로 변하게 해 주는 장면은 환웅이 지닌 초월적 능력을 보여 주는 것으로 이해할 수 있습니다.

문제 돋보기

4 다음 보기 를 참고하여 이 글을 감상한 내용으로 적절하지 않은 것은 무엇입니까? (④)

보기

일반적으로 '건국 신화'는 국가 건설의 정당성과 왕권의 정통성을 부각하기 위해 건국의 주체가 초월적 능력을 지닌 신성한 혈통임을 강조한다. 그래서 대개 이들의 출생 과정도 신이하게 제시된다. 또한 건국의 주체에게 권위를 부여하는 신성한 장소도 등장한다.

① 환웅이 내려온 태백산 신단수 아래는 하늘과 땅을 이어 주는 신성한 공간으로 볼 수 있군.

② 환웅과 곰에서 인간으로 변한 웅녀 사이에서 단군이 출생했다는 점에서 신이한 출생 과정이 드러나는군.

③ '환인-환웅-단군'으로 이어지는 3대 구조를 통해 고조선을 건국한 단군이 신성한 혈통임을 강조하고 있군.

④ 환웅이 곰을 사람으로 변하게 해 준다는 점에서 곰에게 건국의 주체로서의 권위를 부여하고 있음을 알 수 있군.

⑤ 단군의 아버지인 환웅이 바람, 비, 구름을 거느리고 인간 세상을 다스리는 것에서 환웅의 초월적 능력을 확인할 수 있군.

환웅의 초월적 능력을 보여 줌.

5 어휘·어법_한자성어

환인은 천하를 내려다보니 인간을 널리 이롭게 할 만하여 환웅에게 천부인 세 개를 주어 내려보냈고, 인간 세상을 다스리게 했다고 했으므로 환인은 '널리 인간을 이롭게 함.'을 뜻하는 '홍익인간'의 이념을 실현하고자 했음을 알 수 있습니다.

어휘력 완성

059쪽

1 ㉠ 간청 ㉡ 갸륵하여 **2** (1) ㉮ (2) ㉯ (3) ㉰ **3** ⑤

1 아들이 공손한 태도로 아버지에게 용돈을 올려 달라고 부탁하고 있습니다. 이런 상황에 어울리는 말은 간곡하게 부탁한다는 의미의 '간청'입니다. 또 아버지는 매일 구두를 닦는 아들의 착하고 기특한 태도를 칭찬하고 있습니다. 이와 같이 착하고 장한 모습을 이르는 말은 '갸륵하다'입니다.

오답 피하기

• 조언: 말로 거들거나 깨우쳐 주어서 도움. 또는 그 말.

• 가소로워: 같잖아서 우스운 데가 있어.

3 곰과 호랑이는 사람으로 변화하기 위해 고난의 과정을 거쳐야 합니다. 이처럼 변화와 발전을 위해 꼭 겪어야 하는 과정을 '통과 제의'라고 합니다.

1 아버지, 형, 공 / 아버지, 형 **2** ① **3** ⑤ **4** ④ **5** ①

글의 종류 고전 소설

글의 특징 이 소설은 우리나라 최초의 한글 소설로, 허균이 지은 작품입니다. 부패한 사회를 개혁해 새로운 세상을 이루고자 했던 허균이 당시 조선 사회의 모순을 비판한 사회 소설입니다.

글의 주제 적서 차별에 대한 비판과 그 극복 의지

1 핵심 요약_주요 내용 정리하기

'길동'의 바람	'길동'의 현실
• 아버지를 (아버지)라 부르고, 형을 (형)이라 부르고 싶음. • 벼슬하여 나라에 큰 (공)을 세우고 이름을 빛내고 싶음.	• 아버지를 (아버지)라 부를 수 없고, 형을 (형)이라 부를 수 없음. • 천하게 태어나 벼슬할 기회조차 없음.

2 내용 이해_시대적 배경 파악하기

길동이 "만물이 생겨날 때부터 오직 사람이 귀한 존재인 줄 아옵니다만, 소인에게는 귀함이 없사오니, 어찌 사람이라 하겠습니까?"라고 말한 것으로 보아 아버지가 양반이라고 하여 모든 사람이 귀하게 여겨진 것은 아니라고 볼 수 있습니다.

오답 피하기

④ 공은 길동을 꾸짖으며 "재상 집안에 천한 종의 몸에서 태어난 자식이 너뿐이 아닌데"라고 말하고 있습니다. 이를 통해 당시 양반이 본부인 외에 첩을 두는 관습이 흔했음을 알 수 있습니다.

3 내용 이해_인물의 심리 파악하기

'공'은 길동을 불쌍하게 여겼으나, 출생이 천해 아버지를 아버지로, 형을 형으로 부르지 못하게 했습니다. 이는 당시 사회적 관습에 따르면 길동은 천한 신분이었기 때문입니다. 따라서 '공'은 길동을 아끼지만 사회적 관습을 무시할 수 없었기 때문에 길동을 꾸짖은 것입니다.

4 감상_이론을 바탕으로 감상하기

길동이 검술을 익히는 데 열중하는 것은 자신이 처한 상황에 대한 안타까운 마음을 달래기 위한 것입니다. 이어지는 장면에서 길동이 공에게 차별의 부당함을 이야기하고 있으므로 길동은 여전히 현실에 대한 관심이 있습니다.

? 문제 돋보기

4 다음 보기 를 참고하여 이 글을 감상한 내용으로 적절하지 않은 것은 무엇입니까? (④)

> **보기**
>
> 문학은 인간의 삶을 반영하기에 작품 속에는 항상 갈등이 존재한다. 「홍길동전」은 인물 간의 갈등, 인물과 사회 제도와의 갈등이 작품 전개의 중심축을 이루며, 이러한 갈등 상황에서의 인물의 행동과 가치관이 잘 드러나 있다.

① 아버지를 아버지라 부르고 싶어 하는 길동과 이를 못 하게 하는 공의 관계에서 인물 간의 갈등을 확인할 수 있다.

② 길동이 아버지를 아버지라 부르지 못하는 신세를 한탄하는 것에서 길동은 사회 제도와 갈등하고 있음을 알 수 있다.

③ 길동이 아버지를 아버지라 부르지 못하는 현실에 대해 괴로워하는 모습에서 당시 현실을 부정적으로 인식하는 길동의 가치관을 확인할 수 있다.

✔④ 길동이 아버지를 아버지라 부르지 못하고 검술을 익히는 데 열중하는 모습에서 이미 현실에는 관심을 두지 않는 길동의 가치관을 확인할 수 있다.
  └ 현실에 계속 관심을 두며 차별의 부당함을 공에게 토로함.

⑤ 아버지를 아버지라 부르지 못하는 길동을 불쌍히 여기면서도 이를 허락하지 않는 공의 모습에서 당시의 사회적 관습을 인정하는 공의 가치관을 확인할 수 있다.

---

5 어휘·어법_한자성어

㉮는 길동의 총명함이 드러나는 부분으로, 하나를 듣고 열 가지를 미루어 안다는 뜻으로, 지극히 총명함을 이르는 말인 '문일지십'과 관련이 있습니다.

어휘력 완성

1 ㉠ 소인 ㉡ 소자 **2** (1) ㉯ (2) ㉰ (3) ㉮ **3** ⑤

1 길동은 종의 신분이었던 자신의 어머니 '춘섬'으로 인하여 똑같이 천한 신분으로 대우받고 있습니다. 그래서 아버지 앞에서 자신을 가리킬 때 신분이 낮은 사람이 자기보다 신분이 높은 사람을 상대하여 자기를 낮추어 이르던 말인 '소인(小人)'이라는 표현을 쓸 수밖에 없습니다. 그러나 자신과 같은 신분인 어머니 '춘섬' 앞에서는 아들이 부모를 상대하여 자기를 낮추어 이르던 말인 '소자(小子)'라는 표현을 쓰게 됩니다.

3 제시된 부분은 길동이 자신의 깊은 한을 어머니에게 눈물 흘리며 말하는 부분입니다. 이런 상황에 알맞은 관용어는 마음속에 쓰라린 고통과 모진 슬픔이 지울 수 없이 맺힌다는 의미의 '가슴에 멍이 들다'입니다.

홍계월전

064~066쪽

1 보국, 운평, 적병, 계월(원수) **2** ④ **3** ④ **4** ② **5** ②

글의 종류 고전 소설

글의 특징 이 소설은 여성 영웅인 홍계월의 수난과 그 극복 과정을 그리고 있는 작품입니다. 능력이나 사회적 신분이 남성보다 우위에 있는 여성 주인공을 통해 남성 중심의 사회를 비판하고 봉건적 가치관에 맞서는 근대적 여성상을 제시하고 있습니다.

주제 여성 영웅의 영웅적 활약상 그리고 남성 중심 사회에 대한 비판

---

1 핵심 요약_내용 흐름 정리하기

(**보국**)이 계월의 명령에 따라 적진으로 뛰어듦.

↓

보국이 적장 (**운평**)과 운경을 차례로 해치움.

↓

보국이 본진으로 돌아가려 할 때 사방에서 몰려든 (**적병**)에 둘러싸임.

↓

(**계월(원수)**)이/가 급히 말을 몰아 적들을 모두 해치우고 보국을 데리고 옴.

2 표현_서술상 특징 파악하기

이 글은 보국이 적진으로 달려들어가 적장 운평과 운경을 차례로 무찌르는 장면을 구체적으로 묘사하여 독자들이 이야기의 박진감을 느낄 수 있도록 하고 있습니다.

3 내용 이해_인물의 심리 파악하기

계월이 보국에게 먼저 나가 싸우게 한 것은 장수로서 부하에게 명령을 한 것에 불과하며 앞에서도 보았듯이 계월은 공과 사를 엄격히 구분하는 인물입니다. 그리고 보국 또한 적장 운평, 운경 등을 단숨에 해치울 정도로 뛰어난 장수입니다. 다만 구덕지와 그의 부하들이 비겁하게 기습을 하는 바람에 위기에 처하게 된 것뿐입니다.

오답 피하기

① 계월이 자신을 부리려 한다며 불만을 드러냈습니다.
② 나라의 일이 더 중요하니 어쩔 수 없다고 하였습니다.

4 감상_이론을 바탕으로 감상하기

적장 구덕지는 보국이 운평과 운경을 죽이자 분노하여 달려들게 됩니다. 여기에서 계월이 대원수라는 점을 조롱하는 모습은 드러나 있지 않습니다.

---

4 다음 **보기** 를 참고하여 이 글을 감상한 내용으로 적절하지 않은 것은 무엇입니까? (②)

보기

「홍계월전」은 여성 주인공의 영웅적 활약을 중심으로 한 여성 영웅 소설이다. 조선 후기에는 나라에 대한 충성을 중요하게 여겼고 남존여비(男尊女卑)와 같은 유교적 이념도 존재했다. 그러나 이 소설은 남성보다 뛰어난 여성 주인공을 내세워 기존의 가부장적 질서를 비판했다는 점에서 조선 후기 여성의 의식이 성장하고 있었음을 보여주고 있다.

① 위험에 처한 보국을 단번에 구출해 내는 계월의 행동에서 영웅으로서의 면모를 확인할 수 있군.

② 여성인 계월이 대원수라는 점을 조롱하는 적장 구덕지의 행동에서 가부장적 사고를 확인할 수 있군.

③ 자신을 여자라는 이유로 업신여기던 보국을 꾸짖는 계월의 말에서 남존여비 사상에 대한 비판적 인식을 확인할 수 있군.
└ 평소 여자라는 이유로 무시했던 자신의 도움을 받은 보국을 조롱함.

④ 보국을 꾸짖으며 전령에 따를 것을 재촉하는 여공의 말에서 나라에 대한 충성을 중요하게 여기는 가치관을 확인할 수 있군.

⑤ 계월이 보낸 전령을 보며 분하게 여기는 보국의 말에서 여성보다 남성이 우월해야 한다는 사고방식을 가졌다는 것을 확인할 수 있군.

---

5 어휘·어법_한자성어

보국이 사방에서 달려드는 적병에 둘러싸여 있는 상황은 '아무에게도 도움을 받지 못하는, 외롭고 곤란한 지경에 빠진 형편을 이르는 말.'을 뜻하는 '사면초가'로 표현할 수 있습니다.

어휘력 완성

067쪽

1 ㉠ 원수 ㉡ 합 **2** (1) ㉮ (2) ㉰ (3) ㉯ **3** ④

---

1 '원수'는 군대에서 대장의 위로 가장 높은 계급입니다. '합'은 칼이나 창으로 싸울 때, 칼이나 창이 서로 마주치는 횟수를 세는 단위입니다. 결국 '반 합'이라는 것은 칼을 반만 휘둘러도 상대를 이길 수 있다는 자신감의 표현으로 볼 수 있습니다.

3 홍계월은 적진의 수많은 군사들을 한칼에 무너뜨리고 있습니다. 이처럼 어떤 형세나 세력이 갑자기 기울어지거나 흩어지는 모양을 '가을바람에 떨어지는 잎'에 빗대어 '추풍낙엽'이라고 합니다.

1 청년, 고래, 별(들) **2** ③ **3** ②

푸른 바다에 고래가 없으면
젊음, 상쾌함, 희망, 자유의 이미지
푸른 바다가 아니지

□: '~으면 ~ 아니지'라는 유사한 문장 구조의 반복
→ 의미 강조, 운율 형성

마음속에 푸른 바다의
'청년기'의 상징
고래 한 마리 키우지 않으면
꿈과 목표를 추구하는 당당한 존재
청년이 아니지
▶ 1연: 마음속에 고래를 키우지 않으면 청년이 아님.

『푸른 바다가 고래를 위하여
『 』: 꿈과 목표를 지니지 못한 사람.
푸르다는 걸 아직 모르는 사람』은

아직 사랑을 모르지
청년이 될 자격이 없음.
▶ 2연: 고래의 의미를 모르는 사람은 사랑을 모름.

고래도 가끔 수평선 위로 치솟아 올라
더 이상 솟아오를 수 없는 고래의 한계
별을 바라본다

나도 가끔 내 마음속의 고래를 위하여

밤하늘 별들을 바라본다
추구해야 할 이상과 희망
▶ 3연: 마음속 고래를 위하여 밤하늘의 별들을 바라봄.

▶ '나' = 시의 화자(노래하는 사람): 꿈과 목표를 품고 사는 사람.

□: '~도 ~ 바라본다'라는 유사한 문장 구조의 반복 ◀
→ 주제 강조, 운율 형성

글의 종류 현대 시

글의 특징 이 시는 상징적 표현을 통해 꿈과 목표가 없는 청년은 청년으로서의 의미와 가치가 없음을 노래하고 있는 작품입니다. '푸른 바다', '고래', '별' 등의 상징적 의미를 파악하는 것이 중요하며, '청년'이 지니는 푸른색의 이미지에 대한 이해가 필요합니다.

주제 꿈과 목표를 품고 살아야 할 청년의 자세

---

1 핵심 요약_내용 흐름 정리하기

나	(청년)은 마음속에 고래를 키워야 한다고 생각함.	→	꿈과 목표를 지니고 이상을 추구하는 당당한 사람
	자신의 마음속에 (고래)가 있음.		
	가끔 밤하늘 (별(들))을 바라봄.		

2 내용 이해_내용과 표현 파악하기

2연에서는 '푸른 바다'의 의미를 모르는 사람은 '사랑'을 모른다고 말하고 있습니다. 즉, '사랑'을 아는 것이 먼저가 아니라 '푸른 바다'의 의미를 아는 것이 먼저여야 하는 것입니다.

오답 피하기

② 1연에서 '푸른 바다'와 '고래' 그리고 '청년'과 '고래'가 뗄 수 없는 필연적인 관계라는 것을 강조하고 있습니다.
⑤ 3연에서 '고래도', '나도' 별을 바라본다고 하였습니다.

3 감상_상징적 표현 이해하기

㉮는 '푸른 바다'와 '고래'라는 상징적 표현을 통해 생각을 선명한 이미지로 바꾸어 표현한 것이고, ㉯는 생각을 직접 이야기한 것입니다. **보기** 의 설명을 참고할 때, ㉮보다 ㉯가 말하려는 내용을 분명하게 드러낸다고 볼 수 있습니다.

? 문제 돋보기

3 다음 **보기** 의 ㉮와 ㉯를 비교한 내용으로 적절하지 않은 것은 무엇입니까? (②)

보기
이 시에 사용된 시어들은 상징적 의미를 지니고 있어요. '상징'은 머릿속 생각을 보거나 듣고 만질 수 있는 대상으로 바꾸어 표현하는 것이지요. 상징적 표현은 말하고자 하는 내용을 선명한 이미지로 드러내고, 문학적인 아름다움을 느낄 수 있게 해요. 그렇지만 말하려는 내용을 분명하게 드러내지 않기 때문에 읽는 사람으로 하여금 많은 생각을 하게 하기도 해요. 또한 그 의미가 여러 가지로 해석될 수도 있지요. 그럼 다음 ㉮와 ㉯를 비교해 볼까요?

㉮ 푸른 바다의 고래 한 마리 키우지 않으면 청년이 아니지.
㉯ 당당한 꿈과 목표가 있지 않으면 청년이 아니지.

① ㉮는 ㉯보다 다양한 의미로 해석될 수 있다.
② ㉮는 ㉯보다 의미를 분명하게 전달할 수 있다. ┐ ㉯가 생각을 직접 말한 것임.
③ ㉮는 ㉯보다 읽는 사람이 많은 생각을 하게 한다.
④ ㉮는 ㉯보다 문학적인 아름다움을 느낄 수 있게 된다.
⑤ ㉮는 ㉯보다 말하려는 내용이 선명한 이미지로 표현된다.

시 02 　행복

074~075쪽

1 신바람, 보물, 나뭇구멍　**2** ③　**3** ②

눈이랑 손이랑
　　눈과 손을
깨끗이 씻고　　　　┐행복을 찾기 위한 마음가짐

자알 찾아보면 있을 거야.
'잘'의 강조 – 시적 허용　▶ 1연: 순수한 마음으로 찾을 수 있는 행복

깜짝 놀랄 만큼
　　'행복'의 특징
신바람 나는 일이

어딘가 어딘가에 꼭 있을 거야.
　　　　희망적·긍정적 태도 강조
　　　　　　▶ 2연: 어딘가에 꼭 있을 행복

아이들이

보물찾기 놀일 할 때
　　　행복을 찾는 삶
보물을 감춰 두는
행복을 비유한 표현

바위 틈새 같은 데에　┐주변에서 쉽게 찾을 수 있는
나뭇구멍 같은 데에　┘사소한 곳
　　　　　▶ 3, 4연: 일상의 사소한 곳에 있는 행복

행복은 아기자기

숨겨져 있을 거야.
　　　　▶ 5연: 우리가 찾아내야 할 행복

→ □: 친근감 있는 어조의 '있을 거야' 반복
　→ 희망적·긍정적 태도 강조, 운율 형성

글의 종류 현대 시

글의 특징 이 시는 누구나 바라는 행복이 사실은 우리 주
변의 사소한 곳에 숨겨져 있다고 노래하고 있는 작품입니
다. 또한 행복을 찾는 일을 보물찾기에 비유함으로써 참신
한 느낌을 주며 주제를 더 생생하게 전달하고 있습니다.

주제 우리 주변에 숨겨져 있는 행복

---

1 핵심 요약_주요 내용 정리하기

| 행복 = | 깜짝 놀랄 만큼 (신바람) 나는 일 | = | 아이들이 감춰 두는 (보물) 같은 것 | = | 바위 틈새나 (나뭇구멍) 같은 데에 숨겨져 있는 것 |

2 내용 이해_세부 내용 파악하기

'행복'이 찾을 수 없는 깊고 비밀스러운 곳이 아니라 바위
틈새나 나뭇구멍과 같이 우리 주변에 흔하게 존재하는 장
소이면서도 사소하게 여기고 지나치기 쉬운 곳에 숨겨져
있다고 하였습니다.

오답 피하기

① 1연에서 '눈이랑 손이랑 / 깨끗이 씻고'라며 행복을
찾기 위한 마음가짐을 말하였습니다.
② 행복을 찾는 일을 보물찾기 놀이에 비유하였습니다.
⑤ 5연에서 행복은 아기자기 숨겨져 있을 것이라고 하였
습니다.

3 감상_시어의 특징 이해하기

'자알'은 '잘'을 강조하기 위해 늘여 쓴, '시적 허용'에 해
당하는 시어입니다.

❓ 문제 돋보기

3 다음 보기 의 밑줄 친 부분에 해당하는 시어로 적절한 것은 무엇
입니까? (②)

보기

시에서는 특별한 의미를 강조하거나 노래하는 듯한 리
듬감을 만들기 위해 문법에 맞지 않는 말을 만들어 사용
하기도 한다. 이를 시적 허용이라 하는데 단어의 원래
형태를 늘여 쓰거나 줄여 쓰는 경우가 많다. 또는 사투리
를 활용하거나 옛날 말을 이용하여 현재 우리가 쓰지 않
는 말을 만들어 내기도 한다.

① 눈이랑　　　✔② 자알　　　③ 어딘가
　└눈+이랑　　　└잘　　　　└어디인가
④ 놀일　　　　⑤ 감춰
　└놀이를　　　└감추어

오답 피하기

① '눈이랑'은 명사 '눈'과 조사 '이랑'이 결합한 말로 시
적 허용과는 거리가 멉니다.
③ '어딘가'는 '어디인가'를 줄인 말로 형태를 늘여 쓴 것
이 아닙니다.
④ '놀일'은 '놀이를'을 줄인 말로 형태를 늘여 쓴 것이
아닙니다.
⑤ '감춰'는 '감추어'를 줄인 말로 형태를 늘여 쓴 것이
아닙니다.

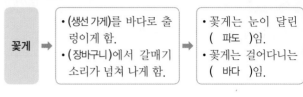

시 03 걸어다니는 바다
076~077쪽

1 생선 가게, 장바구니 / 파도, 바다 **2** ① **3** ②

중심 소재 – 바다를 떠올리게 하는 존재
꽃게가

한 덩이의 바다를
꽃게를 통해 느끼는 바다의 모습
물고 왔습니다.

집게 발가락에

꼭 물려 있는

조각난 푸른 파도
'한 덩이의 바다'의 구체적 이미지
→ 색채어를 통한 선명한 시각적 심상 형성
▶ 1~2연: 꽃게가 집게 발가락에 바다를 물고 옴.

생선 가게는 이른 아침
신선한 분위기 조성
꽃게들이 물고 온

바다로 출렁입니다.
꽃게를 통해 느끼는 바다의 모습 – 시각적 심상

장바구니마다

갈매기 소리로 넘쳐 납니다.
꽃게를 통해 느끼는 바다의 모습 – 청각적 심상

쏴아쏴아
꽃게를 통해 느끼는 바다의 모습 – 청각적 심상
흑산도 앞바다가
꽃게가 원래 살던 곳
부서집니다.
▶ 3~5연: 생선 가게와 장바구니에서 바다를 느끼게 됨.

꽃게는

눈이 달린 파도입니다.
꽃게를 비유한 표현 ①
걸어다니는 바다입니다.
꽃게를 비유한 표현 ②
▶ 6연 : 꽃게는 파도이고 바다임.

글의 종류 현대 시

글의 특징 이 시는 생선 가게의 꽃게를 보며 바다의 푸른 파도와 갈매기 소리를 연상하고 있는 작품입니다. 싱싱한 꽃게의 모습을 '눈이 달린 파도', '걸어다니는 바다' 등으로 비유함으로써 마치 눈앞에 아름답고 싱그러운 바다의 모습이 떠오르는 듯한 느낌을 줍니다.

주제 꽃게를 통해 떠오르는 바다의 느낌

16 | 문학 독해 1

---

1 핵심 요약_주요 내용 정리하기

| 꽃게 | → | • (생선 가게)를 바다로 출렁이게 함.
• (장바구니)에서 갈매기 소리가 넘쳐 나게 함. | → | • 꽃게는 눈이 달린 (파도)임.
• 꽃게는 걸어다니는 (바다)임. |

2 내용 이해_세부 내용 파악하기

이 시에서 '꽃게'가 현재 있는 공간적 배경은 '생선 가게'와 '장바구니'입니다. '바다'는 꽃게가 오기 전에 있었을 공간일 뿐, 현재의 공간적 배경으로 볼 수는 없습니다.

오답 피하기

② '꽃게'를 통해 '흑산도 앞바다'가 부서지는 소리를 듣는다는 점에서, '흑산도 앞바다'를 '꽃게'의 고향으로 짐작할 수 있습니다.

③ '이른 아침'은 이 시의 시간적 배경으로 바다의 신선함을 느낄 수 있는 시간입니다.

④ '꽃게'가 '한 덩이의 바다'를 물고 왔다는 1연의 내용과 '집게 발가락'에 '조각난 푸른 파도'가 물려 있다는 2연의 내용을 통해, '한 덩이의 바다'와 '조각난 푸른 파도'가 동일한 대상임을 알 수 있습니다.

⑤ '눈이 달린 파도'와 '걸어다니는 바다'는 모두 '꽃게'의 비유적 표현입니다.

3 감상_심상의 역할 파악하기

'쏴아쏴아'는 바다의 물결이 밀려오는 소리를 표현한 청각적 심상으로 바다의 모습을 선명하게 전달하는 역할을 합니다.

? 문제 돋보기

3 다음 보기 의 설명을 바탕으로 할 때, 이 시의 표현과 표현에 담긴 '감각적 심상'을 적절히 짝 지은 것은 무엇입니까? (②)

보기

시는 노래하는 사람의 생각과 느낌을 언어를 통해서 표현해요. 그래서 독자에게 시의 상황을 생생하게 전달하기 위해 언어로 표현되는 '감각적 심상'(이미지)을 이용하지요. 감각적 심상에는 눈으로 보는 시각, 귀로 듣는 청각, 입으로 맛보는 미각, 코로 냄새 맡는 후각, 피부로 느끼는 촉각 등이 있어요. 이처럼 특별한 감각이 잘 느껴지는 언어적 표현을 이용함으로써 시의 상황을 선명하게 전달할 수 있게 되지요.

① 시각적 심상 – '갈매기 소리' -청각적 심상
② 청각적 심상 – '쏴아쏴아'
③ 미각적 심상 – '출렁입니다' -시각적 심상
④ 후각적 심상 – '흑산도 앞바다' -시각적 심상
⑤ 촉각적 심상 – '조각난 푸른 파도' -시각적 심상

1 민지, 꽃 / 잡초, 때　**2** ③　**3** ⑤

강원도 평창군 미탄면 청옥산 기슭.
　　　　세상과 떨어져 있는 순수한 자연의 공간
덜렁 집 한 채 짓고 살러 들어간 제자를 찾아
갔다.

거기서 만들고 거기서 키웠다는　　→ '나'와 대조되는
　　　　　　　　　　　　　　　　　　순수한 어린아이
다섯 살배기 딸 민지.
　　　　　　▶ 1~4행: 제자를 찾아간 곳에서 민지를 만남.
민지가 아침 일찍 눈 비비고 일어나

저보다 큰 물뿌리개를 나한테 들리고

질경이 나싱개 토끼풀 억새 ······
　　　　작고 보잘것없는 풀들
이런 풀들에게 물을 주며

잘 잤니, 인사를 하는 것이었다.　┐'민지'와 '나'의
풀들과 소통하는 민지의 순수함　　│대화 직접 인용
그게 뭔데 거기다 물을 주니?　　　│→ 생동감,
　　　　　　　　　　　　　　　　　　│　　현장감 형성
꽃이야, 하고 민지가 대답했다.　┘
풀을 대하는 맑고 순수한 민지의 시각
그건 잡초야, 라고 말하려던 내 입이 다물어졌
고정 관념으로 풀을 바라보는 '나'의 때 묻은 시각
다.
　　　　　▶ 5~12행: 풀들에게 애정을 쏟는 민지의 태도에 놀람.
내 말은 때가 묻어
화자 = 시를 쓰는 시인
천지와 귀신을 감동시키지 못하는데
　　세상을 감동시키는 시를 쓰지 못한다는 부끄러움.
꽃이야, 하는 그 애의 말 한마디가

풀잎의 풋풋한 잠을 흔들어 깨우는 것이었다.
　　　민지의 순수한 마음으로 이루어진 풀잎과의 소통
　　　　▶ 13~16행: 풀들과 소통하는 민지를 통해 자신을 반성함.

글의 종류 현대 시

글의 특징 이 시는 '민지'라는 순수한 어린아이가 자연과 소통하는 모습을 통해 주위 사물을 대하는 우리들의 태도를 돌아보게 만드는 작품입니다. 화자와 민지가 나누는 대화를 직접 인용하여 같은 대상을 '꽃'과 '잡초'로 다르게 인식하는 두 사람의 대조적인 시각을 잘 보여 주고 있습니다.

주제 민지의 순수함을 통해 때 묻은 자신을 반성함.

---

1 핵심 요약_주요 내용 정리하기

질경이, 나싱개, 토끼풀, 억새	
(민지)	나
• 예쁜 (꽃)이라고 생각하면서 물을 주고 말을 걺. • 순수한 마음을 지니고 있어 풀들과 소통할 수 있음.	• 쓸모없는 (잡초)로 여기기 때문에 민지의 행동에 놀람. • (때)가 묻어 천지와 귀신을 감동시킬 수 없음.

2 내용 이해_세부 내용 파악하기

ⓒ은 풀을 아름다운 존재로 생각하는 순수한 민지의 대답입니다.

　오답 피하기

① ⓐ은 민지가 풀에게 한 인사입니다.

② ⓑ은 민지가 풀에게 물을 주는 것을 못 보아서 물어본 것이 아니라 풀 즉, 잡초에는 물을 줄 필요가 없다는 인식이 바탕이 된 의문입니다.

④ ⓓ은 '나'의 때 묻은 생각으로, 입 밖에 내지 않은 말입니다.

⑤ ⓔ은 '나'를 깨우쳐 준 대답이며, '나'에게 한 말입니다.

3 감상_화자의 태도 이해하기

'때가 묻어'는 민지의 순수한 모습을 보고, '나'가 자신에 대해 느끼게 된 부끄러움을 표현한 말입니다. 상황에 대해 혼란스러움을 느낀다는 것은 적절하지 않은 감상입니다.

? 문제 돋보기

3 다음 보기 를 참고하여 이 시를 감상한 내용으로 적절하지 않은 것은 무엇입니까? (　⑤　)

　보기

　이 시에서 노래하는 사람 '나'는 시인으로, 세상 사람들에게 감동을 주는 시를 쓰고 싶어 한다. 그러나 세상과 떨어진 순수한 곳에서 만난 민지가 자연과 소통하는 모습을 보고, 자신이 그동안 편견을 지니고 세상의 모든 것들을 바라보고 있었음을 깨달으며 부끄러움을 느끼게 된다.

① '나'가 감동을 주고 싶은 대상을 '천지와 귀신'으로 표현하였다.

② 민지와 자연의 소통을 풀잎의 잠을 깨우는 것으로 표현하였다.

③ '나'가 편견을 지니고 있었음을 '잡초'라는 시어를 통해 표현하였다.

④ 세상과 떨어진 순수한 자연의 공간을 '청옥산 기슭'으로 표현하였다.

✓⑤ '나'가 느끼게 된 상황에 대한 혼란스러움을 '때가 묻어'로 표현하였다.　　　　　　　　　┌ 자신에 대해 느끼게 된
　　　　　　　　　　　　　　　　　　　　　부끄러움.

시 05 돌담에 속삭이는 햇발

080~081쪽

1 햇발, 샘물 / 부끄럼, 물결 / 하늘 **2** ④ **3** ④

돌담에 속삭이는 햇발같이
'내 마음' = 밝음.
풀 아래 웃음 짓는 샘물같이
'내 마음' = 맑음.
내 마음 고요히 고운 봄 길 위에

오늘 하루 하늘을 우러르고 싶다.
화자가 동경하는 순수하고 평화로운 세계
▶ 1연: 순수한 마음으로 봄 하늘을 우러르고 싶은 소망

□: '하늘'을 동경하는 화자의 순수한 마음을 비유한 시어 ─ '햇발', '샘물', '부끄럼', '물결'

새악시 볼에 떠오는 부끄럼같이
'내 마음' = 순수함.
시의 가슴에 살포시 젖는 물결같이
'내 마음' = 깨끗함.
보드레한 에메랄드 얇게 흐르는

실비단 하늘을 바라보고 싶다.
비단같이 고운 하늘
▶ 2연: 순수한 마음으로 봄 하늘을 바라보고 싶은 소망

『 』: ① '~는 ~같이'와 '~고 싶다'가 같은 위치에서 반복됨.
② 1연과 2연이 비슷한 문장 구조로 이루어짐.
→ 운율 형성

글의 종류 현대 시

글의 특징 이 시는 아름다운 봄날의 정경 속에서 하늘을 우러르고 싶다는 소박한 소망을 노래하고 있는 작품입니다. 시인은 이러한 순수한 마음을 노래하기 위해 의도적으로 예쁜 우리말을 선택하여 사용하고 있으며, 운율이 잘 느껴지는 표현들을 통해 노래를 듣는 것 같은 아름다움을 만들고 있습니다.

주제 봄 하늘을 동경하는 순수한 마음

1 핵심 요약_내용 흐름 정리하기

내 마음

| 돌담에 속삭이는 (햇발) 같이 풀 아래 웃음 짓는 (샘물) 같이 | 새악시 볼에 떠오는 (부끄럼)같이 시의 가슴에 살포시 젖는 (물결)같이 |

(하늘)을 우러러 바라보고 싶음.

2 내용 이해_세부 내용 파악하기

㉠은 순수하고 아름다운 공간으로, 화자가 소망하고 동경하는 이상적 세계입니다.

3 감상_시의 운율 이해하기

이 시에서는 '방긋방긋'처럼 모양을 흉내 낸 의태어나 '소곤소곤'처럼 소리를 흉내 낸 의성어의 사용은 찾아볼 수 없습니다.

? 문제 돋보기

3 다음 보기 의 ㉮~㉲ 중, 이 시에서 확인할 수 없는 것은 무엇입니까? (④)

> 보기
>
> 시를 읽을 때 느껴지는 말의 가락을 운율이라고 해요. 마치 노래를 듣는 것 같은 느낌을 말하는데, 이 '운율'을 이루는 요소로 가장 중요한 것은 규칙적인 반복이에요. ㉮시행마다 같은 자리에 같은 글자가 두 번 이상 반복되거나, ㉯1연과 2연이 비슷한 문장 구조로 이루어져 있으면 운율이 느껴져요. 또한 ㉰받침에 'ㄴ, ㄹ, ㅁ, ㅇ'이 들어간 시어들을 많이 사용하거나, ㉱'방긋방긋', '소근소근'처럼 모양이나 소리를 흉내 낸 말을 반복적으로 사용해도 운율이 느껴지고요. 또 ㉲'아리랑∨아리랑∨아라리요'처럼 세 도막으로 나눠 읽게 된 부분이 있어도 운율을 느낄 수 있죠.

의성어, 의태어는 없음.

① ㉮ ② ㉯ ③ ㉰ ④ ㉱ ⑤ ㉲

오답 피하기

① '~는 ~같이'와 '~고 싶다'라는 말이 같은 위치에서 반복되고 있습니다.
② 1연과 2연이 비슷한 문장 구조로 이루어져 운율을 형성하고 있습니다.
③ '돌담, 햇발, 풀, 샘물, 고운, 살포시, 에메랄드, 실비단, 하늘' 등 받침에 'ㄴ, ㄹ, ㅁ'이 들어간 시어들이 많이 사용되고 있습니다.
⑤ '돌담에∨속삭이는∨햇발같이'와 '풀 아래∨웃음 짓는 ∨샘물같이' 등은 세 도막으로 나눠 읽게 됩니다.

배추의 마음

082~083쪽

1 배추 / 튼실하게, 배추벌레, 순결한   2 ④   3 ②

배추에게도 마음이 있나 보다
씨앗 뿌리고 농약 없이 키우려니
하도 자라지 않아
가을이 되어도 헛일일 것 같더니
여름내 밭둑 지나며 잊지 않았던 말

대화체의 친근감
있는 말투
→ 배추에 대한
애정 표현

– 나는 너희로 하여 기쁠 것 같아
배추(의인법)
– 잘 자라 기쁠 것 같아
▶ 1연: 배추를 소중히 키우는 마음
→ 화자: 배추는 기르는 사람

늦가을 배추 포기 묶어 주며 보니

화자의 독백
→ 작은 생명도
소중히 여기는
따뜻한 마음

그래도 튼실하게 자라 속이 꽤 찼다
화자의 정성에 보답한 배추의 성장
– 혹시 배추벌레 한 마리
작지만 소중한 생명
이 속에 갇혀 나오지 못하면 어떡하지?
꼭 동여매지도 못하는 사람 마음이나
배추벌레가 갇혀서 죽을 것을 걱정함. → 작은 생명을 배려하는 마음
배추벌레에게 반 넘어 먹히고도
다른 생명을 위한 자기희생
속은 점점 순결한 잎으로 차오르는
화자의 정성에 대한 보답
배추의 마음이 뭐가 다를까

배추 풀물이 사람 소매에도 들었나 보다
배추와 사람의 교감 – 자연과 인간이 하나가 됨을 감각적 이미지로 표현
▶ 2연: 생명을 소중히 여기는 사람과 배추의 교감
→ 생명을 소중히 여기고 화자의 정성에 보답하는 마음

글의 종류 현대 시

글의 특징 이 시는 '사람'과 '배추'의 교감을 통해 자연과 생명을 사랑하고 소중하게 여기는 마음을 노래하고 있는 작품입니다. '배추'를 사람처럼 대하면서 애정 어린 시선으로 바라보는 화자의 태도와 사람의 마음과 배추의 마음을 비교함으로써 자연과 인간이 하나가 될 수 있음을 드러내는 주제 의식이 두드러집니다.

주제 자연과의 교감을 통해 깨달은 생명의 소중함

---

1 핵심 요약_내용 흐름 정리하기

여름내	늦가을
(배추)가 잘 자라기를 바라며 말을 건넴.	• '나'는 (튼실하게) 자란 배추에 (배추벌레)가 갇혀 있을까 봐 걱정되어 꼭 동여매지 못함. • 배추는 다른 생명에게 자신을 내 주면서도 (순결한) 잎으로 차오름.

2 내용 이해_세부 내용 파악하기

㉠의 '사람 마음'은 배추를 동여매면서 배추벌레가 갇혀서 나오지 못하게 될까 봐 걱정하는 마음입니다. ㉡의 '배추의 마음'은 배추벌레라는 다른 생명에게 자신의 몸을 먹히면서도 속은 점점 순결한 잎으로 차오르는 희생적 태도입니다. 따라서 ㉠과 ㉡은 모두 다른 생명을 배려하고 소중히 여기는 태도를 지니고 있다고 볼 수 있습니다.

3 감상_화자의 어조 파악하기

㉮는 화자가 배추에게 말을 건네는 듯한 대화체의 말투를 사용하여 친근한 느낌을 만들고 있다고 볼 수 있습니다. 다만 배추의 대답이 없기 때문에 대화가 될 수는 없습니다. 반면 ㉯는 화자가 스스로에게 한 말, 즉 독백을 인용함으로써 자신의 생각을 강조하는 것으로 이해할 수 있습니다.

? 문제 돋보기

3 다음 보기를 참고하여 ㉮와 ㉯를 비교한 설명으로 적절한 것은 무엇입니까? (②   )

보기

시는 기본적으로 화자(노래하는 사람)가 독자에게 들려주는 말로 이루어져 있다. 그러나 때로는 시에 등장하는 다른 대상과 주고받는 대화를 인용하거나 누군가에게 말을 건네는 듯한 대화체의 말투를 사용하여 생생한 느낌이나 친근감을 표현하기도 한다. 또 화자 자신의 혼잣말 즉 독백을 직접 인용하여 자신의 생각을 강조하기도 한다.

① ㉮는 대화를 인용한 것이며 ㉯는 대화체의 표현이다.
② ㉮는 대화체의 표현이며 ㉯는 독백을 인용한 것이다.
③ ㉮와 ㉯는 모두 말을 건네는 듯한 대화체의 표현이다. ㉮만 대화체의 표현임.
④ ㉮와 ㉯는 모두 상대와 주고받는 대화를 인용한 것이다.
⑤ ㉮는 대화를 인용한 것이며 ㉯는 독백을 인용한 것이다.

오답 피하기

③ ㉮만 대화체의 표현입니다.
④ ㉮와 ㉯는 모두 상대와 주고받는 대화가 아닙니다.
⑤ ㉮는 대화를 인용한 것이 아니라 대화체의 말투를 사용한 것입니다. 대화란 서로 주고받는 것인데 ㉮에는 대답이 나와 있지 않습니다.

1 길, 사람, 감자, 이웃   **2** ③   **3** ②

글의 종류 현대 시

글의 특징 이 시는 '구부러진 길'에 새로운 의미를 부여하면서 구부러진 길과 같은 삶이 더 의미 있음을 노래하고 있는 작품입니다. 다양한 열거를 통해 '구부러진 길'이 품고 있는 많은 것들을 제시하며 '구부러진 길처럼 살아온 사람'의 삶이 지니는 의미를 형상화하고 있습니다.

주제 다른 이들을 품고 감싸며 더불어 살아가는 삶에 대한 긍정

---

1 핵심 요약_주요 내용 정리하기

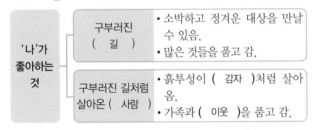

2 내용 이해_세부 내용 파악하기

물고기가 많이 모여 사는 곳은 '구부러진 하천'입니다. 시에서는 ㉠의 '구부러진 길'에 물고기가 모여 산다고 말하는 것이 아니라 '구부러진 하천'에 물고기가 많이 모여 살듯이 '구부러진 길'도 많은 것을 품고 있음을 이야기하는 것입니다.

3 감상_시구의 의미 이해하기

보기 를 참고할 때, ㉠은 때로는 상처와 아픔을 겪으면서도 다른 이를 품고 살아온 사람을 의미합니다. 따라서 주변의 대상들과 대립하면서 살아온 사람이라는 설명은 적절하지 않습니다. '울퉁불퉁'이라는 표현은 ㉠이 겪은 상처와 아픔을 의미하는 것이지 다른 사람과의 대립을 뜻하는 것은 아닙니다.

오답 피하기

① '구부러진 길'은 '반듯한 길'보다 느리기 때문에 오히려 다른 이를 품을 수 있습니다.

③ '구부러진 주름살'은 '구부러진 길처럼 살아온 사람'이 겪은 아픔과 상처를 구체적인 이미지로 표현한 것입니다.

④ '반듯한 길'은 편하고 빠른 길이기 때문에 주변과 다른 이들을 돌아볼 여유가 없어진다고 볼 수 있습니다.

⑤ 반듯한 길은 편하고 빠른 길이기 때문에 쉽고 편하게 살아온 사람이라고 볼 수 있습니다.

---

1 훗날, 잊었노라, 잊었노라, 잊었노라   **2** ③   **3** ③

글의 종류 현대 시

글의 특징 이 시는 먼 훗날 '당신'과 다시 만나게 되는 상황을 가정하여 '당신'에 대한 화자의 그리움과 사랑을 노래하고 있는 작품입니다. 화자는 먼 훗날 돌아온 '당신'에게 너무 늦게 돌아온 것에 대한 원망으로 '잊었노라'라는 말을 할 것이라고 반복하고 있습니다. 그러나 이 말은 사실을 결코 잊지 못하겠다는 화자의 속마음을 거꾸로 표현한 반어법으로 이해할 수 있습니다.

주제 떠난 임에 대한 간절한 그리움과 사랑

---

1 핵심 요약_내용 흐름 정리하기

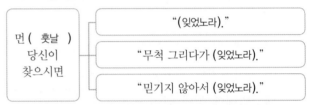

➡ 속마음과는 다른 말을 반복하며 결코 잊지 못하겠다는 속마음을 강조함.

2 표현_표현 의도 파악하기

㉠은 노래하는 사람의 속마음을 반대로 말한 것입니다. 먼 훗날 그때까지도 결코 잊지 못했을 것이지만, 너무 늦게 돌아온 당신에 대한 원망의 표현으로 '잊었노라'라고 거짓말을 하는 것입니다.

오답 피하기

① 먼 훗날이 되어서야 사랑하는 것이 아니라 지금도 사랑하고 있습니다.

②, ④, ⑤ 먼 훗날이 되어도 잊을 수 없는 것이 노래하는 사람의 속마음입니다.

3 감상_구체적 사례에 적용하기

㉮는 속마음을 반대로 말하며 놀리는 것입니다. 그러나 ③은 질책의 의미를 지닌 말을 물어보듯이 표현했을 뿐, 속마음과 반대로 말한 것은 아닙니다.

오답 피하기

① 늦은 친구에 대한 비난을 반대로 표현하고 있습니다.

② 재미없다는 말을 반대로 표현하고 있습니다.

④ 딸에 대한 질책을 반대로 하고 있습니다.

⑤ 자기 자랑만 하는 친구의 잘못에 대한 지적을 반대로 표현하고 있습니다.

---

1 홍안, 미소 / 백발, 눈물 **2** ③ **3** ⑤

1 바람, 별, 밤 **2** ⑤ **3** ②

글의 종류 현대 시

글의 특징 이 시는 다른 사람과는 대조적인 '당신'의 태도를 제시함으로써 화자가 '당신'을 사랑하는 까닭을 노래하고 있는 작품입니다. 일제 강점기에 시인이며, 승려이자 독립운동가이기도 했던 작가의 삶을 통해 '당신'의 의미를 다양하게 생각해 볼 수 있으며 동일한 문장 구조와 시어의 반복을 통해 운율을 형성하고 있습니다.

주제 진정한 사랑의 의미

1 핵심 요약_주요 내용 정리하기

다른 사람들	당신
'나'의 (홍안), (미소), 건강만을 사랑함.	'나'의 (백발), (눈물), 죽음도 사랑함.

2 내용 이해_세부 내용 파악하기

'당신'이 사랑하는 '백발', '눈물', '죽음'은 '나'의 부정적인 모습이라고 할 수 있으며 '당신'은 그런 부정적인 모습까지도 사랑한다고 말하고 있습니다. 부정적인 모습만 사랑하는 것이 아닙니다.

오답 피하기

① 3연의 '당신을 기다리는'이라는 시구를 통해 '당신'이 내 곁에 존재하지 않음을 알 수 있습니다.

② 1연과 2연의 내용을 통해 확인할 수 있습니다.

④, ⑤ '다른 사람들'은 '당신'과는 달리 나의 긍정적인 모습만을 사랑하는 존재입니다.

3 감상_감상 관점 이해하기

이 시를 읽고 자신을 향한 부모님의 사랑을 생각했다는 것은 문학 작품이 독자에게 미친 영향으로 볼 수 있으므로, ㉒와 바르게 연결되었습니다.

오답 피하기

① '일제 강점기'라는 시대 현실을 중심으로 감상하는 것이므로 ㉓에 해당합니다.

② 작가의 특징을 중심으로 감상하는 것이므로 ㉔에 해당합니다.

③ 시에 사용된 시어의 의미를 중심으로 감상하는 것이므로 ㉮에 해당합니다.

④ 동일한 문장의 반복이라는 작품의 구조를 중심으로 감상하는 것이므로 ㉮에 해당합니다.

글의 종류 현대 시

글의 특징 이 시는 상징적인 의미의 시어들을 통해 화자의 고뇌와 부끄러움 없는 삶에 대한 소망을 노래하고 있는 작품입니다. '과거-미래-현재'의 시간 구성에 따른 시상 전개가 두드러지며 '별'과 '바람'이라는 대조적 의미의 시어를 통해 화자가 지향하는 바를 드러내고 있습니다.

주제 부끄럽지 않은 삶에 대한 소망

1 핵심 요약_내용 흐름 정리하기

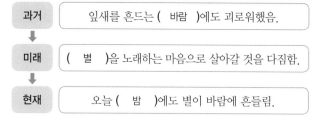

과거	잎새를 흔드는 (바람)에도 괴로워했음.
미래	(별)을 노래하는 마음으로 살아갈 것을 다짐함.
현재	오늘 (밤)에도 별이 바람에 흔들림.

2 내용 이해_시구의 의미 파악하기

9행의 '바람에 스치운다'는 화자가 살아가는 현실의 시련과 고난을 상징하는 시구로 볼 수 있습니다.

오답 피하기

① 부끄러움 없이 살고자 하는 화자의 순수함이 드러납니다.

② 작은 갈등에도 괴로워하는 화자의 순결함이 드러납니다.

3 감상_감상 관점 이해하기

이 시에서 화자는 ㉡으로 인해 '괴로워했다'고 말하고 있다. 따라서 ㉡은 부끄럽지 않게 살고자 하는 '나'를 흔드는 '갈등과 유혹'을 의미하는 것으로 이해할 수 있습니다.

오답 피하기

① ㉠을 우러러 부끄럽지 않기를 바라는 것으로 볼 때, ㉠은 '나'의 삶을 비춰 보는 윤리적 판단의 절대적 기준, 즉 양심을 의미한다고 볼 수 있습니다.

③ ㉢을 노래하는 마음으로 살겠다고 하는 것을 볼 때, ㉢은 '나'가 추구하고자 하는 희망과 이상을 뜻한다고 볼 수 있습니다.

④ ㉣이 나한테 주어졌다고 말하는 것을 볼 때, ㉣은 고통받는 민족과 조국을 위해 사는 '나'의 의지적 삶으로 이해할 수 있습니다.

⑤ ㉤이 '별'을 '바람'이 흔드는 상황인 것을 볼 때, ㉤은 '나'가 살고 있는 일제 강점기의 암담한 현실을 뜻한다고 볼 수 있습니다.

1 눈, 바람, 덴　　**2** ①　　**3** ③

글의 종류 현대 시

글의 특징 이 시는 자연 현상을 통해 사랑의 의미를 발견하고 있는 작품입니다. 어렵게 만들어지지만 쉽게 사라지는 '눈꽃'을 통해 첫사랑의 의미를, '눈꽃'이 사라진 후 피어나는 '봄꽃'을 통해 슬픔을 이겨 낸 성숙한 사랑의 의미를 노래하고 있습니다.

주제 첫사랑의 아름다움과 성숙한 사랑의 의미

---

1 핵심 요약_주요 내용 정리하기

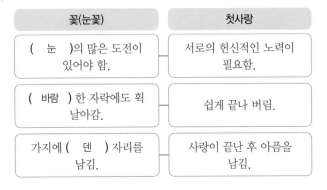

꽃(눈꽃)	첫사랑
(눈)의 많은 도전이 있어야 함.	서로의 헌신적인 노력이 필요함.
(바람) 한 자락에도 휙 날아감.	쉽게 끝나 버림.
가지에 (덴) 자리를 남김.	사랑이 끝난 후 아픔을 남김.

2 표현_표현 방식 파악하기

의태어 '난분분 난분분'의 반복은 '눈'이 흩날리는 모습을 표현한 것입니다.

오답 피하기

② '꽃(눈꽃)'을 이루기 위한 '눈'의 도전을 '싸그락 싸그락'이라는 청각적 심상과 '난분분 난분분'이라는 시각적 심상으로 묘사하였습니다.
③ 같은 시어 '미끄러지고 미끄러지길'의 반복을 통해 '눈'의 도전을 강조하였습니다.
④ '-겠지'를 반복함으로써 두 문장이 비슷한 구조로 짝을 이루게 하였고, 이를 통해 리듬감을 형성합니다.
⑤ 의성어 '싸그락 싸그락'은 '눈'이 '가지'에 부딪히는 상황을 표현한 것입니다.

3 감상_시구의 의미 이해하기

ⓒ은 비록 금방 끝나는 사랑이지만, 순수하고 헌신적인 첫사랑 곧 '눈꽃'의 아름다움을 표현한 것입니다.

오답 피하기

⑤ ⓜ은 '눈꽃'이 사라진 후 피어난 '봄꽃'을 가리키는 말로 슬픔을 딛고 이루어진 성숙한 사랑의 의미를 표현한 것입니다.

---

1 돌, 남 / 채찍질　　**2** ⑤　　**3** ②

글의 종류 현대 시

글의 특징 이 시는 '동해 바다'를 바라보면서 느낀 것을 노래한 작품입니다. 넓고 푸른 바다의 모습을 통해 옹졸하고 포용력 없는 삶을 살아온 자신의 지난날을 반성하며 다른 이들에게는 관대하지만 자신에게는 엄격한 새로운 삶을 다짐하고 있습니다.

주제 동해 바다처럼 너그럽게 살고 싶은 소망

---

1 핵심 요약_주요 내용 정리하기

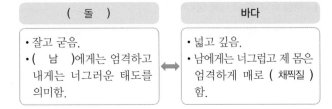

(돌)	바다
• 잘고 굳음. • (남)에게는 엄격하고 내게는 너그러운 태도를 의미함.	• 넓고 깊음. • 남에게는 너그럽고 제 몸은 엄격하게 매로 (채찍질) 함.

2 내용 이해_시어의 의미 이해하기

ⓜ의 '매'는 바다가 파도로 스스로를 때리는 것처럼 화자가 자기 자신에게 가하는 엄격한 성찰의 도구를 의미합니다.

오답 피하기

① ㉠의 '티끌'은 친구의 아주 작고 사소한 잘못을 강조하는 소재입니다.
② ㉡의 '돌'은 너그럽지 못하고 옹졸한 자신을 비유한 소재입니다.
③ ㉢의 '바다'는 다른 사람을 감싸고 끌어안고 받아들이는 너그러운 존재입니다.
④ ㉣의 '파도'는 '맵고 모진 매'와 같은 의미의 소재로, 자신에게 적용하는 엄격한 삶의 기준을 의미합니다.

3 감상_시구의 기능 파악하기

이 시의 화자는 '동해 바다'를 바라보면서 옹졸한 자신과는 너무도 다른 '널따란 바다'의 포용력을 생각하고, 이로 인해 자신의 삶 또한 바다와 같아지기를 소망하게 됩니다. 따라서 깨달음의 계기는 '동해 바다를 내려다보며 생각함.'으로 볼 수 있습니다.

오답 피하기

④, ⑤ 파도처럼 채찍질하는 삶을 다짐하는 것이나 바다처럼 너그러워지게 된다는 것은 모두 깨달음의 결과로 지니게 된 태도이며 미래의 모습으로 볼 수 있습니다.

---

1 칡덩굴, 백 / 넋, 임 **2** ③ **3** ④

가

글의 종류 고시조

글의 특징 이 시조는 조선 건국을 준비하던 이방원이 고려의 충신 정몽주를 회유하기 위해 지은 작품입니다. 칡덩굴이 얽혀 있는 모습에 빗대어 자신들과 뜻을 함께할 것을 권유하고 있습니다.

주제 조선 건국에 협력할 것에 대한 권유

나

글의 종류 고시조

글의 특징 이 시조는 이방원의 시조에 대한 정몽주의 화답으로 지어진 작품입니다. 반복과 과장의 표현을 통해 고려 왕조에 대한 변함없는 충성심을 강조하고 있습니다.

주제 고려 왕조에 대한 변함없는 충절

---

1 핵심 요약_내용 흐름 정리하기

시조 가	시조 나
어떻게 살아도 상관없음.	이 몸이 백 번을 다시 죽더라도,
↓	↓
(칡덩굴)처럼 얽혀 살아도 상관없음.	백골이 진토가 되어 (넋)이 사라지더라도,
↓	↓
우리도 이처럼 얽혀 (백)년까지 누리길 바람.	(임)을 향한 충성심은 변하지 않을 것임.

2 표현_표현 방법 이해하기

㉠의 '그 어떠하리.'는 '그것이 어떠하겠는가?'라는 말이지만 대답을 원하는 질문이 아니라 결국은 상관이 없다는 의미를 표현한 것입니다. ㉣의 '가실 줄이 있으랴.'는 '없어질 리가 있겠느냐?'라는 말이지만 역시 대답을 원하는 것이 아니라 없어질 리가 없다는 의미를 물어보듯이 표현한 것입니다.

3 감상_화자의 태도 파악하기

시조 가 의 화자는 '칡덩굴'처럼 백 년까지 함께 세상을 누릴 것을 이야기하며 상대를 유혹하고 있습니다. 그러나 시조 나 의 화자는 '임(고려 왕조)'를 향한 자신의 충성심은 변함이 없을 것을 이야기하며 상대의 유혹에 대한 거절의 뜻을 드러내고 있습니다.

---

1 물, 바위, 눈서리, 사철 **2** ② **3** ②

글의 종류 고시조

글의 특징 이 시조는 전 6수의 연시조로, 다섯 가지 자연물을 '다섯 벗'으로 의인화하여 그 속성을 예찬하는 작품입니다. 〈제1수〉에서 다섯 벗을 소개한 후 〈제2수〉~〈제6수〉에서 '물, 바위, 소나무, 대나무, 달'의 속성을 차례대로 제시하며 주제 의식을 드러내고 있습니다.

주제 다섯 벗의 덕성 예찬

---

1 핵심 요약_내용 흐름 정리하기

오우가 (다섯 벗에 대한 노래)			
제2수	제3수	제4수	제5수
깨끗하고 그칠 때가 없는 것은 (물)뿐임.	언제나 변하지 않는 것은 (바위)뿐임.	(눈서리)를 모르는 모습으로, 솔의 뿌리가 곧음을 앎.	곧고 속이 빈 모습으로 (사철) 푸른 그를 좋아함.

2 내용 이해_소재의 의미 파악하기

〈제3수〉의 '풀'과 '꽃'은 빨리 지고 금방 누렇게 변하는 존재들로, 쉽게 변한다는 특징을 공통적으로 지니고 있습니다.

3 감상_시적 대상 파악하기

'작은 것', '높이 떠서', '밤중의 광명' 등과 같은 특징을 참고할 때, 멀리 밤하늘에서 조그맣게 빛나고 있는 '달'을 노래하는 것으로 볼 수 있습니다. 화자는 다섯 번째 벗인 '달'이 어둠을 밝히는 광명의 존재이면서 동시에 밤새 인간들의 허물을 내려다보고도 아무 말을 하지 않는 과묵한 존재임을 강조하고 있습니다.

? 문제 돋보기

3 다음 보기 는 이 시조의 〈제6수〉입니다. 〈제6수〉에서 노래하고 있는 다섯 번째 벗은 무엇입니까? (②)

> **보기**
>
> 작은 것이 높이 떠서 만물을 다 비추니 ——달의 특징 ①
> 밤중의 광명이 너만 한 이 또 있느냐. ——달 – 의인법
> 보고도 말 아니하니 내 벗인가 하노라. 〈제6수〉
> 달의 특징 ② – 인간의 허물을 지켜보고도 말하지 않는 과묵함.

① 해 ┌밤중에 뜨는   ② 달   ③ 횃불
       └것이 아님.
④ 별   ⑤ 촛불

---

1 (동네) 목욕탕, 꽃다발, 아내　**2** ⑤　**3** ⑤　**4** ⑤　**5** ①

글의 종류 수필

글의 특징 이 수필은 글쓴이와 시각 장애인인 '그'의 몇 차례에 걸친 만남과 이를 통한 깨달음을 이야기한 글입니다. 장애인에 대한 편견이 있었던 글쓴이는 '그'와의 만남을 반복하면서 차츰 '그'를 앞을 못 보는 장애인이 아니라, 진정으로 삶을 살아가는 정직하고 따뜻한 능력이 있는 사람으로 생각하며 삶의 진정한 의미에 대해 깨닫게 됩니다.

주제 삶을 아름답고 따뜻하게 가꾸어 나가려는 마음가짐의 중요성

---

1 핵심 요약_내용 흐름 정리하기

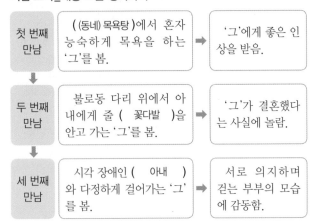

첫 번째 만남	((동네) 목욕탕)에서 혼자 능숙하게 목욕을 하는 '그'를 봄.	➡	'그'에게 좋은 인상을 받음.
두 번째 만남	불로동 다리 위에서 아내에게 줄 (꽃다발)을 안고 가는 '그'를 봄.	➡	'그'가 결혼했다는 사실에 놀람.
세 번째 만남	시각 장애인 (아내)와 다정하게 걸어가는 '그'를 봄.	➡	서로 의지하며 걷는 부부의 모습에 감동함.

2 내용 이해_세부 내용 파악하기

글쓴이가 '그'와 '그'의 아내가 팔짱을 끼고 걸어오는 모습을 본 것은 불로동 다리 위가 아니라 작업실 창문을 통해서입니다.

3 내용 이해_비유적 표현 이해하기

'그림엽서'는 시각 장애인 부부의 모습이 마치 그림엽서의 한 장면처럼 아름다웠다는 것을 나타내기 위해 사용한 비유적 표현입니다.

4 감상_외부 정보를 바탕으로 감상하기

'나'의 가슴이 먹먹했던 것은 장애인의 현실에 대한 안타까움을 드러낸 것은 아닙니다. 가슴이 먹먹했던 이유를 두 가지 생각해 볼 수 있습니다. 먼저 꽃을 좋아한다는 말에 '그'의 아내는 당연히 시각 장애인이 아닐 것이라고 생각했던 자신의 선입견에 대한 부끄러움 때문입니다. 다음으로는 두 사람이 서로 의지하며 살아가는 모습에서 느낀 감동 때문입니다.

4 다음 보기 를 참고하여 이 글을 감상한 내용으로 적절하지 않은 것은 무엇입니까? (　⑤　)

> **보기**
> 수필은 글쓴이가 일상에서 체험한 내용과 그것을 통해 깨달은 바를 진솔하게 표현하는 글이다. 「그림엽서」는 글쓴이가 시각 장애인 '그'와의 세 번에 걸친 만남을 통해 장애인에 대한 선입견에서 벗어나 삶의 진정한 의미를 깨닫게 되었음을 보여 주고 있다.

① 목욕탕과 다리 위에서 '그'를 만난 일은 글쓴이가 실제로 체험한 일이겠군.
② '그'와 여러 번 만나면서 글쓴이는 장애인에 대한 자신의 생각이 잘못되었음을 깨달았겠군.　_{'나'는 장애인인 그가 결혼을 했다는 사실에 놀람.}
③ '그'에게 아내가 있으리라 생각하지 못했던 것은 장애인에 대한 글쓴이의 선입견으로 볼 수 있군.　_{글의 마지막 문단에서 알 수 있음.}
④ '꽃다발'은 자신의 삶을 따뜻하게 가꿔 나가는 '그'에 대한 글쓴이의 긍정적인 인식을 표현한 것이겠군.
⑤ '그'와 '그'의 아내를 보고 가슴이 먹먹했던 것은 장애인이 살기 힘든 현실에 대한 안타까움을 드러낸 것이겠군.

5 어휘·어법_반대말

㉠의 '한산하다'는 '인적이 드물어 한적하고 쓸쓸하다.'라는 뜻입니다. 따라서 '많은 사람이 한곳에 모여 매우 수선스럽게 들끓다.'라는 뜻을 지닌 '북적이다'와 반대말 관계에 있습니다.

어휘력 완성　　　　　　　107쪽

1 ㉠ 거푸　㉡ 먹먹하게　**2** ④　**3** ④

1 그림에서 동생은 감동적인 내용의 책을 읽으며 눈물을 흘리고 있습니다. ㉡에 들어갈 말은, 어떤 감정으로 꽉 차거나 막힌 느낌이 있다는 의미의 '먹먹하게'입니다. 그리고 콧물이나 눈물을 거듭 닦고 있는 상황을 가리키는 말로 ㉠에 들어갈 말은 잇따라 거듭되는 행동을 가리킬 때 쓰는 표현인 '거푸'입니다.

2 선생님의 설명을 참고할 때, ㉠에 들어갈 말은 '요사이'입니다. '요사이'에서 '사'의 'ㅏ'와 '이'의 'ㅣ'가 하나의 모음인 'ㅐ'로 줄어들어서 만들어진 말이 '요새'입니다. 그리고 ㉡에 들어갈 말은 '금시에'입니다. '금시(今時)'의 'ㅣ'가 사라지면서 'ㅅ'에 'ㅔ'가 결합하여 만들어진 말이 '금세'입니다.

3 '색안경을 끼고 보다'는 주관이나 선입견에 얽매여 좋지 아니하게 본다는 말입니다.

108~110쪽

1 선물, 우는, 백설기, 머리, 연민 **2** ② **3** ④ **4** ⑤
5 ①

글의 종류 수필

글의 특징 이 수필은 글쓴이가 아버지에게 강아지를 선물로 받으면서 겪은 일과 그것을 통해 느낀 바를 쓴 글입니다. 글쓴이는 아버지에게 '선물'로 받은 강아지를 쓰다듬다가 아침을 맞게 되고, 난생처음으로 애틋한 연민의 감정을 느끼게 되었음을 담담하게 표현하고 있습니다.

주제 아버지의 선물인 강아지로 인해 느낀 연민의 감정

---

1 핵심 요약_내용 흐름 정리하기

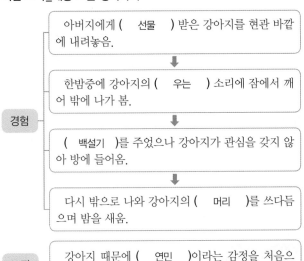

경험	아버지에게 (선물) 받은 강아지를 현관 바깥에 내려놓음.
	↓
	한밤중에 강아지의 (우는) 소리에 잠에서 깨어 밖에 나가 봄.
	↓
	(백설기)를 주었으나 강아지가 관심을 갖지 않아 방에 들어옴.
	↓
	다시 밖으로 나와 강아지의 (머리)를 쓰다듬으며 밤을 새움.
느낌	강아지 때문에 (연민)이라는 감정을 처음으로 느낌.

2 내용 이해_세부 내용 파악하기

'나'는 강아지가 우는 소리에 잠을 깼습니다. 그리고 사실 오줌이 마려웠던 것은 아니지만 강아지의 상태가 궁금해서 방에서 나갔다고 하였습니다.

3 내용 이해_비유적 표현 이해하기

㉠, ㉡, ㉢, ㉣은 모두 아버지가 나에게 준 선물인 '강아지'를 가리킨다. 그러나 ㉣은 내가 강아지에게 준 선물인 '백설기'를 가리킵니다.

4 감상_이론을 바탕으로 감상하기

이 글에서 나는 아버지에게 선물 받은 강아지를 밤새 쓰다듬으며 위로해 주었습니다. 이때 글쓴이는 연민이라는 감정을 느끼게 됩니다. 이러한 느낌을 글쓴이는 강아지가 연민의 감정을 선물해 주었다고 표현하고 있습니다. 이는 글쓴이의 개성적이고 참신한 표현으로 볼 수 있습니다.

---

4 다음 보기에 나타난 선생님의 물음에 대한 답으로 가장 알맞은 것은 무엇입니까? (⑤)

> **보기**
>
> 선생님: 수필은 흔히 개성적 문학이라고 해요. 수필은 글쓴이만의 독특한 시각으로 바라본 일상의 경험에 대한 느낌을 개성적이고 참신한 표현을 통해 효과적으로 전달하기 때문이죠. 「선물」에는 글쓴이의 어떤 개성적인 표현이 있었나요? 그리고 그 표현 속에 담긴 의미는 무엇인가요?

① 강아지에 대한 '나'의 애정을 강조하기 위해 '아껴 먹다 남겨 둔 백설기'라며 백설기를 사람처럼 표현했습니다. ┌ 백설기를 의인화하지 않음.

② 아버지가 무뚝뚝한 성격을 지녔음을 '아버지가 강아지를 내게 줄 때 술 냄새가 났다'고 직접적으로 표현했습니다.

③ 강아지를 선물로 준 사실을 잊은 아버지의 무심함을 강조하기 위해 아버지가 '천둥 치듯 코를 골았다'고 표현했습니다.

④ 강아지를 선물로 받은 나의 기쁜 심정에 대하여 '강아지를 선물로 생각하지 않았다'고 속마음과 반대로 표현했습니다.

✓⑤ 강아지를 만나고 나서 자신의 마음에 생긴 연민이라는 감정을 '강아지가 자신에게 준 선물'이라며 빗대어 표현했습니다.
└ 난생처음 경험하는 감정을 강아지가 준 선물이라고 함.

5 어휘·어법_문맥에 맞는 단어

'관심'은 '어떤 것에 마음이 끌려 주의를 기울임. 또는 그런 마음이나 주의.'를 뜻하는 단어입니다. 이 글에서 글쓴이가 강아지의 머리를 쓰다듬어 주는 것은 강아지에 대한 관심과 애정, 연민이 담긴 행위입니다. 따라서 ㉮에 공통적으로 들어가기에 적절한 말은 '관심'입니다.

어휘력 완성 ──────── 111쪽

1 ㉠ 가축 ㉡ 묘한 **2** ④ **3** ④

1 왼쪽 친구가 농장에서 기르는 닭이라고 하였습니다. 따라서 ㉠에는 '집에서 기르는 짐승.'을 의미하는 '가축'이 들어가는 것이 알맞습니다. 그리고 오른쪽 친구가 음식이 맛이 있는 것도 아니고 없는 것도 아닌 맛이라고 하였으므로 표현하거나 규정하기가 어렵다는 의미의 '묘한'이 적절합니다.

3 어떤 문맥에 적절한 단어의 선택은 사전에 나와 있는 의미만으로 파악하기 어려운 경우도 있습니다. '성장'의 사전적 의미는 '사람이나 동식물 등이 자라서 점점 커짐.'이지만 이는 단순한 크기의 문제를 넘어서 정신적·정서적으로 자란다는 의미로 쓰입니다.

1 채소, 자격, 덕담   **2** ②   **3** ②   **4** ④   **5** ⑤

글의 종류 수필

글의 특징 이 수필은 평범한 일상에 의미를 부여하여 독자에게 소소한 재미와 감동을 주는 글입니다. 자연에 대한 글쓴이의 애정과 주변 사람에 대한 따스한 시선이 진솔하게 드러나 있습니다.

주제 소박한 일상에서 느끼는 기쁨, 자연과 사람에 대한 애정

---

1 핵심 요약_주요 내용 정리하기

트럭 아저씨에 대한 글쓴이의 생각	글쓴이의 태도
트럭 아저씨는 싱싱한 (채소)를 싸게 판다고 생각함.	
트럭 아저씨는 해외여행을 즐길 (자격)이 있다고 생각함.	트럭 아저씨에 대한 따뜻한 애정
트럭 아저씨가 건넨 (덕담)을 간직하기로 함.	

2 내용 이해_세부 내용 파악하기

'나'는 채소 장수 아저씨의 단골이 되면서 채소 농사가 시들해졌고 작년부터는 아예 안 하게 되었다고 했습니다. 그러므로 채소 농사가 힘들어서 트럭 아저씨의 단골이 된 것은 아닙니다.

오답 피하기

④ 트럭 아저씨는 '나'를 할머니라고 부르다가 '나'의 직업이 작가라는 것을 알게 된 다음부터 선생님이라고 부르기 시작했습니다.

3 내용 이해_인물의 심리 파악하기

트럭 아저씨는 평일에는 하루도 장사를 거른 적이 없을 만큼 성실하게 일했습니다. 글쓴이는 트럭 아저씨의 이러한 성실함에 감동받아 그가 휴가를 즐길 자격이 충분하다고 생각한 것입니다.

4 감상_이론을 바탕으로 감상하기

글쓴이는 자신이 작가라는 걸 알아보는 사람을 만나면 무조건 피하고 싶은 괴상한 버릇이 있는데, 트럭 아저씨에게 직업이 탄로 난 건 싫지 않았다고 했습니다. 그리고 이러한 글쓴이의 태도에서 화려한 삶을 추구하는 태도는 확인할 수 없습니다.

? 문제 돋보기

4 다음 보기 를 참고하여 이 글을 감상한 내용으로 적절하지 않은 것은 무엇입니까? (④)

보기

「트럭 아저씨」에서 글쓴이는 일상의 소소한 경험을 통해 행복을 느끼고 주변 사람에 대한 따스한 시선을 보이고 있다. 이 글을 통해 글쓴이의 소박한 삶의 태도와 겸손한 삶의 자세를 엿볼 수 있다.

① 트럭 아저씨가 자신에게 해 준 말을 덕담으로 잘 간직하겠다는 글쓴이의 생각에서 겸손한 삶의 자세가 드러나는군.

② 주변에서 흔히 볼 수 있는 채소 장수 아저씨를 소재로 하여 일상적인 경험을 다루는 수필의 성격을 확인할 수 있군.

③ 트럭 아저씨를 '순박하고 건강한 아저씨'라고 표현한 것에서 트럭 아저씨에 대한 글쓴이의 따스한 시선이 느껴지는군.

✓④ 트럭 아저씨에게 자신의 직업이 탄로 난 걸 부담스러워하는 모습에서 화려한 삶을 추구하는 글쓴이의 태도가 드러나는군. └─ 트럭 아저씨가 자신의 직업을 알게 된 것은 싫지 않았다고 하였음.

⑤ 트럭 아저씨에게 싱싱한 채소를 싸게 사 먹는 이야기를 통해 소소한 일상에서 행복을 느끼는 글쓴이의 모습을 확인할 수 있군.

---

5 어휘·어법_관용 표현

글쓴이가 '너무 많이 줘서'라고 생각할 만큼 트럭 아저씨는 채소를 원래 양보다 많이 주는 편입니다. 이러한 특징은 '씀씀이가 후하고 크다.'라는 뜻의 '손이 크다'로 표현할 수 있습니다.

어휘력 완성   115쪽

1 ㉠ 여비 ㉡ 덕담   **2** (1) ㉮ (2) ㉰ (3) ㉯   **3** ⑤

1 딸이 곧 여행을 가려고 짐을 싸고 떠날 준비를 마쳤습니다. 부모님께서 딸에게 여행에서 사용할 돈을 주고 있으므로 ㉠에는 '여비'가 어울립니다. 또한 부모님께서 잘 다녀오기를 바라는 마음으로 한 말에 딸이 감사함을 느꼈으므로 ㉡에는 남이 잘되기를 비는 말을 의미하는 '덕담'이 들어가는 것이 어울립니다.

오답 피하기

• 농담(弄談): 실없이 놀리거나 장난으로 하는 말.

3 선생님께서 말씀하신 이야기의 한 부분에서는 물건을 파는 주인이 아닌, 손님이 물건이 싸다고 말하는 상황이 나타나 있습니다. 이처럼 무엇인가 서로 뒤바뀐 상황을 뜻하는 한자성어로는 주인과 손님의 위치가 서로 뒤바뀐다는 의미의 '주객전도'가 있습니다.

들판에서
118~120쪽

1 그림, 밧줄, 벽 **2** ③ **3** ③ **4** ③, ⑤ **5** ⑤

글의 종류 희곡

글의 특징 이 희곡은 형제 간의 갈등을 통해 남북 분단이라는 우리나라의 현실을 돌아보게 하는 작품입니다. 들판은 우리나라 국토를, 우애 있던 형제는 남한과 북한을, 측량 기사는 우리나라의 분단을 조장한 미국과 소련 등의 외세를 의미합니다.

주제 민족의 분단 극복과 화해 의지

1 핵심 요약_사건의 흐름 정리하기

형과 아우가 서로의 (그림)을 칭찬하며 우애 있게 지냄.

↓

측량 기사가 (밧줄)을 친 후, 형제에게 이간질을 하여 형과 아우가 점점 갈등하게 됨.

↓

측량 기사의 속셈이 드러나지만, 형제의 갈등은 깊어져 밧줄을 치우고 (벽)을 쌓기를 원하게 됨.

2 내용 이해_세부 내용 파악하기

'조수 1'의 대사 '사실 우린 이런 일을 여러 번 했거든요.'와 '조수 2'의 대사 '측량을 한 다음엔 땅을 빼앗았죠.'를 통해서, 이들이 이전에도 다른 사람의 땅을 뺏은 적이 있음을 알 수 있습니다.

오답 피하기

④ 측량 기사는 형과 아우를 이간질하고 둘의 대립을 은근히 부추기고 있을 뿐 이후의 구체적 계획을 제시하고 있지는 않습니다.

3 내용 이해_인물의 심리 파악하기

측량 기사는 형의 말을 동생에게 전달함으로써 형이 동생에 대해 거리감을 지니고 있음을 강조하고 있습니다. 결국 동생을 자극하여 둘 사이의 갈등을 부추기고자 하는 태도로 볼 수 있습니다.

4 감상_이론을 바탕으로 감상하기

ⓒ은 '대사'로 사이좋은 형과 아우가 나누는 대화를 나타낸 것입니다. 또한 ⓜ도 '대사'에 해당하는 부분으로, 인물들 사이에서 주고받는 '대화'입니다. 다만, 형제가 들으면 곤란한 말이기 때문에 측량 기사가 입조심을 시키고 있을 뿐입니다. 연극에서 독백은 무대 위에 혼자 등장한 인물이 관객을 대상으로 말하는 대사입니다.

? 문제 돋보기

4 다음 보기 를 참고할 때, ㉠~㉤에 대한 설명으로 적절하지 않은 것을 두 가지 고르시오. (③, ⑤)

보기

연극의 대본인 희곡은 '해설', '지문', '대사'의 3요소로 이루어져 있다. 이 중 '해설'은 희곡의 첫 부분에 주로 등장하는 것으로 등장인물과 시간적·공간적 배경을 제시하는 부분이다. 다음으로 '지문'은 괄호를 이용하여 인물의 행동이나 표정을 설명하는 부분이다. 마지막으로 '대사'는 인물의 말로, 주로 인물들 사이에서 주고받는 대화와 배우가 무대 위에 혼자 등장해서 말하는 독백 등으로 나뉜다.

① ㉠: '해설'에 해당하는 부분으로 연극에 등장하는 인물들을 소개하고 있군.

② ㉡: '해설'에 해당하는 부분으로 연극의 공간적 배경이 '들판'임을 제시하고 있군.

③ ㉢: '지문'에 해당하는 부분으로 인물들 사이의 갈등 양상을 보여 주고 있군.
└─ 대사에 해당함. └─ 형제의 사이좋은 대화임.

④ ㉣: '지문'에 해당하는 부분으로 인물의 행동과 태도를 독자들에게 전달하고 있군.

⑤ ㉤: '대사'에 해당하는 부분으로 다른 인물은 들어서는 안 되는 '독백'에 해당하는군.
└─ 독백이 아니고 대화임.

5 어휘·어법_한자성어

「들판에서」의 '형제'는 우리 민족을 의미합니다. 따라서 밑줄 친 부분과 같이 형제끼리 총을 겨루고 대립하는 것은 같은 민족끼리 서로 대립하는 것과 같습니다. 이와 같은 상황을 의미하는 한자성어 '동족상잔'은 '같은 겨레끼리 서로 싸우고 죽임.'을 뜻하는 말입니다.

어휘력 완성
121쪽

1 ㉠ 교묘 ㉡ 이간질 **2** ⑤ **3** ②

1 윤서에게 말하는 친구는 이것이 그들을 갈라놓기 위한 은밀한 계획이라고 생각하고 있습니다. 따라서 ㉠에 들어갈 낱말로 적절한 것은 '솜씨나 재주 등이 재치 있게 약삭빠르고 묘함.'을 뜻하는 '교묘'입니다. 그리고 이처럼 친구 사이를 갈라놓으려는 행동으로 ㉡에 들어갈 낱말은 '중간에서 서로를 멀어지게 하는 일을 낮잡아 이르는 말.'인 '이간질'이 적절합니다.

3 측량 기사는 자신들이 한 일에 대해 스스로 칭찬하고 있습니다. 이처럼 '자기가 그린 그림을 스스로 칭찬한다는 뜻으로, 자기가 한 일을 스스로 자랑함을 이르는 말.'은 '자화자찬'입니다.

빌헬름 텔 122~124쪽

1 모자, 사과, 화살, 감옥 **2** ② **3** ② **4** ③ **5** ②

글의 종류 희곡

글의 특징 이 희곡은 13세기 말의 스위스를 배경으로 태수의 폭정과 이에 맞서는 마을 사람들의 저항을 그리고 있는 작품입니다. 오스트리아 왕가로부터 지배를 받고 있는 스위스 민중의 투쟁을 전설적인 명사수 텔의 영웅적인 이야기를 통해 펼치고 있습니다.

주제 부당한 억압에 대한 민중의 저항

---

1 핵심 요약_사건의 흐름 정리하기

태수가 (모자)에 절을 하지 않은 텔에게 부당한 명령을 내림.

↓

화살을 쏘아 (사과)를 정확히 맞힌 텔은 아들을 껴안고 쓰러짐.

↓

집으로 가려는 텔에게, 태수는 (화살) 하나를 허리에 찌른 채로 있었던 이유를 질책함.

↓

태수는 이유를 밝힌 텔을 (감옥)에 가둬 둘 것임을 선언함.

2 내용 이해_세부 내용 파악하기

마을 사람들은 텔이 사과를 적중시킨 후 텔을 데리고 가려 하고 있으며 마을 사람 중 하나인 '슈타우프파허'는 "이젠 떳떳하게 집으로 돌아갈 수 있게 되었어."와 같이 말하고 있습니다. 이것은 사과를 쏘아 맞힐 경우 용서해 주겠다고 말한 태수가 약속을 지킬 것으로 생각했기 때문입니다.

3 내용 이해_인물의 심리 파악하기

㉠과 ㉡은 지문이 들어갈 자리입니다. ㉠의 뒤에 이어지는 대사 "뭣이, 활을 쐈다고? 저 미친놈이!"라는 말을 통해서 태수는 텔이 설마 활을 쏘지는 않을 것이라고 생각하고 있었음이 드러납니다. 따라서 ㉠에는 '놀라며'라는 지문이 들어가는 것이 적절합니다. 그리고 ㉡의 뒤에 이어지는 상황을 볼 때, "나으리, 이것은 활을 쏠 때의 제 습관입니다."라는 대사는 텔의 거짓말이었음을 알 수 있습니다. 결국 당황해서 거짓말을 하는 것이므로, ㉡에는 '당황하며'와 같은 지문이 들어가는 것이 적절합니다.

4 감상_이론을 바탕으로 감상하기

보기 를 통해 소설에서는 인물의 대화와 행동만이 아니라 서술자의 설명을 통해서도 인물의 성격과 심리가 제시된다는 것을 알 수 있습니다. 따라서 대사를 통해 심리를 제시하는 것은 소설과 희곡의 공통점으로 볼 수 있습니다.

❓ 문제 돋보기

4 다음 보기 를 참고할 때, 이 글에 대한 설명으로 적절하지 않은 것은 무엇입니까? (③)

> 보기
>
> 희곡은 소설과 마찬가지로 작가가 꾸며 낸 이야기이며 인물들이 일으키는 갈등을 중심으로 사건이 전개된다. 그러나 소설과의 차이점은 서술자가 존재하지 않는다는 점이다. 소설에서는 인물의 대화와 행동만이 아니라 서술자의 설명을 통해서도 인물의 성격과 심리가 전달된다. 그러나 희곡의 경우 오직 등장인물의 대사와 행동으로만 내용이 전달된다. 그리고 상황을 과거형으로 서술하는 소설과 달리 희곡은 모든 사건이 현재형으로 나타난다.

① 주인공과 다른 인물 사이의 갈등을 중심으로 사건이 전개되는 것은 소설과의 공통점으로 볼 수 있겠군.
② '(무서운 눈초리로 태수를 노려본다.)'와 같이 행동을 통해 심리를 드러내는 것은 서술자가 없기 때문이겠군.
③ "칭찬하지 않을 수 없는걸."과 같은 대사를 통해 심리를 제시하는 것은 소설과는 다른 희곡만의 특징이겠군.
④ '활이 손에서 떨어진다.'와 같은 부분은 소설에서는 '활이 손에서 떨어졌다.'와 같이 서술자에 의해 서술될 수 있겠군.
⑤ 스위스가 오스트리아의 지배를 받은 것은 역사적 사실이지만, 이 글에서 전개되는 사건과 대사는 작가가 꾸며 낸 것이겠군.

소설도 대사를 통해 심리 제시 가능함.

5 어휘·어법_한자성어

㉮에서는 여러 사람이 "사과에 맞았다!"라는 말을 한목소리로 외치고 있습니다. 이처럼 입은 다르나 목소리는 같다는 뜻으로, 여러 사람의 말이 한결같음을 이르는 말은 '이구동성'입니다.

어휘력 완성 ─────── 125쪽

1 ㉠ 격정적 ㉡ 흑심 **2** ⑤ **3** ①

2 '울음보'는 참다못하여 터뜨린 울음을 비유적으로 이르는 말로 '울음이 쌓여서 모인 것'을 의미합니다. 그러나 ①, ②, ③, ④는 모두 어떤 것을 특성으로 지닌 사람을 가리키는 말입니다.

말아톤

1 자폐증, 수도관, 비, 칭찬 2 ③ 3 ⑤ 4 ④ 5 ⑤

글의 종류 시나리오

글의 특징 이 시나리오는 다섯 살 지능을 가진 20세의 자폐증 청년이 세상과 좌충우돌하며 마라톤을 완주하기까지의 과정을 유쾌하게 그린 작품입니다. 장애를 가진 주인공이 성장하는 과정에서 드러나는 훈훈한 가족애가 독자들에게 성찰의 기회와 감동을 줍니다.

주제 장애를 가진 한 인간의 성장과 가족애

1 핵심 요약_사건의 흐름 정리하기

경숙이 (자폐증)에 대해 공부하고, 훈련 계획도 세움.

↓

S# 8

(수도관)이 터지고, 경숙이 고쳐 보지만 물이 새어 나옴.

↓

초원이 물을 보며 "(비)가 와요."라고 반응을 보이고 경숙은 감격함.

↓

S# 9

가장 중요한 것이 (칭찬)이라는 사실을 조련사에게 들음.

2 내용 이해_세부 내용 파악하기

조련사는 물개들이 다가올 때까지 기다리는 것이 아니라 공을 잘 받아넘긴 물개에게 달려가 목을 껴안고 쓰다듬어 주며 적극적으로 칭찬하는 모습을 보이고 있습니다. 따라서 물개들이 다가올 때 먹을 것을 주라는 것은 시나리오의 설정과 다른 지시가 되며, 칭찬의 중요성을 강조하는 조련사의 말과도 어긋나게 됩니다.

3 내용 이해_인물의 심리 파악하기

ⓒ의 "와아 비가 온다~~~"라는 말은 비록 수돗물을 비라고 잘못 말하고 있지만 초원이 외부 상황에 대해 반응했다는 사실 자체를 기뻐하는 경숙의 마음이 드러나고 있는 표현입니다. 바로 앞에 제시된 "그래. 비야."라는 말을 통해서도 이러한 '경숙'의 마음을 파악할 수 있습니다.

4 감상_이론을 바탕으로 감상하기

경숙은 자폐증인 자신의 아들 초원과의 의사소통에서 어려움을 겪고 있습니다. 경숙은 자신의 말을 잘 알아듣지도 못하고, 자신의 말에 곧바로 반응하지도 못하는 초원

때문에 괴로워하고 있습니다. 경숙은 초원과 물개의 지적 수준이 비슷하다고 생각하고 물개 조련사를 만나 방법을 물은 것입니다. 따라서 ⓑ과 같은 조련사의 대답을 이끌어 내는 질문으로는 ④가 적절합니다.

? 문제 돋보기

4 다음 보기 를 참고할 때, 조련사가 ⓑ과 같은 대답을 하기 전에 경숙이 했을 질문으로 가장 적절한 것은 무엇입니까? (④)

> 보기
>
> 영화의 대본인 시나리오는 '장면(scene)'들의 결합으로 이루어지는데 '장면'이란 같은 장소, 같은 시간 내에서 대사와 행동이 이루어지는 부분을 말한다. 각각의 장면은 '장면 번호' 즉 'S#(Scene Number)'로 구분되며 영화는 진행이 빠르기 때문에 장면 사이에는 생략되는 부분이 존재한다. 예를 들어 초원이의 자폐증 때문에 괴로워하는 경숙이 조련사와 대화를 나누는 'S# 9'의 첫 부분에서, 경숙이 조련사를 찾아가서 질문하는 상황은 생략되어 있다. 따라서 이 부분은 독자의 상상력이 필요하다.

① 경숙: 어떻게 하면 초원이도 말을 잘 알아들을 수 있을까요?
② 경숙: 자폐증인 어린아이와 물개의 지적 수준이 비슷할까요?
③ 경숙: 물개는 자기에게 칭찬을 많이 해 주는 것을 좋아하나요? └조련사는 경숙이 동물을 키우는 것이라 착각하고 있음.
✓④ 경숙: 물개들이 조련사님의 말을 잘 듣게 된 비결이 무엇인가요?
⑤ 경숙: 애완동물을 길러 보고 싶은데 어떻게 길들이는 게 좋을까요? └경숙은 자신의 아들 때문에 조언을 구하려고 하는 것임.

5 어휘·어법_어휘의 의미

㉮는 초원의 반응에 대한 간절한 기대감이 드러난 태도입니다. 따라서 '견디기 어렵도록 애가 타는 마음.'을 의미합니다. 빈칸에 이와 같은 의미의 '애절'이 쓰일 수 있는 문장은 ⑤입니다.

어휘력 완성 ─────── 129쪽

1 ㉠ 햇수 ㉡ 실성 2 ③ 3 ②

1 몇 년째 되었다고 말하면서 해의 수를 이야기할 경우에는 '햇수'라고 말해야 합니다. 따라서 ㉠에 들어갈 낱말은 '햇수'입니다. 그리고 ㉡에는 정신에 이상이 생겨 본정신이 없음을 뜻하는 '실성'이 들어가는 것이 적절합니다.

3 '우공이산'은 우공이 산을 옮긴다는 뜻입니다. 이 말은 어떤 일이든 끊임없이 노력하면 반드시 이루어짐을 이르는 말입니다.

1 손님, 이 / 공존, 밭 **2** ② **3** ③ **4** ⑤ **5** ②

ᄀᆞ

글의 종류 고전 수필

글의 특징 이 수필은 '이'나 '개'의 죽음을 어떻게 볼 것인가에 대한 '손님'과 '나'의 논쟁을 기록한 글로, 선입견을 버리고 사물의 본질을 올바로 볼 수 있어야 함을 이야기하고 있습니다.

주제 선입견을 버리고 본질을 보아야 함.

나

글의 종류 현대 수필

글의 특징 이 수필은 글쓴이가 밭을 일구며 느끼고 깨달은 점을 솔직하게 표현한 글로, 선택보다는 공존이 땅의 질서임을 이야기하고 있습니다.

주제 공존하는 삶에 대한 소망

---

1 핵심 요약_주요 내용 정리하기

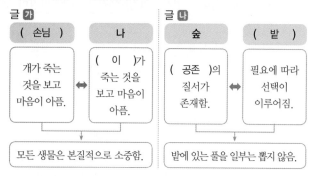

글 **ᄀᆞ**
- (손님)
- 나

(이)가 죽는 것을 보고 마음이 아픔. ↔ 개가 죽는 것을 보고 마음이 아픔.

→ 모든 생물은 본질적으로 소중함.

글 **나**
- 숲
- (밭)

(공존)의 질서가 존재함. ↔ 필요에 따라 선택이 이루어짐.

→ 밭에 있는 풀을 일부는 뽑지 않음.

2 표현_서술상의 특징 파악하기

글 **ᄀᆞ**와 **나**에는 모두 글쓴이의 구체적인 경험이 제시되어 있습니다. 글 **ᄀᆞ**에서는 글쓴이가 '손님'과 대화를 나누게 된 상황이, 글 **나**에서는 글쓴이가 밭을 갈면서 깨닫게 된 것이 경험으로 제시되어 있습니다.

3 내용 이해_세부 내용 파악하기

㉠에서 '달팽이 뿔'과 '메추리'는 '작은 것'을, '쇠뿔'과 '대붕'은 '큰 것'을 의미합니다. 그러나 '나'는 '작은 것'과 '큰 것' 모두 똑같이 소중한 것이며, 그 둘을 똑같이 볼 수 있어야 한다는 사실을 이야기하고 있습니다.

4 감상_이론을 바탕으로 감상하기

글 **나**의 글쓴이는 자신의 밭에 풀이 많은 이유가 게으름 때문만은 아니지만 때로는 게으름이 '풀'이라는 생명을

유지할 수 있게끔 하는 긍정적인 역할도 함을 이야기하고 있습니다. 그러나 이것은 자신이 깨달은 바를 전하기 위해 이야기한 것일 뿐 독자들이 게으른 태도를 지녀야 함을 촉구하는 것은 아닙니다.

❓ 문제 돋보기

4 다음 보기를 참고하여 이 글을 감상한 내용으로 적절하지 않은 것은 무엇입니까? (⑤)

> 보기
>
> 수필은 글쓴이가 경험을 통해 깨달은 것을 독자에게 전달하기 위해 쓴 글인데, 때로는 독자를 대신하는 인물이 글 속에 등장하기도 한다. 이때 글쓴이가 전달하고자 하는 깨달음은 사람들이 지니고 있는 잘못된 편견이나 보통 사람들의 일반적인 생각을 깨뜨리는 경우가 많다. 글 **ᄀᆞ**와 **나**의 글쓴이 또한 이러한 생각의 전환을 통한 깨달음을 전달하고 있다.

① 글 **ᄀᆞ**에서 '나'와 대화를 나누는 '손님'은 독자를 대신하는 인물로 볼 수 있어.
　　└ '이' 처럼 작은 미물의 생명은 중요하지 않다는 생각

② 글 **ᄀᆞ**에서 '나'는 '이'를 잡아 죽이는 일을 보고 슬퍼했다고 말함으로써 사람들의 편견을 깨뜨리고 있어.

③ 글 **ᄀᆞ**에서 '나'는 '손님'에게 생각의 전환이 있어야 '도'를 말할 수 있음을 이야기함으로써 깨달음을 요구하고 있어.

④ 글 **나**에서 글쓴이는 '농사'가 오히려 생명을 죽이는 일이 될 수 있다고 말함으로써 사람들의 일반적인 생각을 깨뜨리고 있어.
　　└ 농사는 생명을 기르는 것

⑤ 글 **나**에서 글쓴이는 '게으름'이 '악덕'이 될 수 없음을 이야기함으로써 독자들이 게으른 태도를 지녀야 함을 촉구하고 있어.

---

5 어휘·어법_속담

㉮의 상황은 새로 들어온 사람이 본래 터를 잡고 있었던 사람을 내쫓거나 해를 입힌다는 의미입니다. 이런 상황을 비유적으로 이르는 속담으로는 '굴러온 돌이 박힌 돌 뺀다'가 있습니다.

어휘력 완성 ─────── 137쪽

1 ㉠ 혈기 ㉡ 명목 **2** (1) ㉰ (2) ㉯ (3) ㉮ **3** ⑤

1 돌쇠가 밥을 제대로 먹지 못해서 기운 없이 일하고 있으므로 ㉠에 들어갈 말은, '힘을 쓰고 활동하게 하는 원기.'를 가리키는 '혈기'입니다. 그리고 주인어른의 말 중 ㉡에 들어갈 말은 '구실이나 이유.'를 의미하는 '명목'입니다. 김매기를 열심히 해야 품삯을 받을 이유가 있다는 말을 하고 있습니다.

복합02 **가** 은전한닢 **나** 무소유   138~140쪽

1 은전, 눈물 / 난초, 집착 **2** ② **3** ③ **4** ③ **5** ①, ⑤

가

글의 종류 현대 수필

글의 특징 이 수필은 은전 한 닢을 구한 거지에 대해 회상하는 글로, 다양한 해석이 가능한 거지의 마지막 말이 많은 여운을 줍니다.

주제 맹목적 집착에 대한 연민

나

글의 종류 현대 수필

글의 특징 이 수필은 난을 키우며 겪은 일들을 통해 무소유에 대한 깨달음을 전하는 글로, 집착을 버릴 때 진정한 해방감을 느낄 수 있음을 이야기하고 있습니다.

주제 무소유의 의미

---

1 핵심 요약_내용 흐름 정리하기

글 **가**	글 **나**
(은전)을 가진 거지에게 누가 도와주었냐고 물어봄.	뜨거운 햇볕에서 (난초)를 보호하기 위해 집으로 돌아옴.
거지는 은전을 얻기까지의 과정을 설명하며 (눈물)을 흘림.	난초를 통해 (집착)이 괴로움인 것을 깨달음.
거지에게 은전을 만든 이유를 묻자 은전 한 개가 갖고 싶었다고 답함.	난초를 떠나보내고 날아갈 듯 홀가분한 해방감을 느끼게 됨.

2 표현_서술상의 특징 파악하기

글 **가**는 '나'가 만난 거지의 이야기를, 글 **나**는 '나'가 난초를 기르면서 깨달은 이야기를 펼치고 있습니다. 모두 '나'의 경험을 바탕으로 내용을 전개하고 있습니다.

3 적용하기_대화 상황에 적용하기

글 **나**의 '나'는 집착에서 벗어날 때 진정한 자유와 해방감을 느낄 수 있음을 이야기하고 있습니다. 그런데 분명한 목표를 향해서 모든 것을 포기하는 삶이란, 곧 지나친 집착에서 비롯된 삶의 태도라 볼 수 있습니다. 따라서 글 **나**의 '나'가 이러한 삶에 대해 아름답다고 이야기하는 것은 적절하지 않습니다.

---

4 감상_이론을 바탕으로 감상하기

'은전'의 의미를 인간의 의지로 본다면, 거지가 흘리는 눈물은 자신의 목표를 이루었다는 기쁨의 표출이나 그동안의 힘든 과정에 대한 서글픔의 의미로 생각할 수 있습니다. 그러나 의지적인 노력으로 목표를 이룬 거지의 태도에서 절망감은 드러나지 않습니다.

❓ 문제 돋보기

4 다음 보기 를 참고하여 글 **가**를 감상한 내용으로 적절하지 않은 것은 무엇입니까? (③)

> 보기
>
> 문학 작품에서 소재의 의미는 다양하게 해석될 수 있다. 글 **가**에서 '은전'은 삶의 목적, 인간의 의지, 물질적 욕망 등의 다양한 의미로 이해할 수 있다. 그리고 '은전'의 의미를 어떻게 해석하는가에 따라 거지의 행동이 지니는 의미와 거지를 바라보는 독자의 태도에 차이가 생긴다.

① '은전'의 의미를 삶의 목적으로 본다면 거지는 삶의 목표를 이루어 낸 사람이라고 할 수 있겠군.

② '은전'의 의미를 인간의 의지로 본다면 거지는 포기하지 않고 노력하는 인간으로 평가할 수 있겠군. _{자신의 목표를 이루었다는 기쁨의 눈물임.}

③ '은전'의 의미를 인간의 의지로 본다면 거지가 흘리는 눈물에서 현실에 대한 절망감을 엿볼 수 있겠군.

④ '은전'의 의미를 물질적 욕망으로 본다면 오직 큰돈에만 집착한 거지의 욕망에 안타까움을 느낄 수 있겠군.

⑤ '은전'의 의미를 물질적 욕망으로 본다면 겨우 은전 한 개를 갖고 싶어 하는 거지가 불쌍한 존재로 보일 수 있겠군.

---

5 어휘·어법_어휘의 의미

㉠은 '몹시 수고로움.'의 의미로 쓰인 것입니다. 이와 같은 의미로 쓰인 것은 ①, ⑤입니다. ②, ③, ④는 모두 '초조한 마음속.'의 의미로 쓰인 것입니다.

어휘력 완성 ─────── 141쪽

1 ㉠ 집착 ㉡ 욕망 **2** (1) ㉰ (2) ㉲ (3) ㉴ **3** ①

---

1 남자아이는 달리기에서 일 등을 하기 위해서 의지를 불태우고 있습니다. 이와 같이 '어떤 것에 늘 마음이 쏠려 잊지 못하고 매달림.'을 뜻하는 말은 '집착'입니다. 또한 일 등 상을 갖고 싶어 하는 그 마음은 '부족을 느껴 무엇을 가지거나 누리고자 탐함. 또는 그런 마음.'을 뜻하는 '욕망'이라고 할 수 있습니다.

오답 피하기

• 유념: 잊거나 소홀히 하지 않도록 마음속에 깊이 간직하여 생각함을 의미하는 말입니다.